Les mésaventures de Miranda

Jill Mansell

Les mésaventures de Miranda

Traduit de l'anglais par Béatrice Pierre

Titre original : *Miranda's big Mistake*

Headline Books Publishing,
a division of Hodder Headline PLC, London

Cette édition des *Mésaventures de Miranda*
est publiée par les Éditions de la Seine
avec l'aimable autorisation des Éditions J'ai lu.

Pour Lydia et Cory

1

Jeudi 1er avril

Miranda décrocha le téléphone.

— Salon de Fenn Lomax, bonjour. Que puis-je faire pour vous ?

— Bonjour, répondit une voix masculine. J'ai besoin d'une bonne coupe de cheveux et d'un brushing.

— L'attente sera longue, prévint Miranda en débouchant son stylo à bille avec ses dents. Votre nom, s'il vous plaît ?

— Edgar Tondu.

Des rires s'élevèrent à l'autre bout de la ligne.

— Ah ah ah ! Elle est bien bonne, fit Miranda complaisamment. Dommage que tous les comiques n'aient pas votre esprit !

— Qui était-ce ? demanda Beverly, comme Miranda raccrochait.

— Un crétin de première. Le 1er avril, il fallait s'y attendre.

Miranda mit son manteau et enfila ses gants, l'un en laine verte et l'autre en skaï rose. Beverly haussa les sourcils.

— Tu vas déjà déjeuner ? Il n'est que 11 h 30.

— Une fois de plus, je sers d'esclave à Alice Tavistock, expliqua Miranda en grimaçant. Elle veut des cigarettes, de la tisane au ginseng et des timbres. Tant qu'à faire, je ne comprends pas pourquoi elle ne m'envoie pas au supermarché avec la liste de tout ce dont elle a besoin pour la semaine. Au moins, ce serait fini.

— Non, parce qu'au retour, tu devrais briquer sa voiture.

— Et laver son linge.

— Et tondre sa pelouse.

— Et remplir sa déclaration de revenus.

— Et nettoyer sa salle de bains avec sa brosse à dents, acheva Beverly.

— Miranda, tu n'es pas encore partie ? s'écria Fenn Lomax, qui sortait du salon réservé aux VIP.

— Pardon, Fenn. J'y vais tout de suite. Je reviens dans dix minutes, répondit-elle en se ruant vers la porte.

— Cinq !

Depuis que Fenn Lomax était l'invité régulier d'une célèbre émission de télévision matinale, sa clientèle s'était considérablement développée.

Comme l'animatrice le faisait remarquer une fois sur deux, il présentait le triple avantage d'être coiffeur, hétérosexuel et particulièrement séduisant. Autant dire qu'il avait tout pour réussir.

L'animatrice n'avait pas tort. Avec ses cheveux blonds coupés aux épaules, ses yeux noisette et son sourire enjôleur, Fenn possédait un charme auquel peu de femmes résistaient. Il avait quitté les rues sordides de Bermondsey, où les habitués avaient droit à une réduction le lundi et le mercredi, pour ouvrir un salon haut de gamme dans le quartier huppé de Knightsbridge. Là, il n'était plus question de tarifs préférentiels. Les célébrités attendaient parfois des jours le privilège de dépenser deux cent cinquante livres afin de pouvoir clamer auprès de leurs amis, relations, journalistes... bref, de tout individu susceptible de les écouter, que leur coupe de cheveux était l'œuvre du fameux Fenn Lomax.

Au moins, on repérait ses clients au premier coup d'œil, se dit Miranda, alors qu'une limousine s'arrêtait à deux centimètres de ses orteils. Une femme emmitouflée dans un manteau de fourrure s'en extirpa péniblement. Ensuite, bottes fourrées aux pieds comme pour traverser l'Antarctique, elle pataugea dans la boue et franchit les trois mètres qui la séparaient des portes vitrées du salon.

Hélas, le trottoir étant désert, personne ne la remarqua.

Évidemment, quand on s'offrait le luxe d'une limousine avec chauffeur, il était judicieux de réduire ses autres dépenses, songea Miranda, en reconnaissant la romancière célèbre qui ôtait ses lunettes noires. Cela expliquait pourquoi ce vieux chameau au visage déformé par d'innombrables liftings ne lui avait laissé qu'un misérable pourboire la semaine précédente.

Miranda dut faire plusieurs boutiques avant de trouver la tisane au ginseng. Sa mission achevée, elle avait déjà quinze minutes de retard.

Comme d'habitude, l'homme était là, assis sur une couverture détrempée, devant la cordonnerie. Miranda s'apprêta à courir en feignant de ne pas l'avoir vu, mais elle se ravisa. Et si elle s'arrêtait une minute, le temps de lui dire qu'elle était très pressée et que, s'il voulait bien l'attendre, elle le rejoindrait dans une heure ou deux ? « Pauvre garçon, se dit-elle avec une bouffée de honte, il a l'air frigorifié ! »

En tout cas, il était trop tard pour l'éviter. Il l'avait déjà aperçue.

— Bonjour, fit-elle. Écoutez, ce n'est pas ma pause déjeuner. Je suis juste sortie acheter deux ou trois choses pour une cliente, mais je reviendrai d'ici deux heures, promis.

Elle frémit, prise de remords. Cet homme avait besoin de quelque chose de chaud, et tout de suite.

— D'accord, répondit-il en esquissant un sourire. Merci.

Jamais il ne quémandait quoi que ce soit. Il se contentait de rester assis et d'observer les passants derrière le rideau de ses cheveux longs et gras.

De peur qu'il ne se drogue, Miranda ne lui donnait pas d'argent. L'idée que le peu dont elle disposait soit injecté dans une veine lui répugnait. Mais aujourd'hui, les circonstances étaient différentes. De l'autre côté de la rue, un Burger King vendait des boissons chaudes. Or Alice Tavistock lui avait confié un billet de dix livres pour ses courses, et il lui restait quelques pièces de monnaie…

— Tenez, dit-elle en lui fourrant soixante-dix pence dans la main. Offrez-vous une tasse de thé. Il fait rudement froid.

— C'est très gentil à vous.

Une dose d'héroïne coûtait plus de soixante-dix pence, non ?

— Vous ne vous droguez pas, j'espère ? demanda-t-elle malgré tout.

— Non, je ne touche pas à ça.

Sauf que… il ne l'avouerait pas, bien évidemment. Miranda qui craignait d'être très en retard n'insista pas.

— À plus tard. Jambon-beurre ou crevettes-mayonnaise, pour le sandwich ? demanda-t-elle en remuant ses orteils engourdis par le froid.

— Ça m'est égal. À vous de choisir, répondit-il en haussant les épaules.

— Excusez-moi, s'écria Miranda en entrant dans le salon des VIP Harrods était bondé, et la femme qui me précédait a eu un malaise. Enfin, me voilà. Tenez.

Fenn terminait le chignon d'Alice Tavistock. Sans répondre à Miranda – il ne croyait pas une minute à cette histoire de malaise –, il regarda la jeune femme étaler sur la coiffeuse les cigarettes, la tisane, les timbres et quelques pièces de monnaie.

— Sors les serviettes du sèche-linge et va aider Corinne pour le balayage de lady Trent.

Miranda se demanda si Alice Tavistock allait daigner la remercier, mais extraire une cigarette du paquet neuf et l'allumer étaient apparemment plus importants. La cliente actionna son briquet en argent et aspira une longue bouffée de tabac, faisant jaillir les tendons de son cou décharné.

— Miranda, les serviettes !

Cinq minutes plus tard, Miranda était en train de tendre à Corinne des rectangles de papier argenté lorsque Fenn et Alice Tavistock sortirent du salon des VIP.

Fenn lui fit signe d'approcher. « Hourra, c'est l'heure des pourboires ! » se dit Miranda en apercevant l'éclat de pièces de monnaie dans la main d'Alice Tavistock. Mais son enthousiasme retomba quand elle vit l'expression peu aimable du visage fraîchement poudré.

— Je vous ai donné un billet de dix livres, grommela la cliente en exhibant sa monnaie. Et voilà ce que vous m'avez rendu. Vous me croyez incapable de compter ?

— Mon Dieu, je suis désolée ! J'avais oublié, répondit Miranda en s'envoyant une claque sur le front.

Je voulais combler la différence, mais Fenn m'a demandé de sortir les serviettes et j'ai...

— Et vous avez espéré vous en tirer comme ça ! rugit Alice Tavistock. Vous n'êtes qu'une voleuse !

Fenn ferma les yeux.

— Miranda, qu'as-tu fait de l'argent de Mme Tavistock ?

— Je l'ai donné à quelqu'un.

— Comment ? Arrête de marmonner, parle correctement.

— Je l'ai donné à un SDF, pour qu'il s'achète une tasse de thé.

— Mon argent ! hurla Alice Tavistock. Vous avez donné mes soixante pence à un sale mendiant ? Mon Dieu, vous êtes complètement folle, ma pauvre !

« Zéro pointé pour le calcul mental », songea Miranda.

— Ce n'est pas un mendiant, protesta-t-elle. Il ne demande jamais rien ! Et il ne s'agissait pas de soixante pence, mais de soixante-dix.

Malgré le salaire dérisoire qu'elle gagnait comme apprentie, Miranda aimait travailler chez Fenn Lomax. Elle prenait plaisir à couper les cheveux – occasion qui se présen-tait rarement – et appréciait les clients. Enfin, presque tous. Elle avait du mal à rester aimable lorsqu'on l'insultait – comme Alice Tavistock venait de le faire.

— Je ne suis pas une voleuse, dit-elle à Fenn, après qu'il eut remboursé la cliente ulcérée et qu'il l'eut raccompagnée jusqu'à la porte en se répandant en excuses.

— Je le sais bien. Mais ce n'est pas futé d'avoir fait ça.

— Cette femme est un vrai chameau ! Dire qu'elle passe son temps à se vanter des innombrables œuvres dont elle s'occupe ! Comment peut-elle être aussi mesquine ?

— Peu importe. Alice Tavistock est notre cliente.

— Une vieille peau, marmonna Miranda.

— Tais-toi et écoute-moi une minute. Beverly doit aller chez le dentiste à 13 heures. Il faut que tu la remplaces.

— Tu veux dire... pendant ma pause déjeuner ?

Les yeux noirs de Miranda s'assombrirent encore. Elle mourait de faim... et elle n'était pas la seule, se rappela-t-elle avec remords.

Fenn lui jeta un regard sévère.

— Vu les circonstances, ça me paraît équitable, tu ne trouves pas ?

Chloé regardait la caissière passer chaque article sous le scanner et le reposer sur le tapis roulant.

Une barquette de blanc de poulet, un citron, une bouteille de lait demi-écrémé, un kilo de brocolis, un petit carton de pommes de terre nouvelles extrêmement chères. Et un test de grossesse.

S'attendant à un coup d'œil narquois, Chloé retint son souffle.

— Quinze livres soixante-dix, fit la jeune fille d'une voix morne. Vous payez par carte ?

De nos jours, il fallait manifestement plus qu'une barquette de blanc de poulet et un test de grossesse pour éveiller l'intérêt d'une caissière.

De retour au magasin *Occasions Spéciales, cadeaux pour toutes les circonstances*, Chloé accrocha son sac au portemanteau et s'enferma dans les toilettes minuscules du rez-de-chaussée.

Les doigts tremblants, elle déchira la cellophane qui enveloppait le test. Les mots de la notice explicative dansèrent devant ses yeux.

« Courage, songea-t-elle, c'est important. Pas question de faire d'erreur. Comporte-toi comme à un examen. Lis lentement les instructions, concentre-toi et, pour l'amour de Dieu, cesse de trembler. »

— Chloé, c'est toi ?

« Qui d'autre cela aurait-il pu être ? » se dit-elle, excédée.

— Euh... oui.

Heureusement qu'elle n'avait pas encore entamé la partie délicate de la manœuvre !

— OK, grommela son patron, qui n'avait jamais compris pourquoi les femmes s'attardaient plus de trente secondes dans un tel endroit. Garde un œil sur la boutique, s'il te plaît. Je dois passer un coup de téléphone.

— Deux minutes, supplia Chloé.

— Quoi ?

— Laissez-moi deux minutes.

Derrière la porte, Bruce secoua la tête d'un air exaspéré. Les femmes et leur mécanisme intérieur étaient pour lui un vrai mystère.

— OK.

La clochette suspendue au-dessus de la porte annonça l'arrivée d'un client. Soulagée, Chloé entendit son patron s'éloigner. Elle aurait été incapable d'exécuter les instructions du test de grossesse en le sentant s'impatienter à quelques centimètres d'elle.

L'opération achevée, elle se mit à compter, les yeux fermés. Lorsqu'elle les rouvrit, le bâtonnet était bleu.

— Ô mon Dieu ! murmura-t-elle, le cœur battant.
Puis elle remonta son pull et regarda son ventre.
— Bonjour, toi, fit-elle d'une voix tremblante.

Quand elle regagna la boutique, encore sous le choc, Bruce emballait un vase italien hors de prix.
— Chloé, avant que j'oublie, il y a une petite réception au club de golf, ce soir. Verity et moi pensions y passer une heure ou deux, mais cette fichue baby-sitter nous a laissés tomber. Tu pourrais venir à notre secours ?
Étant déjà venue au secours de son patron, Chloé ne fut pas dupe de son ton jovial. Pour Bruce, une heure ou deux voulait souvent dire sept ou huit.
— Bruce, je suis désolée. Je ne peux pas.
Il en resta bouche bée.
— Mais tu m'avais dit que tu n'avais rien prévu de particulier, ce soir, protesta-t-il enfin, l'air sévère.
« Sois courageuse, tiens bon, ne te laisse pas intimider. »
— Ça, c'était ce matin, répondit Chloé d'une voix aussi ferme que possible. Maintenant, j'ai quelque chose à faire.

2

Florence Curtis avait mené une vie très active. Pendant longtemps, chacune de ses journées avait été remplie du matin au soir. Mariée à vingt ans, mère à vingt-cinq, divorcée à vingt-sept, remariée, veuve, mariée pour la troisième fois à trente-trois ans… Seigneur, la tête lui tournait au souvenir des années frénétiques durant lesquelles, jonglant avec les maisons, les nounous et les besoins de son fils chéri mais incroyablement exigeant, elle avait suivi ses différents époux à travers le monde.

Puis, lorsque son très cher Ray, le numéro trois, était mort d'une crise cardiaque sur le perron du casino de Monte-Carlo, Florence avait décidé de tirer un trait sur le mariage. Veuve deux fois, cela suffisait. Elle savait qu'elle ne supporterait pas une troisième expérience de ce genre. Ayant horreur de susciter la compassion, elle avait tout simplement annoncé à ses amis qu'elle était lasse de changer de nom sur ses carnets de chèques.

Elle avait consacré les vingt années suivantes à se payer du bon temps et en avait savouré chaque minute. Il avait fallu que les premières raideurs s'insinuent dans ses articulations pour qu'elle réalise que l'arthrite allait mettre un terme à ce temps béni d'insouciance.

S'habituer au fauteuil roulant alors que son cerveau s'ingéniait à la persuader qu'elle n'avait rien perdu de son agilité ne fut pas une mince affaire. De temps à autre, Florence rêvait qu'elle avait passé la nuit à danser au *Café royal*. Elle s'éveillait, d'humeur euphorique, et se disait : « Tiens, voilà ce que je vais faire aujourd'hui : trouver un endroit un peu gai et danser, danser, danser... ». Mais quand elle tentait de se retourner dans son lit et que la douleur lui arrachait un gémissement, la dure réalité reprenait ses droits.

L'année précédente, son médecin lui avait parlé de discothèques réservées aux handicapés. Tous les jeudis soir, des cars affrétés par diverses maisons de retraite déversaient leurs cargaisons d'infirmes devant la salle de réunion de la paroisse Saint-Augustin, et tous ces braves gens s'amusaient comme des fous à tournoyer sur le parquet ciré.

— Comment ça ? Dans leurs fauteuils roulants ? s'était exclamée Florence en hurlant de rire. Désolée, mon chou, ce n'est pas mon truc. Ça me fait penser aux ados qui s'embrassent en entrechoquant leurs appareils dentaires.

S'il lui arrivait parfois d'avoir le cafard, Florence veillait à ce que personne ne s'en aperçoive. À quoi cela lui aurait-il servi de se lamenter sur ses malheurs ? C'était la meilleure façon de se retrouver sans amis.

Elle s'appliquait donc à montrer un visage gai et se remontait le moral de son mieux. Sur certains points, elle avait de la chance, se disait-elle. Après tout, elle était propriétaire de sa maison et n'avait aucun problème financier. De plus, elle jouissait de la compagnie de Miranda. Et, si elle ne pouvait plus se servir de ses jambes, au moins lui restait-il ses mains, ce qui lui permettait de tenir une coupe de champagne, de faire une partie de poker et de se maquiller sans l'aide d'autrui… même si ce n'était pas toujours une réussite, elle l'admettait volontiers. Mais il y avait dans la vie des choses plus graves qu'un trait d'eye-liner en zigzag.

La pendule de la cheminée sonna 18 h 30. Florence, qui aimait guetter sa pensionnaire, roula son fauteuil devant la fenêtre du salon. Dès qu'elle apercevait Miranda dans la rue, en général en train de fouiller fébrilement dans ses poches à la recherche de sa clé, elle sortait une bouteille de bière du réfrigérateur et se servait une bonne dose de xérès.

Florence se battait avec le bac à glaçons quand la porte claqua.

— Je suis là ! cria Miranda.

— Tu dois être gelée. Va t'asseoir près du feu, protesta Florence, comme la jeune femme la rejoignait dans la cuisine pour l'aider. Je peux très bien me débrouiller seule.

Miranda cogna le bac en plastique contre la porte du réfrigérateur, et les glaçons volèrent dans toutes les directions.

— Mes mains sont complètement engourdies, s'excusa-t-elle, tout en jetant deux glaçons dans le verre de Florence. Voilà, ça y est. Allons nous installer devant le feu, que je vous raconte ma merveilleuse journée.

Lorsque Miranda renversa la tête en arrière pour boire au goulot, des gouttes de neige fondue glissèrent dans son cou. Ses cheveux noirs, coupés court et striés de mèches bleues et vertes, brillaient comme un feu d'artifice.

— ... si bien que j'ai manqué ma pause déjeuner. Quand j'ai quitté le salon, il était déjà parti, acheva-t-elle, la lèvre supérieure ornée d'une fine moustache de mousse. Pauvre garçon, j'ai honte de l'avoir laissé tomber comme ça.

— Ton problème, remarqua gentiment Florence, c'est que tu es trop bonne poire.

— Je m'inquiète pour lui, voilà tout. Quel genre d'existence peut-il mener ? C'est épouvantable de n'avoir aucun endroit où vivre.

Le nez dans son verre de xérès, Florence émit un gloussement.

— Je veux bien que tu t'inquiètes pour lui, tant que tu ne me le ramènes pas ici.

Elle savait que Miranda était parfaitement capable d'essayer de la persuader d'accueillir un vieux clochard puant.

— Vous n'avez pas de cœur, fit la jeune femme.

— Je ne suis pas une bonne poire, moi... Bon, continua Florence d'un ton sérieux, j'ai quelque chose à te dire. Ce n'est pas une bonne nouvelle, malheureusement.

— Que se passe-t-il ? s'écria Miranda, alarmée. Vous êtes malade ?

— Moi non, mais mon compte en banque, oui. Tu as entendu parler du krach boursier de la semaine dernière ?

Bien qu'elle n'ait rien entendu de ce genre, Miranda hocha la tête.

— Eh bien, mon banquier m'a appelée cet après-midi. Mes actions ont dégringolé et je suis fauchée.

L'air soudain très embarrassé, Florence marqua une pause avant de reprendre :

— Du coup, il va falloir que j'augmente ton loyer.

Une vague nausée envahit Miranda.

— Oh... De combien ?

— Le double ?

En voyant l'expression atterrée de Miranda, sa propriétaire éclata de rire.

— Poisson d'avril !

Miranda écarquilla les yeux.

— Vous voulez dire que... mon loyer n'augmente pas ?

— Bien sûr que non !

— Vous n'êtes pas ruinée ?

— Il n'y a pas eu de krach boursier. Tu devrais essayer de lire le journal, de temps en temps, gloussa Florence.

La respiration de Miranda reprit un rythme normal.

— Midi est passé depuis longtemps, protesta-t-elle. Les poissons d'avril ne sont autorisés que le matin.

— Je n'ai pas eu l'occasion de te faire une blague ce matin. En tout cas, tu as marché.

— C'est de la triche, grommela Miranda.

— Une pauvre vieille femme en fauteuil roulant a tous les droits, y compris celui de tricher, répliqua Florence.

Greg ne devait pas rentrer du travail avant 20 heures. Jugeant que les circonstances méritaient un menu spécial, Chloé plongea les blancs de poulet et les champignons dans une marinade d'huile d'olive et d'ail, puis elle fit rissoler les minuscules pommes de terre nouvelles dans du beurre. Enfin, après avoir vérifié qu'il restait suffisamment de sorbet au cassis dans le congélateur, elle prit un bain.

Elle attacha ses cheveux avec les barrettes en tissu diamanté que Greg lui avait données à Noël et sortit la robe en satin rouge qu'il lui avait offerte pour son anniversaire. *Obsession* étant le parfum préféré de son mari, elle s'en aspergea abondamment, bien qu'elle-même n'en raffolât guère. Enfin, elle enfila des bas noirs et un porte-jarretelles.

Chaque petit détail pouvait aider... Du moins l'espérait-elle.

« Et ne nous leurrons pas, se dit-elle en commençant à se maquiller d'une main tremblante. Ce soir, je vais avoir besoin de toute l'aide possible. »

20 h 25. Toujours aucun signe de Greg.

Elle aurait volontiers bu un verre pour se calmer, mais à présent, cela lui était interdit.

À 20 h 30, les nerfs de Chloé étaient à vif. Le cliquetis de la clé dans la serrure la fit bondir de son fauteuil comme un diable hors de sa boîte.

Greg apparut sur le seuil du salon.

— Oh ! là là ! s'écria-t-il en dénouant sa cravate. Qu'est-ce qu'on fête ? Ce n'est pas notre anniversaire, si ?

Chloé se mit à trembler. Elle en avait trop fait. Greg allait exiger de connaître tout de suite la raison de tant d'efforts.

— J'ai eu envie de m'habiller un peu, c'est tout, répondit-elle avec un sourire contraint.

Il accueillerait beaucoup mieux la nouvelle une fois qu'il aurait un bon repas et les trois quarts d'une bouteille de vin dans l'estomac.

— Mmm... un porte-jarretelles, dit-il, remarquant les petites bosses sous le satin de la robe. Tout ce que j'aime !

Sans doute faudrait-il conclure le dîner par une séance érotique et ne lui parler qu'après, songea Chloé. À condition, bien sûr, que Greg ne se mette pas à ronfler comme un sonneur dans les six secondes suivantes... Cela s'était souvent produit.

— C'est de l'ail ? demanda-t-il en humant les effluves qui provenaient de la cuisine. Il vaudrait mieux que je m'en passe. J'ai un rendez-vous important demain matin, je ne tiens pas à ce que mes clients tournent de l'œil dès que je prendrai la parole.

Le visage de Chloé s'assombrit. Elle n'avait pas lésiné sur l'ail. Si Greg refusait d'en manger, le dîner se limiterait aux pommes de terre et au sorbet au cassis.

— Tout va bien ? s'inquiéta-t-il. Chérie, tu trembles. Qu'y a-t-il ?

— Il faut que j'aille éteindre le four.

Chloé entendit sa propre voix résonner, comme si quelqu'un d'autre qu'elle avait parlé. Elle aurait voulu se taire encore un peu, se préparer, répéter son rôle dans sa tête. Mais en quoi cela aurait-il rendu les choses plus faciles ?

— Chloé ? insista-t-il en lui massant doucement les épaules. Que se passe-t-il ?

— Greg, nous allons avoir un bébé.

Voilà, c'était fait.

Aussitôt, Greg ôta ses mains de ses épaules.

— Quoi ?

Elle inspira un grand coup.

— Un bébé. Nous... nous allons avoir un bébé, balbutia-t-elle.

Il recula d'un pas.

— Tu veux dire que tu es enceinte ?

Chloé s'efforça de sourire.

— Oui.

— Tu plaisantes, j'espère ?

— Non, voyons ! Je n'oserais pas plaisanter sur un sujet pareil !

Greg lui jeta un regard hostile.

— Depuis combien de temps le sais-tu ?

— Sept heures.

— Chloé, ce n'est pas possible. Nous en avions parlé.

— Pourtant, c'est arrivé, protesta-t-elle, la bouche sèche.

— Nous étions d'accord. Pas de bébés. Nous n'en avons pas besoin. Je n'en veux pas. Je ne les aime même pas.

— Peut-être, mais c'est arrivé. C'était un accident, mais maintenant, il est là.

— Tu en es sûre ? demanda Greg d'un ton glacial. Tu es sûre qu'il s'agit d'un accident ?

— Je te le jure ! s'écria Chloé. Jamais je ne ferais ça ! Pour moi aussi, ça a été un choc...

— Bon. Donc, il ne nous reste plus qu'à régler ça.

Bouche bée, Chloé écarquilla les yeux.

— Ne me regarde pas comme ça, gronda Greg. Comment croyais-tu que je réagirais ? Chloé, tu n'auras pas ce bébé. Nous allons régler ce problème. Ce n'est pas dramatique, chérie. Ça ne te fera même pas mal.

Une bouffée de rage envahit Chloé.

— Il ne s'agit pas... d'une dent de sagesse, rétorqua-t-elle en enfonçant ses ongles dans ses paumes.

— C'est plus petit qu'une dent de sagesse.

— Tu parles d'un être humain !

Elle se mordit la lèvre pour se retenir de hurler. Si Greg l'aimait sincèrement, pourquoi ne comprenait-il pas ce qu'elle éprouvait ? Comment pouvait-il écarter aussi facilement l'idée de garder cet enfant ?

— Pas à ce stade, répliqua-t-il.

— Mais avoir un bébé, ce n'est pas la fin du monde !

— Non, seulement la fin de notre mariage.

Chloé recula, horrifiée.

— Alors, c'est pour ça que tu t'es donné tout ce mal, dit Greg avec une grimace. J'ai pigé, maintenant. Un petit coup de maquillage, le porte-jarretelles extirpé du tiroir, les bas noirs, la robe rouge, et hop ! Le tour est joué. Ce bon vieux Greg va se vautrer à tes pieds en bégayant : « Chérie, quelle merveilleuse nouvelle ! Tu fais de moi le plus heureux des hommes. Bien sûr que je veux ce bébé. »

Chloé détourna les yeux.

Eh bien, oui. Grosso modo, c'était ce qu'elle avait espéré.

— Désolé, Chloé. Je t'ai dit avant que nous nous mariions ce que je pensais des enfants, tu te rappelles ? Les miracles, ça n'existe pas. Regarde bien, fit-il en désignant la fenêtre. Est-ce que tu vois des cochons voler ?

« Non, répondit Chloé en son for intérieur, mais il y en a un ici même, debout sur ses deux jambes. »

— Je ne m'en débarrasserai pas, murmura-t-elle. J'en suis incapable.

Tout en se reprochant sa faiblesse, elle ne put s'empêcher d'ajouter :

— Tu changeras peut-être d'avis.

— Non, dit Greg en ramassant ses clés de voiture sur le guéridon. Ne prends pas la peine de garder mon repas au chaud. Je dînerai dehors.

3

— Écoutez, je suis vraiment désolée pour hier, dit Miranda. J'ai eu des ennuis avec une cliente, si bien que mon patron m'a supprimé ma pause déjeuner. Sinon, j'aurais...

— Pas de problème.

Tout en clignant des yeux sous la pluie glacée, Miranda farfouillait dans son sac. Si ses doigts étaient engourdis par le froid, dans quel état devaient être ceux de ce pauvre homme ?

— Jambon-beurre, ça vous convient pour aujourd'hui ? Tenez, je me suis dit que cela pourrait vous rendre service, ajouta-t-elle en lui tendant une paire de gants en cuir et une écharpe en laine noire.

— Merveilleux. Merci beaucoup, répondit-il avec un sourire. C'est vous qui l'avez tricotée ?

— Grands dieux, non ! Je l'ai dénichée dans un magasin de vêtements d'occasion. Même si ma vie en dépendait, je serais incapable de tricoter.

— En tout cas, merci. Elle a l'air très chaude.

Tandis qu'elle le regardait enrouler l'écharpe autour de son cou et enfiler les gants, Miranda eut l'impression dés-agréable de se retrouver dans le rôle de la vieille tante autoritaire qui oblige un neveu peu enthousiaste à ouvrir immédiatement ses cadeaux de Noël... et à lui manifester de la gratitude.

Flûte... Elle aurait mieux fait de s'abstenir.

— Il faut que j'y aille, dit-elle en consultant sa montre. Je ne voudrais pas m'attirer d'autres ennuis.

— Ce sont des gants de luxe, remarqua-t-il en retroussant le poignet pour lire l'étiquette. Harvey Nichols, une bonne maison !

— Je ne les ai pas achetés, répliqua Miranda.

Puis elle ajouta précipitamment :

— Mais rassurez-vous. Je ne les ai pas volés non plus !

Miranda était en train de balayer les cheveux éparpillés sur le carrelage quand elle entendit Beverly s'exclamer au téléphone :

— Oh, oui, ils sont ici ! Nous nous demandions justement à qui ils appartenaient !

Deux minutes plus tard, elle vint taper sur l'épaule de Miranda.

— Tu n'aurais pas vu les gants qui traînaient au vestiaire ? Le client va passer les prendre, et je ne les trouve plus. Tu sais si Fenn les a rangés dans son bureau ?

— Zut alors, gémit Miranda en se redressant.

Les gants étaient restés trois semaines et demie sur une étagère sans que personne ne les réclame, et voilà que... La vie était vraiment injuste !

— Qu'y a-t-il ? s'inquiéta Beverly.

— Eh bien... ils sont partis remplir leur destin de gants sur une autre paire de mains.

— Ne me dis pas que tu les as donnés à ton clochard ! s'écria Beverly. Franchement, Miranda, tu es désespérante. Qu'est-ce que je vais raconter au client ? Il doit débarquer d'une minute à l'autre !

— Euh...

— Fenn va te tuer.

— Non, répondit Miranda sans grande conviction. Je lui ai demandé si je pouvais les prendre, et il a dit « d'accord ».

Il l'avait effectivement dit. Le seul ennui, c'était que Fenn était débordé, ces derniers temps. Et son « d'accord » distrait signifiait probablement : « Ne m'embête pas avec ça, fais-en ce que tu veux... à condition que personne ne les réclame d'ici à six mois. »

Et non d'ici à six secondes.

Elle se mordit la lèvre.

— Si Fenn était d'accord, reprit Beverly, pas de problème. À lui de se répandre en excuses auprès du client, voire de courir chez Harvey Nichols en acheter une autre paire.

Miranda blêmit.

— Après tout, poursuivit Beverly, impitoyable, ces gants ne coûtent pas plus de deux cents livres.

La jeune femme aimait sincèrement Miranda et admirait son originalité et sa générosité. Malheureusement, son amie ne cessait de s'attirer des ennuis.

— Alors ? dit Beverly.

— Bon, très bien, soupira Miranda en lui fourrant le balai dans les mains. Mais couvre-moi. Si Fenn me cherche, dis-lui que je suis aux toilettes. J'en ai pour deux minutes.

Comme elle courait vers la porte, Beverly lança :

— Décidément, tu as le chic pour te mettre dans le pétrin ! Je suis contente de ne pas être toi.

« Et moi, se disait Miranda en dévalant Brompton Road, j'aimerais bien ne pas toujours être moi. »

L'homme était encore là, grâce à Dieu. Lorsqu'il l'aperçut, il agita les mains pour lui montrer les gants.

— Je... je suis terriblement désolée, souffla-t-elle en s'arrêtant devant lui.

— Qu'y a-t-il ?
— Les gants. Ils... appartiennent à quelqu'un. Et... euh... voilà qu'on les réclame.
« Mon Dieu, que va-t-il penser de moi ? Je joue à la généreuse et, la minute suivante, je le dépouille ! »
Il ne cilla même pas.
— Pas de problème.
— Désolée, répéta Miranda. J'ai honte.
— Inutile de vous excuser, je vous assure, répondit-il en lui rendant les gants. Ils n'allaient pas vraiment avec mon look, de toute façon.
— Merci.
— Il vous faut l'écharpe aussi ? demanda-t-il en tendant la main vers le col de son blouson.
— Non, non ! cria-t-elle. Vous pouvez la garder !
— Tant mieux, fit-il. En fait, je préfère l'écharpe. C'est plus mon style.

— ... au moins, je ne suis pas obligé d'en acheter une nouvelle paire, disait une voix mâle quand Miranda franchit les portes du salon de coiffure.
La jeune femme se hâta de glisser les gants sous son tee-shirt.
Beverly, qui s'efforçait de gagner du temps en distrayant le client grâce à ses atouts naturels (poitrine généreuse et brillante conversation), vit avec soulagement que les seins de son amie, d'ordinaire menus, avaient pris une forme étrange.
— Mission accomplie, fit Miranda lorsqu'elles se retrouvèrent au vestiaire, quelques secondes plus tard.
Elle agita son butin sous le nez de Beverly.
— On l'a échappé belle, il est très pressé, grommela celle-ci en reniflant les gants avec inquiétude. Mon Dieu, s'il savait d'où ils viennent !

— Je me suis douchée, ce matin, protesta Miranda.

— Je ne parle pas de toi, idiote, mais de ton SDF. Ça doit faire des semaines qu'il n'a pas vu un morceau de savon.

Elles sortirent du vestiaire.

— Merci, dit l'homme en enfilant ses gants. Tiens, ils sont chauds.

Il jeta un regard soupçonneux à Beverly, mais celle-ci, prise de court, resta muette.

— Il fait si froid dehors que, dès que vous avez téléphoné, Beverly les a posés sur le radiateur, expliqua précipitamment Miranda.

Son amie opina vigoureusement du chef.

— C'était très gentil de votre part, dit le client avec un sourire.

— Beverly est une fille très attentionnée, déclara Miranda. Et célibataire, ajouta-t-elle, malgré le coup de talon qui faillit lui perforer le pied. L'homme qui l'épousera aura bien de la chance.

Une fois le client parti, Fenn fit signe à Miranda d'approcher.

— C'était le propriétaire des gants ?

— Oui. Heureusement qu'il est revenu avant que je ne les embarque !

Fenn hocha la tête, imperturbable, puis reporta son attention sur les cheveux qu'il était en train de couper. Miranda le prenait-elle vraiment pour un idiot ?

— Qu'est-ce que c'est que cette odeur ? s'écria Miranda en faisant irruption dans le salon de Florence. Ça sent terriblement fort dans l'entrée... Zut, ici, c'est encore pire. Quelqu'un est venu vous voir ? demanda-t-elle en remarquant la théière et les tasses disposées sur la table.

— J'ai eu la visite d'Elizabeth, répondit Florence d'une voix solennelle.

— Mon Dieu, je vous plains ! jeta Miranda en enlevant son manteau. Qu'avait-elle à vendre, cette fois-ci ? Encore des billets de tombola ?

Elizabeth Turnbull, leur voisine, était une quadragénaire divorcée qui consacrait la moitié de son temps à rassembler des fonds pour diverses œuvres, et l'autre à répandre son parfum sur son prochain. C'était une gentille femme, quoiqu'un peu autoritaire... et extrêmement envahissante.

— Pire, dit Florence en désignant deux cartes blanches ornées d'un liseré doré. Des billets pour un cocktail, s'il vous plaît. Quarante livres pièce, mais les organisateurs ont rameuté quelques célébrités, si bien qu'il paraît que c'est une bonne affaire. Imagine un peu : pour ce prix, les invités auront le grand honneur de côtoyer des vedettes et de trinquer avec elles ! Et tout ça pour une bonne cause, bien sûr.

— Je suis sûre que ce sera for-mi-da-ble-ment amusant, ajouta Miranda en imitant la voix stridente d'Elizabeth. Et pourquoi pas, d'ailleurs ? reprit-elle en examinant les invitations. Ça ne vous ferait pas de mal de sortir un peu.

— Je n'irai pas.

— Pourquoi donc ?

— La réception a lieu dans un appartement situé au troisième étage d'un immeuble sans ascenseur, répondit Florence d'un ton sec. Je ne pourrais m'y rendre que si un hélicoptère me posait sur le toit, et encore...

— Vous avez payé quatre-vingts livres pour un cocktail auquel vous n'irez pas ? s'exclama Miranda. Et dire que vous me traitez de bonne poire !

— C'était la seule façon de me débarrasser d'Elizabeth avant que son parfum ne m'asphyxie complètement. J'offrirai un de ces billets à Verity et à Bruce. La réception tombe le jour de leur anniversaire de mariage, et ils adorent ce genre de soirée.

4

Chaque fois que Bruce lui disait qu'elle avait une sale tête, Chloé réprimait la réplique qui lui venait aux lèvres : quelle tête aurait-il eue, lui, s'il avait été enceint et que sa femme lui avait demandé d'avorter ?

En fait, elle n'avait pas encore annoncé sa grossesse à son patron.

Tant que personne n'était au courant, un miracle pouvait toujours survenir et résoudre son problème, songeait-elle. Elle savait qu'une telle attitude était parfaitement irrationnelle, mais l'histoire de l'humanité fourmillait de miracles, non ? Alors, pourquoi n'y aurait-elle pas droit, elle aussi ?

De plus, si elle voulait garder son travail, il valait mieux qu'elle ne dise rien. Or, si Greg la quittait pour de bon, elle aurait vraiment besoin de travailler.

Comment un homme, qui ne supportait pas qu'une femme passe plus de trente secondes aux toilettes, réagirait-il à l'idée que son employée allait s'absenter régulièrement pour cause de visites chez le gynécologue, sans parler de la journée entière de congé que nécessiterait l'accouchement ?

Non, non, il était plus prudent de lui cacher la nouvelle. Pour le moment, du moins.

L'arrivée de Bruce, le vendredi matin, un carton à pâtisseries à la main, l'emplit de remords.

— Tu ne te nourris pas correctement, déclara-t-il en posant la boîte sur le comptoir. Je ne sais pas quel régime tu suis, mais il ne te convient pas. Tiens, j'ai acheté deux éclairs au café.

Chloé salivait d'avance. Quinze jours plus tôt, l'idée de manger un éclair au café à 9 heures du matin lui aurait soulevé l'estomac. À présent, elle avait si faim qu'elle se sentait capable d'avaler la boîte en plus des deux gâteaux.

— C'est très gentil à vous.

— J'ai autre chose pour toi, dit Bruce en sortant de sa poche un bristol au liseré doré. Ma mère nous a envoyé ça. Un gala de charité à Belgravia. Ça a l'air bien, mais ça tombe le jour de notre anniversaire de mariage et nous avons prévu autre chose. Je me suis dit que ça vous plairait peut-être, à Greg et à toi. Ça te requinquerait un peu de faire la fête.

— Merveilleux, répondit Chloé en examinant le carton avec un intérêt feint.

« La seule chose qui aurait pu la requinquer, c'était un mari auquel on aurait greffé un cœur », songea-t-elle.

— Il y aura plein de célébrités.

Pensant peut-être qu'elle ne savait plus lire, Bruce souligna du doigt la liste des noms.

— Wayne Peterson, le footballeur. Caroline Newman, la journaliste qui présente l'émission de voyages à la télé. Daisy Schofield...

Il s'interrompit, les sourcils froncés. Le nom lui était familier, mais il ne parvenait pas à mettre un visage dessus.

— C'est un mannequin australien, expliqua Chloé. Elle chante un peu et elle a joué dans deux films.

Greg s'étant entiché de Daisy Schofield, elle n'ignorait rien de la carrière de celle-ci.

— Ça devrait être amusant, conclut Bruce en lui décochant un clin d'œil encourageant. Mais ne laisse pas Wayne Peterson te draguer. C'est un beau garçon.

« Voilà une hypothèse hautement probable, se dit Chloé. Dès qu'il m'apercevra, il tombera à la renverse… littéralement, vu le tour de taille que je me prépare. »

Le lendemain matin, Greg attendit que Chloé soit partie pour sortir ses valises.

Procéder ainsi pouvait paraître cruel, mais il n'avait que de bonnes intentions. Chloé aurait été beaucoup plus malheureuse si elle l'avait vu faire ses bagages. Mieux valait qu'il rassemble ses affaires pendant qu'elle était absente.

Remplir quatre valises ne lui prit guère de temps. Il n'emporta ni linge de maison ni appareil ménager, seulement ses vêtements et quelques CD.

Quarante minutes plus tard, il contempla une dernière fois le salon. Ce n'était pas le plus beau jour de sa vie, mais il y survivrait.

« En tout cas, ce n'est pas ma faute », se dit-il en imaginant la réaction de sa femme, lorsqu'elle rentrerait à 17 h 30 et trouverait son mot. Chloé connaissait les règles et elle les avait enfreintes. Comment aurait-elle pu lui reprocher quoi que ce soit ? Elle seule le forçait à la quitter.

Son regard fut attiré par la pendule posée sur la cheminée. Sa grand-mère la lui avait offerte pour son mariage, mais il ne l'emporterait pas. Il n'était pas mesquin. Chloé et lui se séparaient, certes, mais ils n'étaient pas obligés de se comporter comme ces innombrables couples qui se disputaient la moindre petite cuillère.

D'ailleurs, à quoi une pendule lui aurait-elle servi ? Il s'installait chez son vieux copain, Adrian, dont la femme s'était sauvée l'année précédente avec un agent de change. Il n'avait vraiment pas besoin de cette horreur en cuivre que sa grand-mère avait achetée sur catalogue ! Il avait beau être un petit-fils aimant, il n'en trouvait pas moins ce truc complètement ringard.

L'invitation au liseré doré était appuyée contre le mur, à côté de la pendule. Greg la prit et la relut attentivement. Chloé l'avait sortie de son sac la veille.

— Pourquoi n'irions-nous pas ? Regarde, Daisy Schofield sera là. Ça te plairait de la rencontrer, non ?

Une façon, avait-il deviné, de faire comme si rien ne s'était passé.

— Chloé, à quoi bon ? avait-il répondu, d'une voix douce mais ferme. Je te l'ai dit, je pars. Si cette soirée te tente, ne te prive pas, vas-y.

— Non, avait-elle protesté, les yeux pleins de larmes. Toute seule, je ne peux pas.

Greg avait haussé les épaules, et Chloé avait jeté le carton sur le sol avant de quitter la pièce. Après son départ, il avait ramassé le bristol et l'avait reposé sur la cheminée.

Daisy Schofield.

Une femme superbe...

Un corps de déesse...

— Et puis, zut, marmonna-t-il en glissant l'invitation dans la poche arrière de son jean.

Puisque Chloé n'avait pas l'intention de l'utiliser, il aurait été stupide de laisser passer une telle occasion.

C'était un dimanche froid et beau. Pour la première fois depuis des mois, le ciel était bleu et le soleil brillait.

Florence était assise devant la fenêtre du salon lorsqu'elle entendit les talons de Miranda claquer dans l'escalier.

— Je vais faire des courses, annonça la jeune femme en passant la tête par la porte. Vous avez besoin de quelque chose ?

— Oui. Achète-moi une bouteille de montrachet, s'il te plaît.

Miranda haussa les sourcils.

— Jamais entendu ce nom. Ça sonne comme un éternuement. Qu'est-ce que c'est ? Un sirop contre la toux ?

— Du vin. Bien plus efficace que n'importe quel médicament, répondit Florence. Attends, je te donne de l'argent, ajouta-t-elle en roulant son fauteuil vers la table où était posé son sac.

— Inutile. Vous me rembourserez après.

Florence sortit un billet de cinquante livres de son portefeuille.

— Il ne s'agit pas d'un vulgaire pinard. Tiens, ça devrait suffire. Mais il faudra que tu ailles chez le marchand de vin de Kendal Street.

— Mince alors ! C'est pour une grande occasion ? demanda Miranda en dévisageant sa propriétaire.

Florence avait-elle perdu la tête ? La supérette proposait des prix très intéressants. Si on était d'humeur à faire une folie, on pouvait y trouver un chardonnay australien très correct pour trois livres quatre-vingt-dix-neuf.

— On est le 10 avril. C'est l'anniversaire de Ray. Nous buvions toujours du montrachet ce jour-là, expliqua Florence en s'efforçant de ne pas pleurnicher. J'ai gardé cette habitude. Nous nous l'étions promis. Ray adorait ce vin.

Lorsque Miranda revint, une heure plus tard, elle buta contre le fauteuil roulant de Florence. La vieille dame l'attendait devant la porte.

— Pourquoi portez-vous un chapeau ?

— Il fait froid dehors, répondit Florence en inclinant le bord de son feutre rouge. Tu en as mis du temps ! Le taxi va arriver d'une minute à l'autre.

Elle prit la bouteille des mains de Miranda aussi délicatement que s'il s'était agi d'un nouveau-né.

— Tu as eu assez d'argent ? demanda-t-elle.

— Il reste trois livres. Où allez-vous ?

— J'ai l'intention de me rendre à Parliament Hill, déclara Florence.

Elle sourit en voyant l'expression ahurie de Miranda.

— Un peu d'air frais me fera du bien. Et puis, c'est là que Ray et moi nous sommes rencontrés.

— Les gens vont vous regarder.

— J'y suis habituée.

— Vous comptez vous asseoir sur la colline et boire une bouteille à quarante-sept livres ? s'exclama Miranda. Avez-vous au moins pensé au tire-bouchon ?

— Je suis dans un fauteuil roulant, mais je ne suis pas sénile, rétorqua Florence en tapotant son sac, qui émit un bruit métallique.

Un taxi s'arrêta devant la porte.

— Vous avez pris deux verres, remarqua Miranda. Un pour vous et l'autre pour…

Si Florence avait répondu « Ray », elle se serait fait un devoir de l'enguirlander. Il y avait des limites à l'excentricité.

— Pour toi, bien sûr, dit Florence. Qui d'autre pourrait me pousser en haut de cette foutue colline ?

5

La vue sur Londres était splendide. Des nuages blancs traversaient le ciel bleu à toute allure, et d'innombrables cerfs-volants virevoltaient dans le vent.

Malgré le soleil, Miranda grelottait. Elle sortit de sa poche un béret en laine orange et l'enfonça sur sa tête.

Florence tint les verres sur ses genoux tandis que la jeune femme ouvrait la bouteille de montrachet. Une fois le vin servi, elles portèrent un toast à la mémoire de Ray. Miranda but une gorgée et s'efforça d'apprécier comme il se devait les qualités d'un cru à quarante-sept livres la bouteille. Sans succès.

— Mmm... fit-elle, simulant l'extase.

— Tu es bien mauvaise actrice, ma petite. Ce n'est pas grave si tu ne l'aimes pas, je me débrouillerai pour finir.

Un peu honteuse, Miranda changea de sujet.

— Comment vous êtes-vous rencontrés, Ray et vous ? demanda-t-elle en frottant ses mains gelées l'une contre l'autre.

— Je ne te l'ai pas raconté ? C'est une belle histoire.

La vieille dame tendit son verre pour que Miranda le remplisse à nouveau.

— J'étais venue ici un dimanche matin avec Bruce, reprit-elle. Il avait une nouvelle bicyclette, et je ne voulais pas qu'il en fasse dans la rue. Alors, bien sûr, il a voulu me prouver qu'il maîtrisait complètement son vélo... Il avait huit ans, tu sais comme sont les enfants à cet âge. Bref, il a perdu le contrôle de l'engin et s'est mis à dévaler ce sentier, dit-elle en désignant le chemin étroit qui serpentait à leurs pieds. Le pauvre gamin s'est ratatiné contre un arbre.

— Vous ne m'aviez jamais raconté ça ! s'écria Miranda, qui n'avait aucun mal à imaginer Bruce en petit garçon têtu. Que s'est-il passé ensuite ?

— Il y avait du sang et des dents un peu partout, une bicyclette cassée et un genou tordu. Bruce hurlait comme un écorché vif, et je n'avais même pas de mouchoir pour l'essuyer.

— Pauvre Bruce !

— Pauvre moi, oui ! J'étais dans tous mes états et je pleurais comme une idiote.

— Attendez, je devine la suite. À ce moment-là, tel un chevalier sur son fier destrier, Ray a débarqué sur sa moto, une trousse de secours dans une main et un sac de fausses dents dans l'autre, inventa Miranda, qui avait entendu parler de la dévotion de Ray pour sa Norton 500.

Florence rit de bon cœur.

— Pas tout à fait. Ray est effectivement apparu sur la colline, mais à pied et avec la gueule de bois. Il rentrait de Highgate après une nuit de folie, ce qui ne l'a pas empêché de nous aider. Et, le plus merveilleux, c'est qu'il avait un mouchoir propre. Il a nettoyé la bouche de Bruce, est parvenu à le calmer et a insisté pour le ramener à la maison sur son dos, tout en portant la bicyclette cassée. C'est un miracle qu'il n'ait pas eu une crise cardiaque. En ce qui me concerne, je suis tombée aussitôt amoureuse de lui. Imagine un peu le tableau : Ray avec ses cheveux à la Clark Gable – il avait encore des cheveux, à cette époque – et moi, trottant à ses côtés avec sa veste de smoking sur le bras. Le sang de Bruce avait beau dégouliner sur sa chemise blanche, ça lui était égal. Il a même réussi à nous faire rire. Et ce n'était pas pour m'épater parce que, pour lui, je n'étais qu'une jeune mère de famille qui avait besoin d'un coup de main. Lorsque nous sommes arrivés à la maison, il a dit : « Votre mari va avoir du mal à réparer ce vélo. »

— Comme c'est romantique ! soupira Miranda. Et ensuite ?

— J'ai répondu : « Sûrement, vu qu'il est mort depuis trois ans. »

Enchantée par ce récit, Miranda se redressa et noua les bras autour de ses genoux.

— Et alors ?

— Eh bien, il est resté silencieux une minute en me souriant. Puis il a dit : « Dans ce cas, je prendrais volontiers deux cachets d'aspirine et une tasse de thé. »

— Oh ! Et est-ce qu'il a réparé la bicyclette ?

— Je le lui ai suggéré, gloussa Florence, mais il m'a répondu qu'il n'était pas bricoleur. Quand les choses étaient cassées, il les remplaçait.

— Il a acheté un autre vélo à Bruce ?

— Oui, quatre jours plus tard. Et, pour que je ne me sente pas oubliée, il m'a donné cette bague de fiançailles, conclut Florence en agitant sa main gauche sous le nez de Miranda.

Ayant fait un sort à la bouteille de montrachet, la vieille dame poussa un soupir d'aise et ferma les yeux.

— Ça ne t'ennuie pas si je m'assoupis cinq minutes ?

Miranda allongea les jambes et s'appuya sur les

coudes. Cette position lui permettait d'offrir son visage au soleil et d'admirer les acrobaties colorées des cerfs-volants.

Les paupières mi-closes, elle examina le panorama qui s'étendait devant elle. Au loin, la cathédrale Saint-Paul se dressait sur le ciel avec l'assurance d'une poitrine hollywoodienne siliconée. On apercevait aussi Big Ben puis, à l'est, Canary Wharf et la tour de l'Horloge. À l'ouest s'élevaient les cheminées de la centrale électrique de Battersea et la tour Trellick. Cette vue époustouflante donnait une brève idée de l'immensité et de la beauté éclectique de Londres.

Éblouie par l'éclat du soleil, Miranda baissa les yeux sur une BMW verte un peu cabossée qui grimpait lentement la colline. Parvenue au parking, la voiture se gara dans un emplacement libre. La portière arrière s'ouvrit, et un garçon de cinq ou six ans sauta à terre.

Le conducteur descendit à son tour et sortit un cerf-volant jaune et blanc du coffre. Environ la trentaine, estima Miranda, qui ne pouvait distinguer son visage. Des cheveux noirs comme son fils, un polo de rugby et un jean délavé. L'allure typique d'un père divorcé qui emmenait son enfant s'ébattre en plein air, avant de lui offrir un hamburger chez McDonald's et de le raccompagner chez sa mère à l'heure convenue.

Tandis que Florence sommeillait à côté d'elle, Miranda observa l'enfant et son père. Celui-ci tentait de suivre les instructions que lui criait son fils mais, visiblement, ce n'était pas un expert. Empêtré dans le fil de nylon, il titubait vers le sommet de la colline, tout en s'efforçant de lancer le cerf-volant.

Quand l'homme, lors d'une troisième tentative, faillit être décapité, Miranda ne put retenir un gloussement.

— T'es nul ! s'exclama l'enfant. Laisse-moi faire.

— Charmantes manières, Eddie. Tu tiens vraiment de ta mère.

— Elle dit que tu as toujours été nul, que t'es même pas capable de poser une étagère d'aplomb !

— Peut-être, mais ta mère non plus n'est pas très dégourdie. Demande-lui combien de fois elle a éraflé la voiture en reculant dans le garage.

Pauvre gamin pris entre deux parents en guerre, songea Miranda, le cœur empli de pitié. Il ne devait pas rigoler tous les jours.

Soudain, une sonnette d'alarme retentit dans sa tête. La voix du jeune papa lui paraissait étrangement familière.

Miranda se redressa et repoussa son béret sur la nuque.

Oui, quelque chose dans cette voix ne collait pas tout à fait avec l'image de l'homme qui, à quelques mètres d'elle, luttait pour dégager ses jambes du fil du cerf-volant.

Une chose était sûre, il ne s'agissait pas d'un habitué du salon de coiffure.

« Bon sang, où ai-je entendu cette voix ? » se demanda-t-elle avec une exaspération grandissante.

Par miracle, le cerf-volant s'éleva dans les airs. Le garçon poussa un cri de joie et s'élança sur la pente herbue.

— Ça y est ! Tu y es arrivé !

— Qui c'est le nul, maintenant ? fit son père avec un sourire triomphant.

— Ne le laisse pas s'écraser !

— Ça va, j'ai compris le truc. Je suis un génie, tu pourras le dire à ta mère quand nous rentrerons.

Le vent emportait le cerf-volant vers le sommet de la colline. Suivant son fils, l'homme se rapprochait de Miranda. À côté de la jeune femme, Florence ronflait paisiblement dans son fauteuil. Le père leur jeta au passage un coup d'œil amusé.

Lorsque ses yeux noirs croisèrent ceux de Miranda, elle se raidit.

Non, ce n'était pas possible !

Eh bien, si, c'était lui, le mendiant de Brompton Road... qui continuait à sourire comme si de rien n'était.

« Il ne m'a pas reconnue, réalisa Miranda. Il passe sa vie assis sur le trottoir, à regarder les gens défiler devant lui. Comment se fait-il qu'il ne m'ait pas reconnue, moi ? »

Outrée, elle ôta son béret d'un geste théâtral, libérant ses mèches bleues et vertes. Aussitôt, le sourire de l'homme s'effaça. Le cerf-volant oublié en profita pour s'écraser sur le sol.

— Tu l'as laissé tomber ! cria le garçon en courant vers l'engin. Il faut que tu gardes le fil tendu. Fais attention, voyons ! Allez, relance-le !

Florence ouvrit les yeux, réveillée en sursaut par un frémissement de son fauteuil. Miranda prenait appui sur l'accoudoir pour se lever. Elle murmura d'une voix tremblante de fureur :

— Espèce de tricheur ! Sale menteur ! Comment pouvez-vous vous regarder dans la glace ?

Florence n'en croyait pas ses oreilles. Pour une surprise, c'était une surprise ! Elle n'avait encore jamais vu Miranda enguirlander quelqu'un.

Tournant la tête, elle examina l'objet de cette colère. Un grand type aux cheveux noirs, plutôt beau malgré son air estomaqué. « Sans doute un ancien petit ami qui avait dû mal se comporter envers Miranda », songea-t-elle. D'où son expression embarrassée.

— Écoutez, je peux vous expliquer... dit-il.

Miranda leva les mains pour l'interrompre.

— Non, je vous en prie. Nous savons déjà quel excellent comédien vous êtes, déclara-t-elle d'un ton méprisant. Dites-moi, c'est pour cette raison que votre femme vous a plaqué ? Elle a découvert à quoi vous occupiez vos journées et vous a jeté à la porte ? Et votre fils, il est au courant de vos activités ?

L'enfant n'étant qu'à quelques mètres d'eux, Miranda s'était retenue de crier.

Perplexe, l'homme suivit le regard de Miranda, puis il esquissa un sourire et reprit :

— Je peux tout vous expliquer, je vous le jure. Pour commencer, je ne suis pas marié. Eddie n'est pas mon fils, c'est...

— Daddy, viens m'aider ! appela le garçon, qui s'était solidement ligoté avec le fil du cerf-volant. On perd du temps, maman a dit que nous devions rentrer à 16 heures...

— Je ne doute pas une seconde que vous puissiez tout expliquer, fit Miranda entre ses dents.

D'un coup de pied, elle ôta les freins du fauteuil roulant et le tourna vers le sentier.

— Vous pouvez sûrement expliquer pourquoi vous avez accepté mon écharpe et mangé mes sandwiches aux crevettes, alors que vous gagnez manifestement plus d'argent que moi !

Elle criait par-dessus son épaule, tout en poussant la vieille dame sur le sol inégal.

— Et vous pouvez sûrement expliquer pourquoi vous conduisez une BMW, acheva-t-elle en hurlant. Vous m'écœurez !

— Attendez ! supplia-t-il en la regardant dévaler la pente, impuissant.

Soulagée d'arriver en bas en un seul morceau, Florence commenta avec sympathie :

— Les plus beaux sont souvent les plus cruels.

Elle tapota le bras mince de Miranda et jugea préférable de ne pas parler des deux verres en cristal oubliés sur la colline.

— Que s'est-il passé ? Il a oublié de mentionner qu'il était marié ?

« Pauvre Miranda, elle méritait mieux que ça ! Quand même, si elle voulait impressionner un homme, elle devrait apprendre à cuisiner, songea Florence. Lorsqu'on invitait quelqu'un à dîner, on ne pouvait s'attendre à le séduire avec un vulgaire sandwich aux crevettes. »

6

Ce lundi matin-là, dans la salle d'attente vide du médecin, Chloé feuilletait sans enthousiasme une revue quand elle tomba sur un article relatant le divorce d'une actrice de série B.

Sur la photographie, la femme affichait l'air triste qu'exigeait la situation, mais elle était parfaitement maquillée et portait une robe courte qui ne cachait rien de ses courbes harmonieuses.

Le titre proclamait : « Tous les soirs, je m'endors en pleurant. »

— Tu as bien de la chance, grommela Chloé. Moi aussi, je pleure, mais le sommeil ne vient pas.

D'ailleurs, pour une femme accablée de chagrin, l'actrice semblait plutôt en forme. Au moins, elle n'avait pas les paupières gonflées comme celles d'une grenouille. En plus, elle avait une taille de guêpe.

Exaspérée, Chloé jeta le journal sur la table basse. Elle se tortilla sur sa chaise en plastique, prévue pour un arrière-train beaucoup plus petit que le sien, et passa un doigt sous l'épingle de sûreté qui fermait sa jupe la plus large.

Sur le mur d'en face, une affiche demandait : « Dépression postnatale ? »

« Moi, c'est d'une dépression prénatale dont je souffre, répondit-elle silencieusement. Faut le faire ! »

— Chloé Malone, appela la voix du médecin dans le haut-parleur.

En l'espace de cinq minutes, tout devint terriblement réel. Muni de la date des dernières règles de Chloé, le gynécologue tripota une sorte de graphique circulaire, consulta un calendrier, puis annonça :

— Votre bébé est attendu pour le mardi 3 décembre.

Il s'était exprimé avec tant d'assurance que Chloé en resta muette.

— Un cadeau de Noël en avance, reprit-il, un peu désorienté par l'expression ahurie de Chloé. Tout va bien ? Votre mari est content ?

— Il vient de me quitter, répondit Chloé, sur le point d'éclater en sanglots.

Mais, à sa propre surprise, elle garda les yeux secs. Au lieu de déclencher une crise de larmes, les mots du médecin résonnaient dans sa tête : « Votre bébé est attendu pour le mardi 3 décembre. » Curieusement, miraculeusement, ils paraissaient plus importants que les propos brutaux de Greg.

— Il ne voulait pas d'enfant, expliqua-t-elle, tout en s'émerveillant de son calme. Mais ça ira, je me débrouillerai.

Le terme était sans doute présomptueux. Il eût été plus exact de dire qu'elle se dépatouillerait.

— Bon, eh bien, montez sur la balance, demanda le médecin.

— Je n'en suis qu'à sept semaines et j'ai déjà pris beaucoup de poids, déclara Chloé en se débarrassant de ses chaussures. Je ne peux pas me retenir de manger, j'ai tout le temps faim.

— Ne vous tracassez pas, essayez seulement de manger sainement.

La glace aux noix de pécan, les paquets de bonbons, les tablettes de chocolat faisaient-ils partie d'une alimentation saine et équilibrée ?

— Ce qu'il me faudrait, ce sont les fameuses nausées matinales, dit Chloé. Je les attendais, mais rien ne vient.

Amusé, le gynécologue secoua la tête.

— Ma femme est enceinte. Si elle vous entendait, elle vous giflerait. Vous avez de la chance, croyez-moi.

De la chance ? songea Chloé en fusillant le médecin du regard. Décidément, le monde ne tournait pas rond.

— Tu es en retard, dit Fenn.

— Je sais, je suis désolée.

Miranda aperçut son reflet dans la glace. Elle avait l'air épuisée.

— Fenn, tu ne croiras jamais ce qui s'est passé !

Des excuses ? Fenn les avait déjà toutes entendues.

— Laisse-moi deviner. Tu as été kidnappée et gardée en otage jusqu'à ce que tes ravisseurs découvrent que personne n'allait payer de rançon pour te récupérer. Du coup, ils t'ont relâchée.

— Ah ah ah, fit Miranda, visiblement vexée. Je parle sérieusement.

— Le métro s'est arrêté. Il y avait un corps sur la voie.

Vu le nombre de fois où Miranda lui avait servi cette excuse, il était surprenant que Londres ait encore quelques habitants.

— Non.

— Bon, alors un petit chien s'est sauvé dans la rue, et tu as dû lui courir après pour le rattraper.

Le sourire narquois de Fenn mit Miranda hors d'elle. Cette histoire-là était un sujet continuel de plaisanterie dans le salon, alors que l'incident était réellement arrivé ! C'était l'une de ses rares excuses authentiques, et personne n'y avait cru.

Mais Fenn avait beau être un crétin sans cœur, il fallait absolument qu'elle se confie à quelqu'un.

— La vérité, c'est que je cherchais le mendiant, expliqua-t-elle. Tu sais, celui qui s'assoit devant la cordon-nerie ?

— Celui à qui tu as donné la monnaie d'Alice Tavistock ? demanda Fenn. Celui que tu refuses de traiter de mendiant parce qu'il ne mendie jamais ?

— D'accord, d'accord, inutile d'en rajouter ! s'exclama Miranda. Bref, il se trouve que ce n'est pas du tout un mendiant. Je l'ai vu hier à Hampstead Heath, vêtu tout à fait normalement. Il était avec son fils et jouait au cerf-volant. Et tu ne devineras jamais quel genre de voiture il a… Une BMW, rien que ça ! déclara-t-elle d'une voix vibrante de colère.

Fenn s'efforça de ne pas sourire. Pauvre Miranda, toutes ses illusions venaient de s'écrouler !

— Il y a des imposteurs partout, dit-il gentiment.

— Je lui ai donné une écharpe et une paire de… euh… de lunettes. Une vieille paire de lunettes de soleil, précisa-t-elle précipitamment.

— Je vois, répondit Fenn en hochant gravement la tête. Ça sert toujours, des lunettes de soleil.

— Ce que j'ai pu être bête ! Il a dû se moquer de moi jour après jour. Tu te rends compte ? Une foutue BMW !

— Tu lui as dit ce que tu pensais de lui ?

— Un peu seulement, son petit garçon était là. Depuis, j'ai réfléchi à tout ce que j'allais lui balancer aujourd'hui.

En fait, elle avait passé la moitié de la nuit à répertorier ses insultes les plus offensantes. Finalement, elle en avait trouvé tant qu'il lui avait fallu les écrire.

— Regarde, voilà ma liste.

Elle était longue, en effet, constata Fenn. Il imagina Miranda en train de crier au faux mendiant horrifié : « Attendez, attendez ! Je n'ai pas encore fini ! »

— Très bien, fit-il. Mais je préférerais que tu règles tes comptes avec ce type en dehors des heures de travail.

À l'heure du déjeuner, l'imposteur n'avait toujours pas repris sa place.

— Regarde le bon côté des choses, conseilla Beverly, qui avait accompagné Miranda dans la rue pour la soutenir moralement et, si besoin était, physiquement. Au moins, tu n'auras plus à partager ton déjeuner.

— Je parie qu'il a eu peur que je ne le dénonce et qu'il s'est installé ailleurs, grommela Miranda en enfonçant les mains dans ses poches. Et zut ! J'aurais mieux fait de me taire, hier.

« Mais se taire n'était pas son fort », admit-elle en son for intérieur. Soulagée de regagner le salon avec ses faux ongles intacts, Beverly passa un bras compatissant autour des épaules de son amie.

— Réjouis-toi. Tu lui as peut-être flanqué une telle frousse qu'il est rentré dans le droit chemin.

Le dernier client partit vers 18 heures. Dans la buanderie, Miranda sortait du sèche-linge des montagnes de serviettes parme qu'elle pliait une à une avant de les empiler.

— Il y a quelqu'un qui veut te voir, annonça Beverly, la tête dans l'entrebâillement de la porte.

Miranda leva les yeux vers son amie.

— Qui ça ?

— Il ne l'a pas dit. Et il ignore ton nom. Il a juste demandé à parler à la fille aux cheveux bleus et verts.

Pour que Fenn ne lui reproche pas de ne pas avoir terminé son travail, Miranda plia à moitié les serviettes restantes et les hissa sur le rayonnage. Ce matin-là, l'une des clientes était venue avec son fils, et celui-ci l'avait visiblement trouvée à son goût. Un type amusant, beau garçon... et policier, ce qui ne gâtait rien.

Elle avait toujours eu un faible pour les hommes en uniforme.

Il avait fini son service et n'avait pu résister au désir de lui déclarer sa flamme. Tout à fait dans le style d'*Officier et Gentleman*, rêva Miranda... d'autant plus qu'il était réellement officier.

Enfin, un officier peut-être pas très malin, puisqu'il avait été incapable de se rappeler son nom.

Hop, la dernière serviette s'envola et atterrit mollement sur le sommet de la pile.

— Pas de problème, je pense savoir qui c'est.

Les yeux brillants, Miranda repoussa ses cheveux derrière ses oreilles et se campa devant Beverly.

— Ça va ?

— Très bien, fit son amie, perplexe. Mais...

— Ne t'étonne pas s'il se jette sur moi, me couvre de baisers et m'emporte dans ses bras, d'accord ? Applaudis autant que tu veux, c'est tout.

— Arrête de jacasser et dépêche-toi ! s'écria Beverly en la poussant vers la porte. Il ne peut pas attendre une éternité, il est garé en stationnement interdit.

Attention, ça ne collait pas. Les policiers étant par définition des citoyens respectueux des lois, ils ne se garaient sûrement pas en stationnement interdit.

7

— La voilà, dit Fenn, qui enfilait son manteau. Que se passait-il, Miranda ? Nous commencions à croire que tu étais tombée dans le sèche-linge.

Miranda ne l'entendit même pas. Elle était trop occupée à regarder son SDF.

Les cheveux propres, vêtu d'une veste de costume, d'un pull à col roulé et d'un pantalon noir, les pieds chaussés de mocassins parfaitement cirés, c'était un autre homme. Un homme très séduisant, elle devait l'admettre.

Lentement, très lentement, elle inspira… et huma un après-rasage de Christian Dior.

— Vous avez le temps d'écouter mes explications, maintenant ? demanda-t-il en haussant les sourcils. Je vous invite à dîner. À moins que vous ne préfériez prendre un verre.

Le public était restreint mais captivé. Beverly, Corinne et Lucy s'attardaient près du bureau, dans l'espoir d'apprendre à quelles folies Miranda consacrait ses loisirs.

Lorsqu'il était assis devant la cordonnerie, toutes trois avaient défilé devant lui une bonne cinquantaine de fois, mais aucune d'elles ne semblait le reconnaître.

— Pourquoi voudrais-je dîner avec vous ? s'exclama Miranda, ulcérée. Sérieusement, vous me croyez si sotte que ça ?

— Bon, alors juste un verre ?

— Non, fit-elle en reculant d'un pas. Ni manger ni boire, rien du tout. Qui me dit que vous n'êtes pas un violeur psychopathe ?

— En fait, votre réaction est plutôt encourageante. Si vous me preniez réellement pour un psychopathe, vous n'oseriez pas m'accuser. En tout cas, je n'en suis pas un.

Il sortit une carte de son portefeuille et la mit sous le nez de Miranda.

— Regardez. Je suis journaliste.

Miranda baissa les yeux sur la carte de presse. Elle était établie au nom de Daniel Delancey, mais ne comportait pas de photographie.

— Tout ce que ça prouve, c'est que vous avez agressé un journaliste pour lui piquer son portefeuille.

Haussant les épaules, elle repoussa la carte.

— Allons, Miranda, détends-toi, intervint Fenn. Ce monsieur est vraiment un journaliste. Il faisait un documentaire sur ce qu'on peut éprouver quand on vit dans la rue. Tu as bousillé sa couverture, tu l'as traité de tous les noms et, malgré ça, il te pardonne. Pour l'amour de Dieu, laisse-le t'inviter à dîner.

Pressé de fermer le salon, il se dirigea vers la porte.

— Il y a une très bonne pizzeria à deux rues d'ici, suggéra Beverly, dont les faux cils papillonnants menaçaient de s'envoler.

Daniel Delancey, si tel était bien son nom, encouragea Miranda d'un hochement de tête.

« Zut, pensa-t-elle, il me doit plus qu'une vulgaire pizza. S'il m'emmène dîner, ce sera dans un restaurant hors de prix. »

Ils allèrent à la *Brasserie Langan*, dans Stratton Street. Miranda n'y avait jamais mangé, mais elle en avait suffisamment entendu parler par les clients du salon pour se douter que le moindre repas y coûtait une fortune.

Et elle ne s'était pas trompée. Une fois attablée, elle mit un point d'honneur à choisir les plats les plus chers de la carte.

— Je suis content que vous ayez accepté mon invitation, dit Daniel Delancey, après que le serveur eut pris leur commande.

— Je n'avais guère le choix.

Miranda tripotait nerveusement ses couverts. Elle mourait toujours d'envie de gifler cet imposteur. Il l'avait humiliée, ce qu'elle n'était pas près de lui pardonner.

— J'ai vos verres à vin dans ma voiture, à propos. Vous les avez laissés sur la colline, hier.

Son regard amical semblait quémander un sourire.

— Écoutez, qu'attendez-vous de moi ? s'écria-t-elle. Que je vous remercie et que je m'excuse de vous avoir injurié ? Je ne vois pas pourquoi je le ferais. Vous m'avez ridiculisée en me laissant vous offrir mes sandwiches, du chocolat, une vieille écharpe... Imaginez-vous à quel point je me sens stupide ?

— Bon, calmez-vous, dit-il d'une voix apaisante. Comme je ne pouvais pas donner vos sandwichs à un vrai SDF, j'ai fait un chèque à l'Armée du salut, si bien que, grâce à vous, quelqu'un d'autre aura de quoi se nourrir. Et tout l'argent que j'ai reçu est également allé à cette œuvre. Ne vous inquiétez pas, personne n'a été roulé, assura-t-il.

« Sauf moi », rectifia Miranda intérieurement. Elle avait partagé avec ce type des déjeuners qu'elle aurait pu savourer. Se priver de chocolat n'était pas chose facile. C'était même un geste contre nature. À la pensée des innombrables Mars perdus, elle soupira.

— Combien de temps devez-vous continuer ? demanda-t-elle, gagnée par la curiosité. Ça représente beaucoup de travail pour un seul article.

— J'ai fini. Vendredi était mon dernier jour… Je vous rendrai votre écharpe, si vous voulez, ajouta-t-il, une lueur malicieuse dans les yeux.

Les entrées arrivèrent. Miranda plongea avidement sa fourchette dans ses coquilles Saint-Jacques.

— Vous avez dû être content de vous laver enfin les cheveux.

— Je les lavais tous les soirs. Et je les enduisais de graisse tous les matins.

— Quand même, ça me paraît beaucoup de boulot pour un seul article, répéta-t-elle.

Daniel Delancey posa ses couverts et sourit à Miranda.

— Qu'est-ce qu'il y a ? s'inquiéta-t-elle. J'ai de la sauce sur le menton ?

— Non. En fait, ce n'était pas pour écrire un article. Je travaille pour la télévision.

— Vous vous moquez encore de moi, hein ? répliqua Miranda. Pour la télévision, il faut des caméras, des projecteurs, des trucs qui claquent, des techniciens, des gens qui crient : « Moteur ! »

— Pour tourner *L'Arme fatale*, peut-être, mais pas pour un documentaire. Pas de ce genre, en tout cas.

— Il faut tout de même une caméra, insista Miranda.

Il hocha la tête.

— Je sais.

— Et vous n'en aviez pas.

— Eh bien, si. Dans la cordonnerie.

Ô Seigneur ! Miranda manqua s'étouffer avec une coquille Saint-Jacques. Si la caméra était placée dans la cordonnerie, derrière son faux clochard, cela signifiait...

— Êtes-vous en train de me dire que je vais apparaître dans ce film ?

— Mais oui ! Le réalisateur est fou de vous... Si ça ne tenait qu'à lui, vous auriez une carrière de star devant vous, ajouta Delancey, que l'idée semblait beaucoup amuser.

Miranda était effondrée. De terribles images lui traversèrent l'esprit. Combien de fois avait-elle remonté la rue en courant, les cheveux plaqués par la pluie, les pans de son manteau usé volant au vent, le nez rougi par le froid ?

— C'est terriblement malhonnête ! s'écria-t-elle, d'une voix qui fit sursauter le couple assis à la table voisine. Pourquoi ne m'avez-vous pas prévenue ? À quoi vais-je ressembler, grands dieux ?

— D'après Tony, tout le monde tombera amoureux de vous.

— Bien sûr ! Et l'année prochaine, la photo de mon mètre soixante figurera dans tous les magazines de mode ! railla Miranda.

À la pensée des séquences hideuses qu'avait dû prendre perfidement la caméra, elle étouffa un gémissement.

— Vous ne pourriez pas recommencer quelques scènes ? supplia-t-elle. Histoire que je me recoiffe et que je me maquille un peu.

« Sans parler du Wonderbra », ajouta-t-elle en son for intérieur.

— Vous avez partagé vos repas avec moi. Votre aspect n'a pas d'importance.

Seul un homme pouvait proférer une telle ânerie !

— Pourquoi ne pas brouiller mon visage, comme on le fait pour les criminels qui n'ont pas le droit d'apparaître à l'écran ? suggéra-t-elle.

— Écoutez, si ça vous effraie autant, vous avez toujours la possibilité de refuser.

Elle le regarda avec stupéfaction.

— Vraiment ?

— Oui. Pour utiliser votre image, il nous faut votre permission.

Miranda en resta muette. Elle ne s'attendait pas qu'il lui propose cette solution.

L'idée de passer à la télévision ne lui déplaisait pas tant que ça, finalement. C'était même plutôt excitant.

À condition qu'elle y paraisse... à son avantage. Plus comme un être humain et moins comme un chien mouillé.

Pendant qu'elle réfléchissait, Daniel Delancey termina son entrée.

— Je vois que ça vous panique.

Montrant l'assiette de Miranda, il déclara :

— Je ne vais pas me fâcher et vous arracher d'ici. Finissez votre assiette. Mais...

Elle se hâta d'enfourner sa dernière coquille Saint-Jacques avant qu'il ne change d'avis.

— Mais quoi ?

— Je me disais seulement que cela pourrait faire une bonne publicité pour le salon, répondit-il.

Il désigna le logo de Fenn Lomax, qui ornait le tee-shirt parme de la jeune femme.

— Vous-même n'en tireriez aucun bénéfice. Seulement votre patron.

Seulement Fenn ?

Le cerveau de Miranda se mit en branle. Ce dernier argument était très motivant.

Quand on sentait parfois qu'on ne gardait son boulot que par miracle, on ne pouvait écarter à la légère la possibilité de remonter dans l'estime de son patron.

— De la publicité pour le salon, ce serait une bonne chose, approuva-t-elle prudemment, tandis que le deuxième plat arrivait. J'en serais très contente... Mais ça me gêne de savoir que des tas de gens vont me voir à l'écran et s'écrier : « Seigneur, regarde cette allure ! Une vraie paumée. » Ils me trouveront si laide, si empotée, si désespérée qu'ils penseront que bavarder avec un clochard est mon seul espoir de mettre le grappin sur un mec.

Ç'aurait été parfait si, à ce moment-là, Daniel Delancey avait protesté : « Allons, vous n'êtes ni laide ni empotée ! »

Il ne le fit pas. Visiblement, la galanterie n'était pas son fort. Il se contenta de lui décocher un petit sourire exaspérant et de dire :

— Oui, c'est possible.

« Merci, merci beaucoup », commenta intérieurement Miranda, vexée.

— Mais quand ils vous verront ensuite, lors de l'interview, ils comprendront qu'ils se sont trompés.

Une interview ?

Miranda se figea, son verre à mi-chemin entre la table et sa bouche.

— Attendez. Quelle interview ?

— L'émission dure cinquante minutes. Dans la première partie, nous utilisons une caméra cachée, sans commentaire. On n'intervient pas, afin de laisser les téléspectateurs juger par eux-mêmes les gens qui apparaissent dans le film. Des gens comme vous, qui ont essayé de m'aider, et les autres aussi. Ceux qui me criaient de chercher un boulot. Sans parler de la bande de gamins qui m'a volé mon argent en me bourrant de coups de pied.

—Quelle horreur ! s'exclama Miranda, horrifiée. Vous avez été blessé ?

—Quelques bleus, répondit Daniel Delancey.

Il remonta la manche de son pull, et Miranda distingua nettement la trace d'une semelle sur son bras.

—Je ne vous montrerai pas le reste, dit-il en redescendant promptement sa manche.

—Les fumiers !

Miranda en oublia de manger les côtelettes d'agneau qui refroidissaient dans son assiette.

—Je plains surtout les véritables SDF, répliqua Daniel. C'est donc la première partie de l'émission. Dans la seconde, nous interviewons les gens dont les téléspectateurs ont fait la connaissance. Les gentils et les méchants. Vous serez placée parmi les gentils, bien sûr. Enfin, si vous êtes d'accord.

Oh, cela changeait tout !

—Où serais-je interviewée ? demanda-t-elle avec enthousiasme.

—À vous de décider. Dans la rue, au travail, chez vous... Vous êtes une jeune fille, une apprentie qui ne gagne pas beaucoup d'argent. Si les téléspectateurs vous voient dans une chambre meublée sordide, ils ne vous en aimeront que plus.

Une chambre meublée sordide ?

—Si ma propriétaire vous entendait, elle vous foncerait dessus avec son fauteuil roulant.

—C'est votre propriétaire que vous accompagniez à Parliament Hill ? Je pensais qu'il s'agissait de votre grand-mère.

—Seigneur, maintenant, elle va vous rouler dessus deux fois de suite !

— Pardon, fit Daniel en secouant la tête. Je suis journaliste et je ne peux m'empêcher de poser des questions. Que faisiez-vous hier avec votre propriétaire, à boire du vin sur la colline ?

— Florence a de l'arthrite. Je m'occupe un peu d'elle, ce qui diminue mon loyer… Donc, pour cette interview, j'aurai le droit de m'habiller un peu mieux ?

— Bien sûr.

— Et de mettre des tonnes de maquillage ?

— Un gramme ou deux seulement. Inutile d'exagérer.

— Et je pourrai me coiffer joliment ?

Daniel Delancey hocha solennellement la tête.

— Comme ça, ils verront que je ne suis ni laide ni désespérée, conclut Miranda avec un soupir de soulagement. Ça va, je suis d'accord.

— Bien.

Un horrible souvenir traversa soudain l'esprit de Miranda.

— Oh, il y a un petit passage que vous ne devez pas montrer !

— Laissez-moi deviner, dit Daniel avec un sourire. Les gants volés.

— Comment le savez-vous ? s'écria-t-elle.

— Tony et moi avons visionné quelques-unes des cassettes, ce matin. C'est sa scène préférée.

— Eh bien, je refuse qu'il l'utilise.

— Je l'ai prévenu. J'avais le pressentiment que vous vous y opposeriez, acheva-t-il en riant.

La note se révéla astronomique, mais Miranda n'en éprouva aucune honte. Si Daniel Delancey travaillait pour la télévision, il devait rouler sur l'or.

Et puis, il restait encore un mensonge entre eux.

— Vous ne m'avez toujours pas expliqué pourquoi votre propriétaire et vous étiez montées sur la colline pour boire du vin dans des verres en cristal.

Delancey la ramenait chez elle dans sa BMW déglinguée. Miranda, qui tenait sur ses genoux les deux verres en question, lui jeta un coup d'œil.

— Et vous, vous ne m'avez pas expliqué pourquoi vous avez nié être marié.

Daniel s'arrêta au feu rouge et la regarda.

— Parce que je ne le suis pas.

Sa surprise paraissait sincère.

Quelle idiote ! songea Miranda. Bien sûr, on n'était pas obligé d'être marié pour avoir un enfant.

— Bon, mais vous étiez avec votre fils, hier. Pourquoi avez-vous dit que vous n'étiez pas son père ?

— Vous parlez d'Eddie ? Je ne suis pas son père.

Ah, les hommes ! Comment leur faire confiance ?

— Je l'ai entendu vous appeler daddy, répliqua Miranda.

Daniel Delancey esquissa de nouveau son petit sourire irritant. Comme le feu passait au vert, la voiture s'élança.

— Eddie est le fils de ma sœur. Je suis son oncle. Il m'a appelé Danny, pas daddy.

8

Bruce poussa la porte de l'arrière-boutique où Chloé, à genoux, déballait des abat-jour en verre coloré.

— Verity et moi donnons une petite réception, ce soir, annonça-t-il. Rien de formel, c'est à la bonne franquette.

— Vous voudriez que je garde Jason deux ou trois heures ? dit-elle en émergeant d'une mer de papier bulle.

— Non, non. Jason passe la nuit chez un ami. En fait, nous nous demandions si Greg et toi aimeriez venir. De 19 heures à 22 heures. C'est juste un geste amical pour accueillir nos nouveaux voisins.

Ayant découvert la veille que ces derniers étaient respectivement directeur de banque et comptable, Bruce avait jugé judicieux de fêter leur arrivée. Cela ne pouvait nuire d'entretenir des rapports cordiaux avec un banquier et une comptable.

— Eh bien ? insista-t-il, comme Chloé restait silencieuse. C'est d'accord ? Ça fait longtemps que nous n'avons pas vu Greg, ajouta-t-il pour l'encourager.

« Vous n'êtes pas le seul », se dit Chloé, dont le front se couvrit de sueur.

Peut-être était-ce le prétexte dont elle avait besoin. Tôt ou tard, il faudrait bien qu'elle mette Bruce au courant.

Elle se passa la langue sur les lèvres et décida de se jeter à l'eau.

— Bruce... Greg et moi, nous ne vivons plus ensemble. Nous nous sommes... euh... séparés.

Malgré elle, ses yeux s'emplirent de larmes.

— Mon Dieu ! s'écria Bruce en reculant d'un pas. Pourquoi donc ?

— Vous savez, ça ne marchait plus très bien entre nous, marmonna Chloé.

— Je suis désolé. Ça ne doit pas être... facile.

À son tour, Bruce s'humecta nerveusement les lèvres. « On pourrait nous prendre pour deux cannibales se pourléchant les babines », songea Chloé.

— Ça ira, fit-elle.

Il se dandina d'un pied sur l'autre.

— Tu aimerais... euh... qu'on en parle ?

— Non, non, tout va bien, assura-t-elle.

Bruce réprima un soupir de soulagement. À sa connaissance, les émotions féminines étaient un champ de mines dans lequel il valait mieux ne pas pénétrer.

En tout cas, il lui avait proposé de se confier à lui. Quand Verity lui demanderait qui était à l'origine de la séparation, si Greg était parti avec une autre femme ou si Chloé l'avait mis à la porte, il pourrait répondre de bonne foi : « Elle n'a pas voulu en parler. »

— Bon, bon, fit-il d'un ton réconfortant. Viens quand même à notre petite fête, ce soir. Bavarder avec Verity te fera du bien.

— Merci, mais je ne me sens pas d'humeur à sortir. Je ne serais pas drôle. Une autre fois, peut-être.

Bruce prit son air compréhensif. À présent, il savait pourquoi sa vendeuse, d'ordinaire fraîche et pimpante, arborait une mine défaite et des yeux battus.

— Bien sûr, dit-il. Ne t'inquiète pas.

— Par contre... euh... si jamais vous avez besoin d'une baby-sitter, je serai contente de vous rendre service, balbutia Chloé. Aussi souvent que vous voudrez. Un peu plus d'argent ne me ferait pas de mal... Oh, je ne réclame pas d'augmentation, précisa-t-elle devant l'expression consternée de Bruce, mais je vais être un peu serrée pour payer mon loyer. Alors, tout travail supplémentaire... sera le bienvenu.

— Je vois, répondit-il prudemment.

— Je ne cherche pas une autre situation, ajouta-t-elle avec empressement. Travailler ici me plaît beaucoup.

De plus, changer de boulot maintenant l'aurait privée des indemnités de maternité.

Bruce parut se détendre.

— D'accord. Je le dirai à Verity. Nous te ferons signe à la prochaine occasion. D'ailleurs, tu t'entends bien avec Jason. C'est un avantage.

Plus exactement, cela tenait du miracle. D'après Greg, Bruce et Verity auraient pu gagner gros en vendant une photo de leur fils pour une campagne en faveur de la contraception. « Si vous ne voulez pas vous retrouver avec ce petit monstre sur les bras, prenez vos précautions », psalmodiait-il d'une voix menaçante.

« Et je riais », se souvint Chloé, qui ne trouvait plus ça drôle du tout.

Bruce quitta l'arrière-boutique, et elle se remit à déballer les abat-jour.

Deux minutes plus tard, elle tomba sur les talons, horrifiée.

« Mon Dieu, quelle idiote ! Pourquoi ai-je proposé mes services pour du baby-sitting ? »

Avec Bruce, pas de problème : ce n'était qu'un homme, et les hommes ne remarquaient jamais rien. Mais avec Verity, maigre comme un fil de fer et dotée d'un regard perçant, ce serait une autre affaire. Dès qu'elle poserait les yeux sur son ventre, elle comprendrait tout.

« Seigneur, il ne me reste plus qu'à prendre des leçons de comédie et à prétendre que j'ai rejoint les Boulimiques Anonymes ! » songea-t-elle, atterrée.

9

— C'est là, je le sens, dit Miranda en poussant la porte de l'immeuble.

— Quelle nuit épouvantable ! fit Beverly, en portant la main à son chignon pour vérifier qu'il avait résisté à la bourrasque. Tu as intérêt à ne pas m'avoir menti. S'il n'y a aucun homme décent, je rentre immédiatement chez moi.

Tout en montant l'escalier qui embaumait le parfum d'Elizabeth Turnbull, Miranda croisa les doigts. Bien sûr, assurer à Beverly que la réception regorgerait de mâles à la fois beaux et célibataires n'était pas très honnête mais, sans cette promesse, son amie aurait refusé de l'accompagner.

Florence ayant insisté pour lui donner la deuxième invitation, Miranda avait dû trouver quelqu'un pour la soutenir moralement, car l'idée de débarquer dans une soirée où les seules personnes connues d'elle seraient Bruce et Verity Kent (beurk) et Elizabeth Turnbull (double beurk) lui était insupportable.

D'ailleurs, Beverly qui menait une vie sociale quasiment nulle ne pourrait qu'en tirer profit.

Beverly n'avait pourtant rien d'un laideron, au contraire. De plus, elle prenait grand soin d'elle. D'accord, elle n'était pas de la première jeunesse, mais pas vieille non plus. Trente ans seulement. Sa personnalité n'avait rien de rébarbatif, et elle ne souffrait pas d'une haleine repoussante, ni de montagnes de cellulite.

Non, il y avait de quoi pleurer tant le problème de Beverly était facile à résoudre. Hélas, ce petit problème faisait s'enfuir les hommes dès qu'elle les regardait.

Pauvre fille ! se dit Miranda. Ce doit être terrible d'être ainsi à la merci de ses hormones.

Depuis trois ans, l'horloge biologique de son amie sonnait à toute volée. Voyant pointer au loin la ménopause, Beverly souhaitait désespérément avoir un bébé et un mari, un homme aussi désireux qu'elle de s'installer pour toujours dans le bonheur domestique.

N'importe qui, du moment qu'elle se marie et qu'elle ait un bébé.

Cette quête fiévreuse faisait l'objet de fréquentes plaisanteries dans le salon de Fenn Lomax.

— Allons, il en existe sûrement un quelque part, avait dit Miranda la veille.

Elle s'efforçait de consoler son amie, que son dernier petit ami avait omis de rappeler. D'autres bonnes âmes avaient déjà tenté d'expliquer à Beverly que ses échecs successifs étaient dus à son excès d'ardeur et que, si elle arrêtait de chercher un mari, il s'en trouverait un pour tomber dans ses bras avant même qu'elle ait le temps de dire ouf.

— Dans un zoo, peut-être, avait ajouté Miranda. Avec, sur sa cage, une pancarte proclamant : « Mâle avide de s'engager. Peut-être le dernier spécimen de l'espèce. Aime la cuisine bourgeoise et les chandails tricotés à la main. Passe ses week-ends à bricoler dans sa cage. Désire fonder une famille. »

— Je ne comprends pas pourquoi je suis encore ton amie, avait répliqué Beverly avec hauteur. Je te déteste.

— Tu m'accompagneras quand même à la réception demain soir, d'accord ? Je te promets qu'il y aura des quantités de célibataires intéressants.

Il ne servait à rien de dire à Beverly qu'elle effrayait les hommes. Elle le savait, mais n'y pouvait rien. Quoi qu'elle fît, ses yeux brillaient du désir de se caser et de procréer.

— Miranda, quelle joie de te voir ! s'écria Elizabeth Turnbull, en se penchant pour claquer des lèvres à trois centimètres des joues de la jeune femme.

L'air s'épaissit aussitôt comme une purée de pois. Miranda eut beau pincer les lèvres, le parfum de son hôtesse s'insinua dans son nez et dans sa gorge.

Cherchant un homme, n'importe lequel, à jeter en pâture à Beverly, elle se hissa sur la pointe des pieds et scruta l'assistance par-dessus l'épaule d'Elizabeth. Wayne Peterson, le footballeur, se tenait près de la fenêtre. Contrairement à son habitude, il paraissait relativement sobre. Mais Beverly n'étant ni une pin-up ni un mannequin, il était peu probable qu'il s'intéresse à elle.

Tous les autres mâles étaient très laids, d'âge canonique ou visiblement mariés, constata Miranda, qui sentait le regard furieux de Beverly lui vriller le dos.

Remarquant son air consterné, Elizabeth se méprit sur la cause de sa déception.

— Le fils et la belle-fille de Florence ne sont pas encore arrivés, dit-elle. Comment s'appelle-t-elle, déjà ? Valérie ?

— Verity.

Un serveur s'approcha d'elles, tendant son plateau à bout de bras.

— Ils ne devraient pas tarder, à mon avis, affirma Miranda en s'emparant de deux coupes de champagne. Ne vous inquiétez pas, nous allons nous mêler à la foule.

— Oui, oui, c'est ça. Caroline Newman est là-bas, à propos ! s'écria Elizabeth Turnbull avec un grand geste en direction de la cheminée. La présentatrice de l'émission de voyages, vous avez sûrement entendu parler d'elle... Une femme charmante, nous avons tout de suite sympathisé, ajouta-t-elle avec un sourire satisfait.

— Je ne vois pas Daisy Schofield, dit Miranda. Elle ne devait pas venir ?

Son hôtesse pinça ses lèvres rouge vif.

— Je crains que Mlle Schofield ne nous ait laissés tomber. Ces prétendues célébrités prennent rarement leurs obligations au sérieux.

— Que s'est-il passé ?

La bouche d'Elizabeth Turnbull se pinça encore plus. Ses lèvres ne formaient plus qu'une ligne étroite.

— La réception était censée commencer à 20 heures, et Daisy Schofield n'est toujours pas là. C'est le genre de chose qu'on peut redouter de la part d'un footballeur alcoolique...

La main d'Elizabeth s'agita du côté de Wayne Peterson.

— ... mais pas d'une actrice australienne de seconde zone.

Miranda, dont la principale qualité n'était pas la ponctualité, se sentit obligée de défendre la comédienne défaillante.

— Peut-être a-t-elle été retardée par des embouteillages.

Apparemment, ses narines s'étaient habituées au nuage de parfum. À moins que, par une réaction d'autodéfense encore inconnue, elles ne se fussent octroyé un efficace analgésique naturel.

— C'est ce que j'espérais, jusqu'à ce que le téléphone sonne, il y a dix minutes, grommela Elizabeth. Un homme, qui n'a pas voulu se présenter, m'a annoncé que Daisy était malade et qu'elle ne pourrait pas venir.

— Vous croyez qu'il a menti ?

— Il ne s'est même pas donné la peine d'être crédible. Il a dit : « Elle est au lit avec un viril... pardon, avec un virus. » En arrière-fond, j'ai entendu Daisy glousser comme une gamine idiote qui sèche l'école.

— Daisy Schofield n'a que dix-neuf ans, déclara Miranda du haut de ses vingt-trois ans. C'est bel et bien une gamine idiote.

— Des gens se sont déplacés pour la voir, répliqua Elizabeth d'un ton glacial, et elle nous a laissés tomber. Cette fille mériterait qu'on la secoue un peu.

« Traitement dont devait probablement bénéficier Daisy à l'instant même », songea Miranda en réprimant un sourire.

Aux environs de 21 heures, Greg Malone se prit à regretter d'avoir emmené Adrian à la réception. Quand celui- ci avait décidé de rouspéter, il n'y avait pas moyen de l'arrêter.

— C'est une rupture de contrat. Nous avons payé ces billets avec du bon argent, mentit Adrian, que l'embarras de leur hôtesse faisait jubiler. Et, en échange, vous ne nous donnez rien de ce qui était promis, ni Carole Newman...

— Caroline, murmura Greg.

— Elle était là, répondit l'organisatrice. Malheureusement, elle a dû partir de bonne heure.

— ... ni Daisy Schofield. Voyons, ce n'est pas honnête, insista Adrian. Nous sommes venus pour rencontrer des célébrités et, à la place, vous nous refilez une pleine salle d'inconnus !

— Nous avons Wayne Peterson, protesta la femme.

— La belle affaire ! En plus, il est sobre.

Sur ce point, Adrian avait raison. Ayant reçu le plus efficace des sermons, c'est-à-dire celui de sa mère, Wayne Peterson se cramponnait misérablement à son septième verre de Perrier et, retenant de son mieux ses hoquets, il tentait de paraître intéressé par le récit d'un match de football que lui faisait un vieux raseur.

Hélas, Wayne n'était amusant qu'avec sept litres de bière dans le corps. Sans l'aide de l'alcool, il sombrait dans l'apathie, à tel point qu'Elizabeth avait eu la tentation de pimenter son eau gazeuse d'un peu de vodka.

— Écoutez, je suis désolée que vous soyez déçus, dit-elle pour apaiser ses invités. Laissez-moi vous offrir un autre verre...

— Un autre verre, on s'en tape, grommela Adrian. Remboursez-nous.

— Il plaisante ! s'écria Greg. Nous ne voulons pas être remboursés, bien sûr. Et un autre verre nous ferait très plaisir.

Évidemment, aucun serveur n'était en vue. Comme elle se précipitait vers la cuisine, Elizabeth buta contre Miranda. Un canapé à la crevette jaillit de la main de la jeune fille et atterrit dans un bol à la surface duquel flottaient de petites bougies.

— Mon Dieu, mon Dieu ! gémit Elizabeth en s'essuyant le front.

— Qu'y a-t-il ? s'inquiéta Miranda. Vous avez l'air un peu... euh... ennuyée.

— Des râleurs, marmonna Elizabeth, qui tremblait de voir sa réputation compromise. Ces deux types, là-bas. Ils viennent d'arriver et exigent d'être remboursés parce que Daisy Schofield n'est pas là. Mais je ne suis pas David Copperfield, moi ! Je ne peux pas claquer des doigts et faire sortir une poignée de célébrités de mon chapeau.

— David Copperfield non plus. Au mieux, il en sort un lapin.

— Ce n'est pas ma faute, gémit Elizabeth, au bord des larmes. L'un d'eux m'a menacée de me poursuivre en justice pour rupture de contrat.

— Lequel ? demanda Miranda, indignée.

— Celui à la chemise bleue. Oh mon Dieu, regarde dans quel état je suis ! Et je dois leur ap... porter un autre v... verre.

Les viragos bon teint n'étaient pas censées pleurer. Pivotant sur elle-même pour examiner les deux trouble-fête, Miranda s'aperçut qu'ils les observaient. L'homme à la chemise bleue ricana et chuchota quelque chose à son comparse.

— Redresse-toi et sors la poitrine, ordonna-t-elle à Beverly.

— Nous allons parler avec Wayne Peterson ? s'inquiéta celle-ci.

Elle n'était pas sûre de vouloir épouser un footballeur alcoolique au crâne rasé. Puis l'idée lui vint soudain que dompter un tel fauve représentait un défi qu'elle était peut-être la seule personne capable de relever. Ensuite, ils vivraient heureux dans un lotissement tranquille, s'offriraient mutuellement des gourmettes incrustées de diamants et élèveraient une flopée de petits footballeurs turbulents au crâne rasé... Mais Miranda interrompit brutalement sa rêverie.

— Wayne Peterson ? Pas question ! jeta-t-elle, en prenant les deux verres qu'Elizabeth rapportait de la cuisine. Suis-moi.

10

Florence se glissa sous sa couette et ouvrit le journal du soir.

De la politique, encore de la politique, toujours de la politique. Quel ennui ! Elle tourna les premières pages avec impatience.

« Une arrière-grand-mère fête son anniversaire en sautant à l'élastique », annonçait le titre de la page 4, au-dessus de la photographie d'une vieille femme dont le visage ridé disparaissait à moitié sous un casque. « L'audacieuse Alma Trotter a bondi de joie lorsqu'elle a découvert le cadeau que lui offraient ses descendants pour ses quatre-vingt-sept ans », lut Florence.

Avec une famille pareille, pas besoin d'ennemis, se dit-elle. Les héritiers d'Alma Trotter lui avaient payé un aller simple pour l'au-delà. Malheureusement pour eux, ça n'avait pas marché. Rien d'étonnant à ce que la vieille bique arbore un sourire satisfait.

Florence parcourut distraitement le reste du journal, jusqu'à ce qu'un article à la page 23 attire son attention.

« La charmante Thaïlandaise épousera-t-elle le colonel Tom ? » demandait le titre.

— Le vieux sacripant !

Sur la photographie, un septuagénaire souriant enlaçait la taille mince d'une ravissante Asiatique.

— Tom Barrett, qu'est-ce que tu fabriques, bon sang ?

Florence et Ray avaient fait la connaissance de Tom et de sa femme, Louisa, au début des années 1970. Une fois veuve, Florence avait gardé des rapports amicaux avec le couple Barrett, mais elle n'avait pas revu Tom depuis les funérailles de Louisa, trois ans plus tôt. Ensuite, il avait disparu en Espagne, afin de passer un peu de temps chez sa fille et de se remettre de la perte de sa femme adorée.

Florence examina attentivement la photographie et remarqua avec plaisir la lueur malicieuse qui brillait dans les yeux de son vieil ami. Apparemment, il avait ramené sa future épouse à Hampstead.

Florence ouvrit le tiroir de sa table de chevet et en sortit un vieux carnet d'adresses. Quelques secondes plus tard, elle composait le numéro de Tom.

— C'est incroyable ! s'écria-t-il. Un coup de fil de la reine des danseuses en personne ! Je te le jure, le téléphone n'a pas arrêté de sonner de la journée. Sais-tu combien d'amis d'autrefois ont surgi d'un peu partout, tels des serpents rampant hors de leur repaire, depuis que cet article a paru ? Sauf que tu n'as jamais rampé, ma chérie, reprit-il avec sa galanterie habituelle. Toi, tu danses.

Florence eut un rire amer.

— Mes années de danse sont terminées. Maintenant, hélas, je rampe pour de bon.

— L'arthrite fait des siennes ? demanda Tom d'un ton compatissant.

— Un peu.

— Est-ce que je dois me réjouir de t'entendre ? demanda-t-il, d'une voix où Florence perçut une pointe de méfiance. Ou bien m'as-tu appelé pour me dire que j'avais perdu la tête ?

— C'est ce que tout le monde fait ?

— Vas-y. Qu'en penses-tu ?

Florence jeta un coup d'œil au journal étalé sur ses genoux.

— Tu l'as commandée sur catalogue, j'imagine. Depuis combien de temps la connais-tu ?

— Trois mois.

— Elle vient de Thaïlande. Es-tu sûr que ce n'est pas un garçon ?

Tom éclata de rire.

— Oh, oui !

— C'est déjà ça. Tu l'aimes ?

— Oui.

— Et elle, elle t'aime ?

— Je crois que oui.

— Es-tu ridiculement heureux ?

— Si heureux que tu en serais malade de jalousie.

— Dans ce cas, tu es complètement fou et je te souhaite beaucoup de bonheur. Vas-y ! Prouve à ces tristes sceptiques qu'ils ont tort, saisis ta chance. Et n'oublie pas de m'inviter au mariage.

— Tu peux être demoiselle d'honneur, si tu veux, déclara Tom, manifestement soulagé. Chère Florence, tu ne penses donc pas que je commets la plus grande erreur de ma vie ?

— Si cela te rend heureux, ce n'est sûrement pas une erreur. Et Jennifer, qu'en dit-elle ?

Jennifer était la fille de Tom. Étant donné que ce dernier possédait une fortune considérable, elle était directement concernée par le futur remariage de son père.

— Jennifer est merveilleuse. Elle m'encourage. Écoute, il faut qu'on se revoie. Cela fait trop longtemps. Viens dîner la semaine prochaine. J'aimerais que tu rencontres Maria.

Florence raccrocha quelques minutes plus tard. Se renversant sur ses oreillers, elle feuilleta les dernières pages du journal et, faute de mieux, lut son horoscope : « Vous vous encroûtez. Il est temps de réagir. Une personne qui s'ennuie est une personne ennuyeuse... »

— Bla-bla-bla, grommela Florence en jetant le journal par terre.

Heureusement qu'elle ne croyait pas aux horoscopes... Sauf que celui-ci était tristement exact.

Ce veinard de Tom ! Peut-être courait-il à l'échec mais, au moins, il ne renonçait pas à être heureux.

Oui, Tom était vraiment un homme comblé. Même sa fille l'approuvait, alors qu'elle avait tout à perdre dans cette histoire.

— Tu ne te montrerais pas aussi généreux, hein ? dit-elle en s'adressant à la photographie de Bruce posée sur la table de chevet. Si tu craignais que mon argent ne tombe dans une autre poche que la tienne, tu ne manifesterais sûrement pas le même enthousiasme que Jennifer.

— ... et en juin, nous commençons le tournage du nouveau film de Madhur et de Jaffrey, à Norfolk, avec Helena Bonham-Carter et Stephen Fry. Je n'ai pas un grand rôle, avoua Miranda d'un ton modeste, mais mon CV y gagnera en crédibilité. Avoir travaillé avec Madhur et Jaffrey prouve que vous n'êtes pas n'importe quelle midinette et que vous savez réellement jouer la comédie.

« Et, nom d'une pipe, je suis vraiment bonne actrice ! » constata Miranda, qui jubilait intérieurement. Adrian gobait tout ce qu'elle disait.

— Avez-vous tourné avec Sylvester Stallone ? demanda-t-il avec empressement.

Miranda estima préférable de ne pas exagérer.

— Non, fit-elle avec regret. J'ai passé une audition, mais je n'ai pas obtenu le rôle.

— Et avec Pierce Brosnan, c'était comment ?

— Oh, super ! Il faut absolument que vous alliez voir le film quand il sortira. À un moment, Pierce me sauve des crocodiles. Seigneur, je n'ai jamais eu aussi peur de ma vie !

Les yeux d'Adrian menaçaient de jaillir hors de leurs orbites.

— C'étaient de vrais crocodiles ?

Euh...

— Enfin, non. Pas de vrais crocodiles.
— Alors, pourquoi avez-vous eu si peur ?
— Parce que Pierce est un acteur si fantastique qu'il a réussi à me faire croire qu'ils étaient vrais, expliqua Miranda en secouant la tête, l'air béat d'admiration. En plus, ça se passait dans une vraie rivière, et je ne sais pas nager.

Quand Beverly et Adrian s'éclipsèrent – l'une partant vers les toilettes, l'autre en quête de champagne –, Greg en profita pour se pencher vers Miranda.

— Merchant et Ivory, murmura-t-il.

Elle le regarda enfin. Jusqu'à présent, elle s'était concentrée sur Adrian, l'homme à la chemise bleue, laissant l'autre à Beverly.

— Ils s'appellent Ismail Merchant et James Ivory, pas Madhur et Jaffrey, précisa-t-il.
— Mon Dieu ! s'écria-t-elle en s'envoyant une claque sur le front. Voilà pourquoi on me jetait de drôles de regards pendant l'audition. Comme c'est gênant ! J'ai toujours été incapable de retenir les noms.
— Les dates aussi, ajouta Greg. À moins d'être Superman, je ne vois pas comment Pierce Brosnan aurait pu passer les six dernières semaines en Californie tout en travaillant avec vous dans les studios Pinewood.

Miranda sentit ses joues s'embraser.

— Grâce au Concorde.
— Foutaises.
— Qu'est-ce qui vous fait croire qu'il était en Californie ? protesta-t-elle, indignée.
— Pierce Brosnan est mon oncle.
— Oh, flûte ! C'est vrai ?
— Non, fit Greg en riant. Je plaisante.

« Prise au piège, se dit Miranda. Zut, zut, zut. »

— Quant à votre amie, elle s'est très bien débrouillée, continua Greg. Je sais tout de son contrat avec une maison de disques. Oh ! Et elle m'a aussi raconté le jour où elle et Jarvis Cocker se sont perdus en se rendant au studio de *Top of the pops*, sans parler de la fois où son pantalon s'est déchiré lors d'une réception, ce qui l'a obligée à porter l'une des robes de Boy George.

Miranda scruta la pièce. Il était peut-être temps de s'enfuir, avant que ce type ne déclenche un scandale. Malheureusement, Beverly avait disparu.

— Adrian va revenir d'une seconde à l'autre, marmonna-t-elle.

— Dans ce cas, il vaudrait mieux que nous nous cachions, dit Greg en lui prenant la main.

Il l'entraîna sur le balcon, qu'un épais rideau isolait du salon. À leurs pieds, la rue humide brillait sous la lumière des réverbères. Miranda fut soulagée de constater qu'il avait cessé de pleuvoir et que le vent avait faibli.

— Beverly va se demander où nous sommes, protesta-t-elle.

— J'ai passé les trente dernières minutes à bavarder avec elle. J'ai fait mon devoir. Maintenant, on échange.

— Ce n'est pas juste.

— Oh, si ! affirma Greg en l'obligeant à se tourner vers lui. Je n'ai pas seulement eu droit aux histoires de maison de disques et de robe empruntée. Elle m'a aussi servi le couplet : « Vous ne trouvez pas qu'il n'y a rien de plus mignon qu'un bébé ? »

« Bon sang, songea Miranda, combien de fois lui ai-je dit de ne pas faire ça ? »

— Et, justement, je ne trouve pas ça mignon, reprit Greg. En revanche, j'ai très envie de discuter avec vous.

Miranda leva les yeux vers lui. Il avait des cheveux d'un blond pâle, des yeux gris rieurs et une bouche bien dessinée. Un homme séduisant, conclut-elle avec un pincement étrange au creux de l'estomac.

— Je ne suis pas actrice, avoua-t-elle.

— Je l'avais compris.

— Je l'ai prétendu uniquement parce que...

— Pas de problème, je sais pourquoi vous l'avez dit, coupa-t-il.

— Elizabeth Turnbull est ma voisine. Vous l'avez fait pleurer.

— J'ai honte. Nous nous sommes très mal conduits, je l'admets. Mais Adrian plus que moi.

— Il doit être en train de se demander ce qui vous est arrivé.

— Qu'il parle de bébés avec Beverly ! Ça lui apprendra à bouleverser votre voisine. Alors, qui êtes-vous... pour dc vrai ?

— Pas grand-chose, répondit Miranda en haussant les épaules. Une apprentie coiffeuse.

— Ce qui explique vos cheveux, dit-il, en effleurant les boucles qui lui couvraient la nuque. Ça me plaît.

Miranda frissonna. Ça lui plaisait aussi. Malgré le vent, la température du balcon se réchauffait sérieusement.

— Et vous, que faites-vous dans la vie ?

La repartie ne brillait pas par son originalité, mais le temps lui manquait et elle voulait savoir à qui elle avait affaire.

— Quelque chose d'extrêmement ennuyeux. Je vends des assurances. Je vous autorise à bâiller.

— Vous êtes célibataire ?

— Oui, dit-il en souriant. Et vous ?

Ce sourire, ces yeux, cette allure séduisante... Les genoux tremblants, Miranda hocha la tête.

— Dans ce cas, poursuivit-il en sortant un stylo de la poche de sa veste, pourquoi ne me donneriez-vous pas votre numéro de téléphone ?

Subjuguée, Miranda prit le stylo.

— Vous avez du papier ? demanda-t-elle.

— Non. Écrivez sur ma main. Non, sur mon bras, corrigea-t-il en se débattant avec un bouton de manchette. Inutile qu'Adrian le voie.

— Ou Beverly, soupira Miranda, saisie d'un bref accès de remords.

Au même instant, une voix soucieuse s'éleva derrière le rideau.

— Ils ne sont sûrement pas partis. Ils doivent bien être quelque part.

— Mais j'ai déjà regardé dans la salle de bains, gémit Beverly.

— Bon, demandez à ce type s'il a aperçu votre amie. Dites-lui que vous cherchez une fille aux cheveux bleus et verts.

Dans l'obscurité, Greg luttait avec le bouton de manchette récalcitrant.

« Trop lent, trop lent », songea Miranda, qui trépignait d'impatience.

Agrippant la chemise du jeune homme, elle l'ouvrit vivement et se mit à écrire son numéro de téléphone sur son torse nu.

11

Heureusement, ce n'était pas une poitrine poilue.

— Aïe, souffla Greg, comme la pointe du stylo s'enfonçait dans sa peau.

— Pardon. La prochaine fois, prévoyez du papier.

— La douleur est supportable, et vous en valez la peine.

Le rideau s'écarta brusquement. Miranda s'écroula contre la balustrade du balcon.

— Ah, vous voilà enfin ! s'exclama Beverly, de la voix de l'institutrice qui sermonne un enfant égaré lors d'une sortie scolaire.

— Qu'est-ce que vous fabriquez là, tous les deux ? demanda Adrian en regardant par-dessus l'épaule de Beverly.

— Il faisait trop chaud dans cette pièce, j'ai failli m'évanouir, répondit Miranda en s'effondrant un peu plus. Je suis désolée. J'avais besoin de respirer... Ooooh, ajouta-t-elle, la main sur l'estomac, j'ai un peu mal au cœur.

— Il faut qu'elle rentre chez elle, dit Greg. Elle est vraiment malade.

— Tâchez de vomir, conseilla Adrian. Vous vous sentirez tout de suite mieux.

Miranda roula des yeux.

— Je ne crois pas pouvoir y arriver.

— Essayez, au moins... Voyons, insista-t-il, l'air consterné, vous n'allez pas rentrer maintenant, il n'est que 22 heures ! Je voulais vous emmener au *Stringfellows*.

— Au *Stringfellows* ? La boîte branchée ? Pourquoi ? s'étonna Beverly.

— Votre amie est célèbre, non ? s'écria Adrian en lui jetant un coup d'œil exaspéré. Et comme elle connaît personnellement Peter Stringfellow...

— Pas dans le sens biblique du terme, précisa vivement Miranda.

— D'accord, mais nous entrerons gratuitement, n'est-ce pas ?

— Bien sûr, marmonna Beverly en lançant un regard assassin à son amie.

Adrian trouvait l'idée très amusante. Il n'était jamais allé au *Stringfellows*, connu pour être un repaire de stars. En outre, il aurait adoré être harcelé par les paparazzi.

— Vous pouvez venir aussi, Greg et vous, proposa-t-il généreusement. Je suis sûr que Peter n'y verra pas d'inconvénient.

— Je me sens vraiment très mal fichue, gémit Miranda.

— Ce pauvre Adrian, tu l'as bien roulé, dit Beverly dans le taxi.

— Quel crétin !

Miranda essuyait le lait de toilette pour bébé dont elle s'était tartiné le visage. Elle préférait le faire pendant le trajet car, une fois chez elle, elle n'avait jamais le courage de se démaquiller.

— En tout cas, tu lui as vraiment plu.

— C'est l'actrice qui lui a plu, répliqua Miranda.

— Il va sûrement te téléphoner.

— Ça m'étonnerait, vu que je lui ai donné un faux numéro.

— Au moins, il te l'a demandé, soupira Beverly.

Le remords assaillit à nouveau Miranda. À tort, se dit-elle aussitôt. Greg n'avait fait que bavarder une demi-heure avec Beverly. On ne pouvait pas parler de flirt.

— Greg n'a pas pris le tien ? s'enquit-elle en se frottant vigoureusement les joues avec un mouchoir en papier.

— Non, mais je le lui ai donné quand même. Juste par précaution. Au cas où il aurait été trop timide pour me le demander.

— Ah... ça peut arriver.

— En fait, il me plaît bien.

L'air abattu, Beverly tira nerveusement sur son collant, qui en profita pour filer de haut en bas.

— D'accord, Adrian est un abruti, reprit-elle d'un ton larmoyant, mais Greg est vraiment sympa.

— Eh bien, peut-être qu'il te téléphonera, qui sait ?

Au souvenir de ses doigts inscrivant son numéro sur la poitrine nue de Greg, une bouffée de honte envahit Miranda.

— Sûrement pas, gémit Beverly en agitant frénétiquement la main pour quémander un mouchoir. J'ai tout gâché, je n'entendrai plus jamais parler de lui.

Le chauffeur de taxi tourna la tête de côté.

— Allons, ma belle, courage ! lança-t-il. Si ça se trouve, ce type est marié et père de cinq enfants.

« Bon sang, j'espère bien que non », commenta Miranda intérieurement.

— Il n'est pas marié, protesta Beverly, qui se mouchait bruyamment. Il me l'a dit.

— Vous avez regardé s'il portait des marques de suçons ? gloussa le chauffeur.

Mais Beverly ne l'écoutait plus. Elle examinait avec dégoût le papier déchiré et gluant qu'elle tenait entre le pouce et l'index.

— C'est un mouchoir sec que je t'ai demandé, grommela-t-elle, les joues dégoulinantes de lait pour bébé.

— Pardon, fit Miranda. Je croyais que tu voulais te démaquiller.

Arrêté par un feu rouge, le chauffeur se retourna.

— Mince alors, vous me faites penser à une actrice dans un film d'horreur que j'ai vu un jour.

— Et vous, vous me faites penser à un chauffeur de taxi privé de pourboire, marmonna Beverly.

Franchement, existait-il sur cette planète un homme qui ne fût pas un parfait crétin ?

Deux jours plus tard, à 7 h 30 du matin, le téléphone de Miranda sonna. Elle sut immédiatement que c'était Greg.

— Je voulais avoir l'air désinvolte, dit-il, c'est pourquoi je n'ai pas appelé hier.

— Moi aussi, je voulais avoir l'air désinvolte, avoua Miranda. Du coup, vous avez bien fait de ne pas téléphoner, parce que je n'aurais pas répondu.

Ils rirent en chœur.

— Bon, maintenant que nous avons joué l'introduction sur le mode décontracté, on peut passer à l'étape suivante, décréta-t-il. Comment allez-vous ?

— Très bien. Et comment va votre poitrine ?

— Elle porte toujours votre numéro. C'était de l'encre indélébile. J'ai pris quatre douches hier.

— Je vous conseille le tampon à récurer, dit Miranda. Ou la ponceuse.

— Ou bien une greffe de peau, ajouta-t-il. Adrian se demande pourquoi je ne me promène plus torse nu dans la maison.

— Dites-lui que vous avez trouvé Dieu et que la nudité est un péché, suggéra Miranda. A-t-il essayé de me téléphoner ?

— Oui, hier. Il est tombé sur une Mme Finkelstein.

— Et alors ?

— Il est resté au téléphone vingt minutes, à la supplier de le laisser vous parler. Quand elle lui a raccroché au nez, il s'est mis à crier : « C'est incroyable ! La mère de Miranda refuse que je la fréquente, sous prétexte que je ne suis pas juif ! »

Miranda, qui avait inventé le numéro, adressa mentalement ses excuses à la pauvre Mme Finkelstein.

— Bon, fit Greg, oublions un peu Adrian. Quand puis-je vous voir ?

— Nous avons définitivement renoncé à la séquence désinvolte ?

— Définitivement.

— Dans ce cas, je suis libre ce soir.

Quarante minutes plus tard, Miranda oscillait en rythme avec la foule qui encombrait le métro lorsque son regard fut attiré par un visage connu.

Elle baissa les yeux et examina la page du *Daily Mail* que tenait la femme debout à côté d'elle. Malheureusement, les doigts de la passagère masquaient la partie qui l'intéressait. Mais une chose était sûre : Daisy Schofield baignait dans le bonheur. Ses bras entouraient les épaules d'un homme et, bien que le texte fût partiellement caché, Miranda put lire « en pleine forme », « une passion torride » et « mercredi soir ».

Au temps pour le virus, se dit Miranda. Elizabeth Turnbull avait raison.

— Sale garce ! marmonna-t-elle.

En voyant sa voisine sursauter, Miranda comprit qu'elle avait parlé trop fort. Tant pis. Il ne lui restait plus qu'à s'excuser et à prier sa voisine d'écarter les doigts pour lui permettre de lire l'article.

Hélas, avant qu'elle ait eu le temps d'ouvrir la bouche, le métro s'arrêta à une station, les portes s'ouvrirent et la femme, cramponnée à son exemplaire du *Daily Mail,* sauta sur le quai.

« Quelle égoïste ! pesta Miranda. Je vais devoir en ache- ter un. »

12

— Ouah ! Ouah ! fit Miranda lorsque Fenn entra dans le salon, une heure plus tard.

— Je savais que ça finirait par arriver, dit-il en jetant un regard consterné à Beverly. Voilà qu'elle aboie, maintenant !

— Mon Dieu, que tu as l'esprit lent ! protesta Miranda. On est vendredi, le jour de Tabitha. Tu as dit que je pourrais être ton chien de garde.

Tabitha Lester, surnommée Tabitha la Nymphomane par les employés du salon, avait été une actrice très réputée durant les années 1970. Ayant dépassé l'âge limite mais refusant de l'admettre, elle se ruinait en liftings, massages et liposuccions, et hantait les soirées mondaines au bras de cavaliers d'une jeunesse embarrassante.

La première fois qu'elle lui avait demandé de venir la coiffer à domicile, Fenn s'était rendu seul chez elle et n'avait dû qu'au hasard d'en ressortir indemne. Depuis, au grand dépit de Tabitha, il n'y allait plus que chaperonné.

Miranda adorait l'accompagner. L'immense maison était décorée dans un style hollywoodien ultrasophistiqué. On leur servait une nourriture typiquement hollywoodienne et, dans l'espoir d'affaiblir les défenses de Fenn, Tabitha ne manquait jamais d'ouvrir une bouteille de champagne rosé.

— Je ne comprends pas pourquoi tu ne couches pas avec elle, dit Miranda, assise dans la splendide Lotus noire de Fenn. Débrouille-toi pour que ce soit un fiasco, et elle te fichera la paix.

— C'est ton idée brillante de la journée ?

— Ça pourrait marcher, tu sais.

— Nous sommes en train de parler de la reine des tabloïds ! Je vois d'ici les titres : « Ma très brève soirée avec Fenn Lomax, l'artiste du fer à friser », « Le magicien des ciseaux s'effondre au plumard ».

— Oui, mais personne n'en croira un mot, assura Miranda.

Les petites amies de Fenn étaient toutes de splendides mannequins, et il passait pour l'un des célibataires les plus recherchés de Londres. Quoi qu'il fasse, sa réputation n'en souffrirait pas.

— Si ça ne te gêne pas, je préfère ne pas prendre le risque, dit Fenn.

— Fenn, vous êtes plus beau que jamais ! s'exclama Tabitha en les accueillant. Vous savez, j'ai rêvé de vous cette nuit. Un rêve étonnant. Très, très coquin.

Elle se tourna vers Miranda et lui montra la porte de la cuisine.

— Chérie, c'est le jour de congé de la cuisinière. Il y a un melon et une montagne de jambon de Parme dans le réfrigérateur. Sers-toi pendant que Fenn et moi montons au premier.

— J'ai besoin d'elle pour le moment, elle mangera plus tard, décréta Fenn.

Autrement dit : dans une demi-heure, quand Tabitha aurait la tête enveloppée de petits papiers d'aluminium et n'oserait plus lui sauter dessus, de peur d'abîmer sa coiffure.

— Ouah ! Ouah ! murmura Miranda en les suivant dans l'escalier.

D'une main, Tabitha tenait une bouteille de champagne ; de l'autre, elle remontait un pan de son déshabillé vert.

Pour quelqu'un qui possédait cinq gigantesques placards remplis de vêtements, Tabitha passait beaucoup de temps à se promener en tenue de nuit.

Depuis la dernière visite de Miranda, on avait refait la décoration de la chambre. La moquette turquoise, dans laquelle on s'enfonçait jusqu'aux chevilles, avait été remplacée par une autre moquette, tout aussi épaisse mais ivoire. Le nouveau papier peint, or et ivoire, était assorti aux tentures damassées qui drapaient artistiquement le lit à baldaquin.

— Comme c'est joli ! s'écria Miranda.

Elle leva les yeux au plafond et constata que le miroir était toujours là.

— Je sais, dit Tabitha en jetant un regard complice à Fenn. J'ai beaucoup de goût.

En poussant un fauteuil, Miranda fit tomber un objet métallique qui s'enfouit dans la moquette.

— Mets-les dans ce tiroir, s'il te plaît, chérie. Merci.

Miranda rangea les menottes dorées à l'endroit indiqué, mais s'abstint de regarder Fenn, de peur de pouffer de rire. Se mordant les lèvres, elle se tourna vers la fenêtre et vit une silhouette bronzée, vêtue d'un short de bain noir, plonger dans la piscine.

Malgré la distance, elle lui trouva une allure familière.

— Miranda, dispose quelques serviettes autour du fauteuil, ordonna Fenn. Sinon, nous risquons de décolorer la moquette.

Un deuxième plouf salua le plongeon d'une autre silhouette, plus pâle et plus enrobée que la première, et affublée d'un caleçon multicolore. Apparemment, Tabitha s'était dégoté deux nouveaux compagnons de jeux.

— Miranda, les serviettes !

— Bon sang, Fenn, fichez-lui la paix ! gronda Tabitha. Elle admire mes jeunes amis.

— Pardon, Fenn, dit Miranda en s'écartant de la fenêtre.

Elle était convaincue d'avoir déjà vu le garçon en short noir. Mais où ?

— Détends-toi, mon petit. Ne le laisse pas te tyranniser, conseilla Tabitha en s'installant dans le fauteuil.

— Vous plaisantez ? protesta Fenn en sortant le contenu de sa valise. C'est Miranda qui me tyrannise.

— Moi, j'aime les hommes qui savent rester à leur place, commenta Tabitha, avec un petit sourire qui signifiait sans doute : « Surtout quand ils sont menottés aux piliers de mon lit à baldaquin. »

— Papiers, s'il te plaît, Miranda, demanda Fenn d'une voix à l'accent désespéré.

— Débouchons d'abord cette bouteille, dit Tabitha en tendant le champagne à Fenn, ce qui l'amena à effleurer la cuisse de sa proie. À vous l'honneur. C'est un travail d'homme... Pauvre Fenn, ajouta-t-elle en décochant un clin d'œil coquin à Miranda, il semble très nerveux, ce matin. Un verre ne lui fera pas de mal.

Fenn mit trois quarts d'heure à retoucher le balayage de Tabitha. Lorsque les dernières racines grises eurent été colorées et entourées d'aluminium, l'estomac de Miranda grondait bruyamment.

— Descends te nourrir un peu, suggéra Tabitha en se servant un deuxième verre de champagne.

Miranda interrogea son patron du regard. Ayant vingt minutes de tranquillité devant lui, Fenn hocha la tête. Tabitha ne prendrait pas le risque d'anéantir l'œuvre de son coiffeur préféré. D'ailleurs, si Miranda ne se hâtait pas d'apaiser son estomac, il leur faudrait bientôt s'enfoncer du coton dans les oreilles.

Une fois dans la cuisine, Miranda s'accroupit devant le réfrigérateur et saliva devant les tranches de jambon de Parme, les champignons à la grecque et les barquettes de fraises. Par la porte-fenêtre ouverte lui parvenaient les cris et les éclaboussements en provenance de la piscine.

Elle se relevait, un melon dans les bras, lorsqu'un sifflement dans son dos la fit sursauter. Sous le coup de la surprise, le melon lui échappa des mains et roula sur le sol.

Elle se retourna et tomba nez à nez avec le garçon au maillot de bain multicolore.

— Hé, quelle bonne idée ! s'écria-t-il en ramassant le melon. On va jouer au water-polo !

— Vous ne pouvez pas le prendre, protesta Miranda. Tabitha m'a demandé de le couper…

— Je représente le Front de Libération des Melons, déclama l'intrus en faisant tournoyer le melon sur son index comme un ballon de basket. Ce melon sera libre !

Sur ces mots, il s'enfuit, laissant une flaque d'eau derrière lui. Miranda, qui rêvait de melon depuis près d'une heure, se lança en dérapant à sa poursuite. Elle surgit sur la terrasse au moment où le melon tombait dans l'eau. L'autre garçon s'en empara aussitôt et, secouant ses cheveux blonds, le brandit triomphalement.

— Ne le lui jette pas ! cria son ami. C'est une meurtrière.

— Écoutez, supplia Miranda, vous ne pouvez pas jouer au water-polo avec un melon, quand même !

— Nous ne jouons pas au water-polo, mais au water-melon, répliqua le jeune homme blond.

Avec un grand sourire, il envoya le ballon improvisé par-dessus la tête de Miranda. Son ami l'attrapa. La jeune fille s'avança vers lui pour le lui reprendre, mais le melon s'envola de nouveau audessus de sa tête.

— Vous pouvez jouer aussi, si ça vous tente, suggéra le garçon blond. Faites équipe avec moi.

« Il était de loin le plus beau des deux gigolos de Tabitha », songea Miranda, qui ne cessait de lui trouver un air familier. Si ses cheveux n'avaient pas été mouillés et s'il avait porté des vêtements, elle l'aurait sûrement reconnu.

— On se connaît, non ?

— Bien sûr qu'on se connaît. Je suis votre partenaire de water-melon. Sautez, insista-t-il. L'eau est délicieuse.

— Écoutez, j'aimerais beaucoup jouer au watermelon avec vous, mentit-elle, mais ce n'est pas possible.

Grosse erreur.

— Rien n'est impossible !

Le garçon au maillot multicolore jeta le melon dans l'eau, puis il saisit Miranda par la taille, la souleva et courut vers la piscine.

Jusqu'à la dernière seconde, elle crut qu'il allait s'arrêter.

Il ne s'arrêta pas.

Dans un énorme plouf, ils s'enfoncèrent dans l'eau. Un froid glacial envahit Miranda.

Quand elle réapparut à la surface, le plus mignon des deux gigolos l'avait rejointe.

— Ouf ! fit-il. Pendant une minute, j'ai eu peur que vous ne sachiez pas nager. J'étais sur le point de plonger pour vous sauver, ajouta-t-il, une lueur malicieuse dans les yeux.

Miranda tenta de lui reprendre le melon.

— Mon Dieu, j'ai l'impression qu'il faut que je vous explique les règles du water-melon ! dit-il en écartant l'objet du litige. Vous voyez, nous sommes dans le même camp. C'est l'adversaire que vous devez attaquer, pas moi.

Miranda commençait à claquer des dents. Ses vêtements mouillés lui collaient à la peau.

— La pi... piscine n'est pas chau... chauffée. Vous m'avez men... menti.

— Absolument pas, répliqua-t-il avec un sourire lumineux. Je vous ai dit que l'eau était délicieuse, je n'ai pas parlé de chauffage.

— Cette histoire va m'attirer des ennuis.

Elle leva craintivement les yeux vers la fenêtre de la chambre de Tabitha. Heureusement, on n'y voyait toujours pas le visage scandalisé de Fenn.

— Maintenant que vous êtes là, pourquoi ne pas faire une partie ? insista son équipier.

— J'ai mes chaussures aux pieds.

— Enlevez-les.

— Je suis complètement habillée !

Il ne dit rien, mais son sourire s'élargit. Ses yeux étaient extraordinaires, remarqua Miranda, d'un bleu-vert tacheté de jaune.

— Hé, vous deux ! On joue, oui ou non ?

Le garçon au maillot multicolore était sorti de la piscine.

— Par ici ! cria-t-il à son ami, en désignant son front.

— Non ! hurla Miranda en se couvrant les yeux. Vous allez l'assommer !

— Rien ne peut assommer Johnnie.

Il avait raison. Ce fut le melon qui souffrit. Sous le choc, il s'ouvrit en deux, et la chair rose explosa dans toutes les directions.

— Aïe, fit Johnnie.

Il ramassa un morceau de melon sur son épaule et l'enfourna dans sa bouche.

— Vous l'avez tué, commenta Miranda d'un ton sévère. Je vous dénoncerai auprès des membres du Front de Libération.

— Trop tard, murmura son partenaire en voyant Fenn apparaître sur la terrasse. Les voilà.

13

Assise sur une chaise de la cuisine, une serviette sur les épaules, une mare d'eau javellisée à ses pieds, Miranda claquait des dents contre une tasse de café. Ses cheveux, que Fenn venait de frotter sauvagement, se hérissaient sur sa tête.

— Décidément, je ne peux t'emmener nulle part !

— Ce n'est pas ma faute. On m'a jetée à l'eau.

— Mais pourquoi est-ce toujours à toi que ce genre de chose arrive ? soupira-t-il.

— Je ne sais pas. C'est comme ça.

Elle n'était qu'une enfant que sa mère se plaignait déjà de ses dispositions naturelles à se fourrer dans des situations scabreuses, se rappela tristement Miranda.

— Quels méchants garçons ! s'écria Tabitha en entrant dans la cuisine, les bras chargés de vêtements secs. Ils vont m'entendre. Tiens, chérie, monte te changer.

Dans la chambre de Tabitha, Miranda ôta ses habits mouillés, se sécha et mit un pantalon et un pull blancs. En s'asseyant sur le lit pour enfiler des chaussettes roses en angora, elle entendit un bruissement derrière elle. Le dessus-de-lit recouvrait à moitié un *Daily Mail* ouvert à la page des potins. Une chaussette à un pied et l'autre à la main, Miranda se pencha pour découvrir enfin ce que Daisy Schofield avait fabriqué mercredi soir.

On frappa à la porte.

— Êtes-vous décente ?

— Oui

La porte s'ouvrit sur son partenaire de water-melon. Il s'était habillé et avait coiffé ses cheveux blonds en arrière.

Miranda le reconnut immédiatement.

— Votre patron est furieux contre vous ?

— Non, mais moi, je ne suis pas très contente de vous.

Elle pointa un doigt accusateur vers la photographie du journal.

— Que faisiez-vous avec Daisy Schofield mercredi soir ?

— Vous êtes sûre de vouloir le savoir ? demanda-t-il en souriant.

Rien d'étonnant à ce qu'elle lui ait trouvé un air familier. Miles Harper, coureur de formule 1, était apparu sur la scène des courses automobiles moins d'un an plus tôt, mais sa beauté, son talent et son charme avaient très vite suscité l'admiration de tous.

— Les détails triviaux ne m'intéressent pas, mais pourquoi était-elle avec vous ?

— Probablement parce que je lui plais... Ne me dites pas que vous êtes jalouse.

— Daisy Schofield était censée se rendre à une réception. Elle a annulé en prétendant être malade. Enfin, vous avez annulé pour elle, rectifia Miranda, se rappelant l'homme mystérieux qui avait téléphoné à Elizabeth Turnbull. Vous avez menti. C'est plutôt moche, non ?

— Si je comprends bien, vous assistiez à cette réception ?

— Oui.

— C'était rasoir ?

Miranda hésita. Si elle n'avait pas rencontré Greg, la soirée aurait été très ennuyeuse. Comme elle demeurait silencieuse, Miles Harper devina qu'il ne se trompait pas.

— Vous voyez ? Voilà pourquoi elle n'y est pas allée.

— Mais elle était l'une des invités d'honneur. Si vous organisiez une soirée de bienfaisance et que personne ne venait, vous n'aimeriez pas ça.

— Oh, fit-il, subitement honteux, j'ignorais que c'était pour une œuvre !

Il avait l'air sincèrement contrit, mais Miranda ne savait pas si elle devait le croire.

— Qu'est-ce que vous fabriquez ici ? demanda-t-elle, préférant changer de sujet. Quand je vous ai vus tous les deux dans la piscine, je vous ai pris pour les nouveaux gigolos de Tabitha.

Miles éclata de rire.

— Johnnie m'a amené ici. Tabitha est sa marraine. Cinq minutes après avoir fait sa connaissance, j'ai compris que je ne serais en sécurité qu'au milieu de la piscine. Cette femme a les mains très baladeuses.

— Vous n'avez pas eu peur qu'elle saute vous rejoindre ?

— Elle nous a dit que son coiffeur allait arriver et qu'elle ne devait pas se mouiller les cheveux. C'est à ce moment-là que j'ai plongé.

— Vous pilotez des voitures de course, mais vous ne vous sentez pas capable d'affronter une nymphomane d'un certain âge ? plaisanta Miranda.

Miles réfléchit une seconde.

— La différence, c'est qu'on ne peut pas freiner Tabi- tha.

Ils redescendirent au rez-de-chaussée, où Miranda fut présentée en bonne et due forme à Johnnie. Le jeune homme, qui arborait une bosse magnifique sur le front, s'excusa de l'avoir jetée à l'eau. Miranda lui accorda son pardon de bon cœur, puis elle alla aider Fenn à ôter les petits carrés d'aluminium qui ornaient la tête de leur cliente.

— Nous partons, annonça Johnnie en passant la tête dans la salle de bains, où Miranda massait le cuir chevelu de Tabitha.

— Amusez-vous bien, tous les deux, dit celle-ci, la tête penchée au-dessus du lavabo. Ne faites rien que je ne ferais pas. Où est Miles ? Il ne m'a pas embrassée.

— Son manager l'a appelé. Il est dehors, en train de téléphoner, déclara-t-il avec un clin d'œil à l'adresse de Miranda.

De toute évidence, Miles s'était réfugié dans sa voiture.

— À propos, Miranda... Ce soir, nous allons à une réception à l'*Unicorn Club*. Miles se demandait si vous aimeriez venir avec nous.

Stupéfaite, Miranda s'arrêta de masser. Elle sentit ses joues rosir de plaisir.

Miles Harper l'invitait ?

Enfin, plus exactement, il priait son ami de l'inviter.

Mince alors, c'était fou, ça, non ?

Durant deux secondes, elle fixa béatement le visage de Johnnie. Puis la mémoire lui revint, et elle se rappela le coup de fil matinal de Greg.

— J'adorerais vous accompagner, répondit-elle. Mais ce soir, je ne peux pas. J'ai déjà prévu quelque chose.

— OK, fit Johnnie, que ce refus ne parut pas attrister outre mesure.

— Je regrette sincèrement, dit-elle en affichant un grand sourire. Peut-être un autre soir ? D'ordinaire, je suis libre. En fait, je suis libre n'importe quel autre soir.

Elle se mordit les lèvres. Seigneur, voilà qu'elle se mettait à parler comme Beverly ! Elle n'était pourtant pas désespérée à ce point !

Johnnie hocha la tête, consulta sa montre et sortit à reculons de la salle de bains.

— Chérie, tu es folle, commenta Tabitha. Tu as tout gâché. Avec des types du genre de Miles Harper, on n'a pas droit à une seconde chance.

Miranda versa un peu de lotion dans sa main et reprit distraitement son massage. Après six mois de solitude sentimentale, elle ne savait plus où donner de la tête. Peut-être Dieu la punissait-il d'avoir piqué Greg à Beverly.

— Alors, qu'est-ce que tu fais, ce soir ? insista Tabitha avec un enjouement agaçant. Tu pars à Los Angeles assister à la première du dernier film de Tarantino ? Tu dînes au *Ritz* en tête-à-tête avec Leonardo DiCaprio ?

— J'ai rencontré un type mercredi soir, marmonna Miranda. C'est notre premier rendez-vous.

« Lequel consisterait sans doute à boire quelques bières tièdes et à manger une pizza caoutchouteuse », songea- t-elle.

— Je le connais ?

— Non. Il vend des assurances.

— Grands dieux ! s'esclaffa Tabitha. Et c'est pour lui que tu as repoussé Miles Harper ! J'espère qu'il en vaut la peine, ajouta-t-elle.

Se rappelant soudain combien les hommes étaient peu fiables et le nombre de fois où on lui avait posé un lapin, Miranda se demanda si Greg se montrerait ce soir.

— Moi aussi, murmura-t-elle, mal à l'aise.

14

Tout en sachant parfaitement qu'elle faisait une grosse bêtise, Chloé avait téléphoné à sa mère la veille.

— Comment ça, il t'a quittée ? avait rugi Pamela Greening. Chloé, ne dis pas d'ânerie ! C'est une très mauvaise plaisanterie. Pourquoi diable Greg voudrait-il te quitter ?

Chloé, qui préférait éviter de parler du bébé pour l'instant, avait marmonné que les choses ne marchaient plus vraiment entre eux.

— Bon sang, ce garçon a un sacré culot ! Attends que je mette la main dessus, il va comprendre...

— Maman, je t'en prie, ne t'en mêle pas. Il est parti, ce n'est pas la fin du monde. Les mariages se font et se défont, ça arrive tout le temps.

— Pas dans notre famille, avait répondu sa mère d'un ton ferme. Chez nous, il n'y a jamais eu de divorce.

— Eh bien, il y en aura un.

— Tu renonces trop facilement, ma fille, comme toujours.

— Bon sang ! s'était écriée Chloé, exaspérée. Je ne pouvais tout de même pas le ligoter dans le placard à balais !

— Voilà que tu dis à nouveau des sottises. Il existe d'autres moyens, Chloé. Quand on veut garder son mari, on y arrive.

Jamais elle n'aurait dû téléphoner à sa mère, se dit Chloé, atterrée, quand elle sortit de l'ascenseur et aper- çut la silhouette familière plantée devant son appartement.

— Maman, tu n'étais pas obligée de venir. Je vais très bien.

— Tu as pris du poids.

Ni baiser, ni étreinte, ni mot de réconfort. De ce côté-là, rien n'avait changé.

— Un peu, admit-elle en rentrant le ventre.

— Bon, où est ta clé ? Trois heures de train, c'est éprouvant. Fais-moi une tasse de thé avant que nous nous mettions au travail.

— Quel travail ?

Chloé fourragea dans son sac et introduisit avec réticence la clé dans la serrure. L'appartement n'était pas vraiment en désordre, mais sa mère n'apprécierait sans doute pas le spectacle d'un évier encombré de casseroles sales.

— Greg, bien sûr.

— Mais...

— N'essaie pas de m'en dissuader, Chloé. Ce garçon a prêté serment devant le pasteur et une foule de gens. Le mariage, c'est pour la vie, décréta-t-elle en agitant un doigt menaçant sous le nez de sa fille. Il a besoin qu'on le lui rappelle. Et si tu ne le fais pas, je m'en chargerai.

Épuisée par une longue journée de travail, Chloé se dirigea vers la cuisine, en espérant que sa mère ne l'y suivrait pas.

— Je vais préparer du thé. Si tu restes cette nuit, tu prendras mon lit et je dormirai sur le canapé.

Sa mère ayant apporté une petite valise, Chloé supposait qu'elle avait l'intention de s'attarder au moins deux jours.

— Mais tu ne pourras pas sermonner Greg, ajouta-t-elle sans se retourner. Il n'est plus ici.

— Tout le monde n'est pas aussi nul que toi, répliqua Pamela. Je vais aller le voir.

Chloé pivota brusquement sur elle-même. Tel un justicier en tailleur, sa mère se dressait sur le seuil de la cuisine et brandissait un carnet et un stylo.

— Tu n'as pas le droit de faire ça !

— Donne-moi son adresse.

— Je ne la connais pas.

— Ne sois pas ridicule.

— J'ignore où il est, je te le jure, assura Chloé qui, peu habituée à mentir, se mit à transpirer.

La rumeur lui avait appris que Greg s'était installé chez Adrian mais, par fierté, elle s'était interdit de chercher à le joindre.

— Je sais quand tu mens, rétorqua Pamela Greening. Tu connais son adresse.

Les mains tremblantes, Chloé versa par inadvertance l'eau bouillante dans le sucrier. Seigneur, qu'allait-elle encore devoir supporter ?

— Maman, Greg est parti. Il ne m'a pas dit où. Je ne l'ai pas vu et je ne lui ai pas parlé depuis des jours. Arrête de m'interroger, repose ton stylo et défais tes bagages.

Pamela haussa les épaules et s'éloigna. Le souffle court, Chloé parvint à remplir la théière. Elle vidait le sucrier dans l'évier lorsque les pas de sa mère firent vibrer le plancher du salon.

Le bruit évoquait *Jurassic Park*. Seigneur, que se passait-il maintenant ?

Elle le devina aussitôt. Son premier réflexe fut de s'enfuir. Mais, ne disposant d'aucune issue de secours – la fenêtre de la cuisine était trop étroite pour ses hanches –, elle se retourna vaillamment.

Sa mère s'était à nouveau campée sur le seuil de la cuisine. Seulement, cette fois-ci, elle tenait le livre de poche que Chloé avait feuilleté la veille.

Le Livre de la grossesse et de la naissance, de Miriam Stoppard.

À cet instant, Chloé envia Greg et regretta d'avoir un jour donné sa propre adresse à sa mère.

— Oh, c'est vrai, fit-elle en rassemblant tout son courage, j'ai oublié de te le dire ! J'attends un bébé.

Le visage de Pamela Greening vira au pourpre, blêmit, puis redevint pourpre.

— Qui est le père ? hurla-t-elle.

Pamela n'eut aucun mal à découvrir le refuge de son gendre. Il lui suffit de consulter l'annuaire et de trouver le numéro de la compagnie d'assurances où il travaillait, ce qui lui prit trente secondes.

Encore trente secondes, et elle apprit que Greg avait quitté le bureau de bonne heure.

Il lui fallut ensuite quarante-cinq secondes pour convaincre la secrétaire affolée qu'il était impératif – oui, absolument impératif – qu'elle lui communique la nouvelle adresse de Greg Malone.

— Je me moque des règlements de votre société. Je suis le Dr Blake et je vous appelle de l'hôpital Saint-Thomas. Je dois parler à M. Malone de toute urgence.

Recroquevillée sur le canapé, Chloé écoutait sa mère avec une appréhension croissante.

— Voilà, dit Pamela en raccrochant le téléphone et en lui fourrant l'adresse sous le nez. Tu aurais au moins pu faire ça.

Horrifiée, Chloé la vit enfiler son imperméable bleu marine.

— Oh, non, n'y va pas, je t'en prie ! Cela ne fera qu'empirer les choses.

Sa mère lui jeta un regard chargé de mépris.

— Tu es enceinte. Il t'a abandonnée. Comment les choses pourraient-elles empirer ?

— Il n'est pas là, répondit Adrian en resserrant prudemment la serviette qui lui ceignait les hanches.

Il se rappelait vaguement la mère féroce de Chloé qui, lors du mariage, lui avait ordonné en termes peu ambigus de cesser de danser sur les tables.

— Il se cache en haut, il n'ose pas m'affronter, c'est ça, hein ? Dites à Gregory que sa belle-mère ne bougera pas d'ici tant qu'elle ne l'aura pas vu.

— Mais il n'est pas là, je vous le jure ! Vous l'avez manqué de peu. Il est parti il y a cinq minutes. Vous pouvez fouiller la maison, si vous voulez.

Pamela Greening l'examina avec dégoût. Si Gregory n'était pas là, elle n'allait pas prendre le risque de pénétrer dans la maison d'un homme nu.

— À quelle heure doit-il rentrer ?

« Cela dépendait du succès que remporterait Greg auprès de sa nouvelle conquête », songea Adrian, mais il se garda d'exprimer ses pensées.

— Je ne sais pas. Sans doute pas très tard.

Heureusement, lui-même sortait aussi.

Avant de partir, une heure plus tard, Adrian écrivit un mot au dos d'une facture de gaz et la posa bien en vue sur la table de la cuisine.

Pauvre Greg, le moins qu'il pût faire pour lui était de l'avertir que sa belle-mère avait débarqué.

En femme avisée, Pamela Greening s'était cachée derrière une grande boîte aux lettres, au bout de la rue. Elle vit l'ami de Gregory quitter la maison et s'éloigner dans la direction opposée.

Lorsqu'il eut disparu, elle revint sur ses pas et sonna à la porte. Seul le silence lui répondit.

Mais elle ne se découragea pas pour autant. Elle était prête à attendre toute la nuit s'il le fallait.

Quand Miranda vit Greg sortir de sa voiture, encore plus beau que dans son souvenir, elle faillit tomber du balcon.

— J'arrive ! lança-t-elle en agitant les bras comme une groupie enamourée. Vous êtes en avance.

Pas très désinvolte, peut-être, mais qui cela gênait-il ?

Certainement pas Greg, qui lui rendit son salut avec enthousiasme et lui cria :

— Je n'en pouvais plus d'attendre.

Il l'emmena au *Vin Rose*, un bar de Bayswater bondé de couples enlacés.

— Comment va votre poitrine ? demanda Miranda.

Il déboutonna le milieu de sa chemise pour lui montrer les chiffres délavés.

— Ça ne s'efface pas. Je suis tatoué à vie.

— Mon Dieu, je suis désolée !

— Pas moi, répondit-il en se reboutonnant. Il y a des gens pour qui ça vaut la peine de se faire tatouer. Vous avez dit à Beverly que nous sortions ensemble, ce soir ?

Miranda secoua la tête.

— Impossible. Elle est au bord du suicide parce que vous ne l'avez pas appelée. Et vous ?

— Je ne suis pas du genre à me suicider.

— Je voulais dire, en avez-vous parlé à Adrian ?

— Non.

— Chaque fois que Beverly cite votre nom, je pique un fard, avoua Miranda. C'est fou ! J'ai l'impression de tourner autour d'un homme marié.

— Pauvre chérie ! fit Greg en lui prenant la main. Alors, vous avez passé une mauvaise journée ?

En sentant ses doigts se refermer sur les siens, Miranda frissonna de plaisir. Seigneur, il y avait une éternité qu'elle n'avait pas éprouvé cela !

— En fait, ça n'a pas été si désagréable. J'ai nagé avec Miles Harper dans la piscine de Tabitha Lester, mais j'ai dû refuser de sortir avec lui à cause de notre rendez-vous… Heureusement, il l'a plutôt bien pris.

— C'est comme moi, déclara Greg. Madonna a déboulé dans mon bureau, furieuse que je ne puisse l'emmener dîner ce soir. Finalement, il a fallu que j'appelle la sécurité pour me débarrasser d'elle. Je n'arrêtais pas de lui dire : « Non, Madonna, je ne suis pas libre, j'ai rendez-vous avec Miranda. »

Sachant combien les hommes exécraient les filles vantardes, Miranda se garda de signaler qu'elle ne plaisantait pas.

— Merci, dit-elle d'un ton sérieux. Je suis contente que vous m'ayez choisie.

— Moi aussi, je suis content que vous m'ayez choisi. Fréquenter Miles Harper ne vous aurait pas rendue heureuse. On ne peut pas faire confiance à ce genre de type.

— Je sais.

— Il sort avec Daisy Schofield, poursuivit Greg. Il y avait une photo d'eux dans le journal, ce matin.

Miranda but une gorgée de vin et opina sagement du chef au-dessus de son verre.

— Je l'ai vue.

Une heure plus tard, l'estomac de Miranda commençait à crier famine. Elle n'avait rien mangé depuis son sandwich, à midi, et mourait de faim.

— J'ai réservé une table à *L'Étoile* pour 21 h 30, annonça Greg.

— Vous dites toujours ce qu'il faut au bon moment ? s'exclama-t-elle.

Elle l'aurait embrassé. C'était sacrément mieux qu'une bière tiède et une pizza caoutchouteuse.

Qu'il l'invite dans un grand restaurant prouvait qu'il s'intéressait à elle, estima Miranda, tandis que Greg s'approchait du comptoir pour régler l'addition. Toutefois, la soirée se déroulait si bien qu'elle se serait contentée d'une pizza.

« J'ai rencontré quelqu'un qui me plaît vraiment, songea-t-elle, et apparemment, c'est réciproque. »

— Zut ! s'exclama Greg en revenant à leur table. Ma carte de crédit est expirée.

— Oh, ça n'a pas d'importance, j'ai un peu d'argent sur moi, s'écria Miranda en ouvrant son sac.

— Non, non. Il me reste assez de liquide pour payer l'addition, mais ça nous oblige à faire un détour. Ma nouvelle carte est chez moi. Il faut que je passe la prendre avant d'aller au restaurant.

15

Durant deux heures et demie, Pamela Greening arpenta Milligan Road, tout en répétant soigneusement ce qu'elle comptait dire à son gendre.

Elle se trouvait à l'extrémité de la rue, à plus de trois cents mètres de la maison, lorsqu'elle reconnut la Rover blanche qui s'arrêtait sous le réverbère, devant le numéro 43.

— J'en ai pour deux secondes, dit Greg en ouvrant la portière. Je sais où je l'ai rangée.

— Ne vous inquiétez pas, je ne bouge pas.

Miranda augmenta le volume de l'autoradio. Comble du bonheur, Greg et elle partageaient les mêmes goûts musicaux. « Imagine un peu, se dit Miranda, comme ce serait horrible de rencontrer quelqu'un d'aussi parfait que Greg et de découvrir tout à coup qu'il aime Mariah Carey, alors que tu ne supportes que U2 ! »

Les yeux fermés, assourdie par les haut-parleurs, Miranda ne vit ni n'entendit la femme d'un certain âge, boudinée dans son imperméable bleu marine, qui se penchait vers la voiture pour l'insulter, puis se précipitait vers la porte d'entrée du numéro 43.

Dans la cuisine, Greg lisait avec horreur le message qu'Adrian avait appuyé contre une tasse à café sale.

Attention ! Ta belle-mère est passée et elle va revenir tout à l'heure. Si tu tiens à la vie, cache le couteau à pain !

Courage !

Adrian

P.-S. : Si tu la tues et que tu ne sais pas quoi faire du corps, les grands sacs-poubelle sont sous l'évier.

Adrian avait beau jeu de plaisanter, Pamela Greening n'était pas sa belle-mère ! Greg s'essuya le front d'une main tremblante. Il l'avait échappé belle : s'ils n'avaient pas été en retard pour le restaurant, Miranda l'aurait accompagné dans la maison et aurait vu le mot.

Il déchira la facture de gaz et jeta les morceaux dans la poubelle, tout en songeant qu'il avait rangé sa chambre et changé ses draps pour rien. Dans ces conditions, inviter Miranda à prendre un dernier verre aurait été trop risqué.

La jeune fille lui plaisait beaucoup, et il ne voulait pas tout gâcher dès leur premier rendez-vous. Pas question qu'il lui dise qu'il était marié et que sa femme attendait un bébé. Ce n'était pas sa faute, bien sûr, mais les filles avaient parfois des idées étranges sur le sujet.

La sonnerie stridente de l'entrée résonna soudain. Seigneur, qui cela pouvait-il être ?

Miranda ?

Ou sa belle-mère surgissant de l'enfer ?

Greg ouvrit la porte avec appréhension. Une gifle lui fit pivoter brutalement la tête.

— Alors, c'est pour elle que tu l'as quittée, hein ? hurla Pamela Greening.

Elle désignait la voiture, à bord de laquelle la tête de Miranda tressautait au rythme d'une musique effrénée.

— C'est pour elle que tu as abandonné ma fille ? Eh bien, laisse-moi te dire que je ne te laisserai pas faire ! Tu vas assumer tes responsabilités, mon garçon. Chloé a besoin d'un mari, ce bébé a besoin d'un père...

— Pamela, pas maintenant.

Paniqué, Greg s'aperçut que Miranda avait tourné la tête vers eux. Il devait se sortir de ce cauchemar au plus vite.

Il referma la porte derrière lui et tenta de contourner Pamela.

— Ah, non ! s'exclama-t-elle en l'attrapant par le bras. Je suis venue te parler !

— C'est inutile, répliqua-t-il en se dégageant de son étreinte. C'est inutile.

Miranda regardait la scène, bouche bée. La chanson terminée, elle avait rouvert les yeux et vu Greg qui se battait avec une vieille femme sur le seuil de sa maison.

Il parvint à la repousser, se dirigea vers la voiture et ouvrit la portière. La femme le suivit en criant :

— Tu ne t'en tireras pas comme ça !

— Seigneur, que se passe-t-il ? gémit Miranda.

— Ignorez-la.

— Non ! hurla la folle en l'agrippant par la veste. Je vais te faire regretter d'avoir…

Greg réussit à mettre le moteur en route, puis à refermer sa portière. Il enfonça la pédale de l'accélérateur, obligeant la femme à lâcher la poignée.

— Je suis désolé, fit-il.

— Greg, qui est-ce ?

Miranda se retourna. Plantée au milieu de la chaussée, la femme continuait à vociférer et brandissait le poing dans leur direction.

Greg freina pour négocier le virage.

— Une cliente mécontente, expliqua-t-il en secouant la tête. Son mari et elle avaient pris une grosse assurance-vie, et il s'est suicidé. La police d'assurance ne couvre pas le suicide, et elle n'arrive pas à l'accepter.

Il respira à fond. Ils étaient hors de danger, à présent. Ses mains cessèrent de trembler.

— Pauvre femme ! reprit-il. Elle a perdu la tête. Je lui ai dit une centaine de fois que la compagnie ne paierait pas, mais elle ne me croit pas. Elle est persuadée que je la vole de trois cent mille livres.

— Quelle horreur ! s'exclama Miranda, les yeux écarquillés.

Greg hocha gravement la tête.

— Elle m'a poursuivi jusque dans mon bureau. Manifestement, elle a découvert où j'habitais. Je suis désolé pour elle, bien sûr, mais que puis-je faire ?

— Prévenez la police, pour commencer. Cette femme me paraît dangereuse.

« Sacrément dangereuse », renchérit Greg en son for intérieur.

— Nous en avons déjà parlé à la police. Ça ne sert à rien. Tant qu'elle ne commet pas d'acte illégal, ils n'ont pas le droit de l'arrêter. Mais ils connaissent la situation. Si mes fenêtres sont cassées ou ma maison incendiée, ils sauront qui soupçonner.

— Si votre maison est incendiée ? répéta Miranda, abasourdie.

— Ne vous inquiétez pas, dit Greg en lui souriant. Je suis bien assuré.

— Mais ils pourraient l'arrêter pour avoir troublé l'ordre public. Ou bien... pour harcèlement. On a voté des lois contre ça. C'est bien ce que fait cette folle, non ? insista la jeune fille. Elle vous harcèle ?

Un peu plus, et Miranda se précipiterait dans une cabine téléphonique pour appeler la police et dénoncer Pamela, comprit Greg, affolé.

— C'est une vieille dame, protesta-t-il. Elle vient de perdre son mari. La douleur l'égare. En quoi une nuit au violon réglerait-elle la question ? D'ailleurs, reprit-il d'un ton compatissant, imaginez ce que j'éprouverais en sachant que c'est moi qui l'ai envoyée là-bas... Je ne pourrais plus me regarder dans la glace.

— Garez-vous, ordonna soudain Miranda.

— Comment ?

— J'ai dit, garez-vous.

— Pourquoi ?

Inquiet, Greg scruta la rue. Il ne distinguait aucune cabine téléphonique, mais était-il bien prudent de s'arrêter ?

— Parce que vous êtes l'homme le plus gentil, le plus attentionné, le plus généreux que j'aie jamais rencontré, dit Miranda d'une voix tremblante d'émotion.

Puis, se rapprochant de lui, elle ajouta :

— Je suis désolée, mais il faut impérativement que je vous embrasse tout de suite.

— OK, voilà la minute de vérité, murmura Greg, quelques minutes hautement satisfaisantes plus tard. Il est possible que tu changes d'avis sur mon compte.

Miranda, qui se demandait si elle avait déjà été aussi heureuse, lui embrassa le lobe de l'oreille, avant de nicher sa tête dans le creux de son épaule.

— Pourquoi ?

— J'ai un aveu à te faire.

— À quel sujet ?

— Ma générosité.

— Je t'écoute.

— Avec cette histoire, j'ai oublié de prendre ma carte de crédit.

— Oh... J'ai huit livres sur moi.

— Et moi, huit livres cinquante, dit Greg avec un sourire piteux.

Miranda examina les aiguilles de sa montre dans la lumière jaune des réverbères.

— Il est trop tard pour le restaurant, de toute façon. Mais c'est aussi bien.

— Pourquoi ?

— Parce que, parfois, je préfère vraiment la pizza, murmura-t-elle entre deux baisers.

16

Le samedi était toujours la journée la plus agitée de la semaine. Vers 17 heures, Chloé ne rêvait que de rentrer chez elle et de s'allonger, les pieds en l'air.

Du moins, elle en aurait rêvé si sa mère ne l'avait pas attendue pour se lancer dans une énième tirade contre Greg.

— Zut ! s'écria soudain Bruce. Je n'ai pas encore fait le cadeau.

— Quel cadeau ?

— Celui de ma mère. C'est son anniversaire, c'est pour ça que nous y allons ce soir.

À voir son air renfrogné, cette visite ne l'enchantait guère.

— Que comptez-vous lui offrir ?

— Aucune idée, soupira-t-il en examinant rapidement les objets disposés dans la boutique. Quelque chose d'une valeur d'environ cent livres. Ce compotier ? Non, elle en a déjà eu un pour Noël. Ah, les bougeoirs !

Tout en désignant du menton une paire de bougeoirs en métal argenté, il décrocha le téléphone et composa un numéro.

— Emballe-les, s'il te plaît, Chloé. Et choisis une carte, ajouta-t-il en désignant le présentoir de sa main libre.

— Je ne sais pas quel genre de carte aimerait votre mère, protesta Chloé, qu'une telle désinvolture indignait.

— Elle a soixante-deux ans, fit Bruce avec un haussement d'épaules. Que te faut-il savoir de plus ? Prends quelque chose avec des fleurs.

Tandis qu'il organisait une partie de golf pour le lendemain matin, Chloé se demanda s'il allait aussi lui ordonner de signer à sa place. Elle n'avait jamais rencontré la mère de Bruce, mais elles avaient bavardé plusieurs fois au téléphone. C'était une femme vive et gentille, apparemment bien plus intéressante que son rejeton.

— Utilise le papier cadeau doré, dit Bruce sans se retourner.

— Ce vieux papier ? s'écria Chloé, scandalisée. Ça fait un an qu'il traîne !

— Quelle importance ? répliqua-t-il en agitant la main d'un geste indulgent. C'est son anniversaire, et elle aime ce qui brille.

— Je suis désolé, nous fermons, dit Bruce à la femme qui poussait la porte.

— Je sais, je suis la mère de Chloé.

Bruce avait beau ne pas être conciliant, il n'était pas de taille à repousser Pamela Greening. Elle le contourna et s'approcha de sa fille qui sortait de l'arrière-boutique, un carton de figurines en porcelaine dans les bras.

— Il n'est toujours pas chez lui. J'y suis allée quatre fois aujourd'hui, et il n'y a personne. Il est resté chez sa poule, sans doute. Il a peur de me parler… Tu ne devrais pas porter ce carton, ajouta-t-elle en faisant les gros yeux à sa fille.

Chloé réalisa trop tard qu'elle avait oublié de demander à sa mère de taire certains détails en présence de Bruce.

— Maman, ça m'est égal que Greg sorte avec quelqu'un, mentit-elle, espérant distraire l'attention de son patron. Il peut bien entretenir un harem, je m'en fiche. Maman s'est rendue chez lui hier soir, et il était avec une fille, expliqua-t-elle à Bruce.

— Alors, il t'a quittée pour une autre femme, commenta celui-ci, que la nouvelle ne surprenait pas. Mais…

— Ça ne vous ennuie pas si j'attends lundi pour déballer ça, maintenant que maman est là ? coupa Chloé. Et il faut que vous partiez de bonne heure pour aller à l'anniversaire de votre mère... N'oubliez pas le cadeau...

Elle lui fourra le paquet doré dans les bras.

— Pourquoi ne dois-tu rien porter de lourd ? demanda-t-il en haussant les sourcils.

— J'ai mal au dos. Rien de grave. Une crise de psoriasis, c'est tout.

— Une crise de psoriasis ?

— Non, pas de psoriasis. De sciatique, corrigea-t-elle, les mains moites. Ou plutôt un lumbago.

Le mot lui paraissant plus approprié, elle le répéta avec emphase.

— Un lumbago, oui, c'est ce que le médecin a dit.

— Tu ne m'avais pas parlé de ce lumbago ! s'exclama Pamela Greening.

— Peu importe. Viens, maman, partons.

— Très bien, très bien, mais fais attention, prévint sa mère. De toute façon, tu ne dois pas porter de choses lourdes. C'est mauvais pour le bébé.

— Reste, insista Florence lorsqu'on sonna à la porte. Juste un moment, ajouta-t-elle en vidant son verre de whisky. À jeun, je suis incapable de les supporter.

Miranda se leva pour aller ouvrir.

— Je ne resterai qu'à une condition. Si Jason me donne des coups de pied, permettez-moi de l'enfermer dans le four à micro-ondes.

— Bon anniversaire, maman, fit Bruce en déposant un baiser rapide sur la joue poudrée de Florence.

— Bon anniversaire, répéta Verity en poussant Jason devant elle. Vas-y, chéri, embrasse grand-mère.

— Tu sens le whisky, dit Jason à Florence.

— Ça ne m'étonne pas. À propos de boire, reprit-elle en se tournant vers Miranda, qui louchait du côté du four à micro-ondes, voudrais-tu être un ange et nous servir ?

Le cadeau d'anniversaire fut déballé et admiré comme il se devait. Bien qu'élégants, les bougeoirs ne correspondaient pas au goût de Florence.

— Ravissants, Bruce, vraiment ravissants. Où les as-tu trouvés ?

Florence n'avait posé la question que pour s'amuser. Son fils croyait-il sérieusement qu'elle ignorait la réponse ?

— Je les ai dénichés dans une petite boutique de Covent Garden, répondit Bruce, très content de lui-même.

— Tu devrais essayer de découvrir le nom de leur fournisseur. Ce genre de chose se vendrait très bien chez toi, déclara sa mère avec le plus grand sérieux. Comment vont les affaires, à propos ?

— Bien, plutôt bien.

— Et Chloé ?

L'expression de Bruce s'assombrit. Il secoua la tête.

— Ne m'en parle pas. Elle est enceinte.

— Oh mon Dieu ! Le mari de Chloé l'a quittée il y a quelques semaines, expliqua Florence à l'intention de Miranda. La pauvre petite !

— Peu importe Chloé ! s'écria Bruce, indigné. Pauvre moi, oui !

Florence demeura imperturbable.

— Bruce, qu'as-tu fait ? Ne me dis pas que ce bébé est le tien !

Ce fut autour de Verity de s'étrangler d'indignation.

— Florence ! Ce n'est pas le sien, voyons !

— Je plaisantais, répondit Florence.

— Il n'y a pas de quoi plaisanter, déclara Verity avec véhémence. Vous rendez-vous compte de ce que cela signifie pour nous ? Chloé va réclamer un congé de maternité, des semaines et des semaines de salaire sans fournir le moindre travail...

— Elle n'obtiendra rien de tout ça, coupa son mari. Je vais la virer. Ça ne sera pas agréable... et surtout, ça ne sera pas du tout pratique pour moi...

— Aïe ! s'écria Miranda, à qui Jason venait de décocher un coup de pied.

— Jason chéri, roucoula Verity. Combien de fois t'ai-je demandé de ne pas faire ça ? Les gens n'aiment pas les coups de pied, tu sais.

— Tu ne peux pas renvoyer Chloé simplement parce qu'elle est enceinte, protesta Florence. C'est affreux. D'ailleurs, n'y a-t-il pas des lois qui s'y opposent ?

— Je vois sous ta jupe, dit Jason à Miranda.

La jeune fille lui fit signe d'approcher.

— Et moi, je peux voir à l'intérieur de ta tête, répliqua-t-elle en scrutant les oreilles du garçon.

— C'est pas vrai ! cria Jason, offensé.

— Mais si. Attends, donne-moi cette paille. Je vais l'enfoncer, et elle ressortira de l'autre côté...

— Miranda te taquine, intervint Verity d'un ton désapprobateur. Viens t'asseoir à côté de moi, chéri.

— Je ne la renverrai pas pour cause de grossesse, expliquait Bruce à sa mère. Je trouverai autre chose.

Florence détestait le ton condescendant qu'il prenait avec elle. À l'entendre, on eût dit qu'il s'adressait à une enfant de sept ans légèrement retardée.

— Je croyais que Chloé était une employée modèle.

— Elle l'était. Mais maintenant qu'elle est enceinte, elle doit s'en aller. Les affaires sont les affaires. Je tiens une entreprise, pas une œuvre de charité.

Bruce avait tout organisé. Il garderait Chloé jusqu'à la naissance de l'enfant – après tout, elle lui était bien utile – mais il noterait au jour le jour chaque petite faute, chaque absence. Après la naissance du bébé, si Chloé désirait revenir travailler... eh bien, il disposerait d'assez de munitions pour prouver devant n'importe quel tribunal qu'il avait le droit de la renvoyer.

Jason assénait des coups de karaté sur le bord de la table basse. Florence croisa le regard plein de reproches de Miranda. « Vous m'avez menti. Vous m'aviez promis que je pourrais l'enfermer dans le four à micro-ondes s'il me donnait des coups de pied », disaient ses yeux.

— Chérie, tu n'avais pas un rendez-vous ?

Miranda se leva d'un bond.

— Courage, chuchota-t-elle à l'oreille de Florence en l'embrassant. C'est bientôt fini.

Verity se détourna ostensiblement des cuisses bronzées que révélait la minijupe de Miranda.

— Je vois ta culotte, ricana Jason.

— Amuse-toi bien, dit Florence en tapotant le bras de la jeune fille. Miranda fréquente un charmant jeune homme, expliqua-t-elle à son fils et à sa bru lorsque la porte se referma.

— Vraiment ? fit Verity, que l'allure de Miranda scandalisait. De quelle couleur sont ses cheveux ? Mauves ?

Chloé détestait admettre que sa mère avait raison. Cette fois-ci, cependant, elle ne pouvait pas faire autrement. Elle avait beau jongler avec les chiffres, les comptes ne s'équilibraient pas.

— Tu vois, c'est tout à fait toi, déclara Pamela Greening. Tu planes complètement. Si tu gagnes ça, poursuivit-elle en tapant de son stylo la feuille de papier, et si tu dois payer ça, enchaîna-t-elle avec un autre coup de stylo, eh bien, inutile de te voiler la face. Tu coules.

Chloé se massa les tempes. Elle ignorait ce qui était le pire : cette bataille avec les chiffres ou les sermons incessants de sa mère.

— Tu n'as plus qu'à convaincre ton mari de revenir à la maison, décréta Pamela.

Ô Seigneur...

— Maman, je connais Greg. Il ne changera pas d'avis. Je suis seule, maintenant.

— Bientôt, tu ne seras plus seule. Tu auras un bébé. Tu ne peux pas vivre d'air pur et d'eau fraîche, ma fille. D'ailleurs, comment parler d'air pur à Londres ? ajouta-t-elle avec un ricanement méprisant.

— Je vais quitter cet appartement et trouver un logement moins cher, suggéra Chloé avec lassitude.

— C'est ça ! Et le bébé grandira dans un clapier sinistre, avec des voyous et des drogués à chaque coin de rue. Non, non, non ! insista Pamela Greening d'un ton catégorique. Tu dois contacter Greg. Je suis sûre qu'il t'aidera. Après tout, c'est à ça que servent les maris.

17

— Tu comprends, maman, disait Bruce, si nous empruntons à la banque, ils nous colleront des intérêts énormes. Alors, j'ai pensé à tout cet argent qui dort sur ton compte... et dont tu ne te sers absolument pas...

Verity avait emmené Jason à la cuisine, sous prétexte de lui servir un verre de Coca-Cola. Dès que Bruce avait rapproché son siège du sien et pris cette expression ardente, Florence avait su ce qui allait suivre.

Son cœur s'était serré.

« C'est mon anniversaire, et que m'offre ma famille ? Une visite de politesse et une demande d'argent ! »

Une énième demande d'argent, rectifia-t-elle mentalement. Qu'étaient devenues les dernières dix mille livres... et les vingt d'avant ?

— D'où tiens-tu que je ne m'en sers pas ? Qui te dit que je n'ai pas de projets ? s'enquit-elle d'une voix posée.

Bruce secoua la tête d'un air sceptique.

— Quels projets ? Tu n'as pas d'entreprise à développer, toi. Tu ne fais jamais rien, tu ne vas nulle part...

— Je sais, fit Florence. Aussi est-il temps que je m'y mette. À faire des choses, à bouger. Des choses très chères, des voyages hors de prix, ajouta-t-elle d'un air rêveur, tout en se réjouissant de l'expression consternée de son fils.

— Oui, d'accord, mais tu peux quand même garder un peu de liquide.

Bruce avait rougi, mal à l'aise. D'habitude, se rappela Florence, elle disait oui et signait un chèque sans barguigner.

« Oh, Bruce, je suis ta mère, pas un distributeur automatique de billets ! » songea-t-elle.

— Chéri, va me préparer un autre verre, s'il te plaît. Avec plein de glaçons, cette fois.

Bruce partit vers la cuisine, d'où ne tardèrent pas à s'élever des chuchotements furieux.

— Je ne comprends pas pourquoi elle discute, ronchonnait Verity. De toute façon, à sa mort, c'est toi qui auras tout.

— Grand-mère va mourir ? glapit Jason avec enthousiasme. Quand ? Bientôt ?

« Dans un roman de P.D. James, je ne verrais sans doute pas le jour se lever », se dit Florence avec amertume.

Elle roula son fauteuil jusqu'à la porte de la cuisine et lança :

— J'ai soixante-deux ans, Verity. Pas cent deux.

— Pardon, Florence, vous n'étiez pas censée entendre, riposta sa belle-fille en s'appuyant contre le réfrigérateur. Mais j'ai raison, non ? Cet argent est quasiment celui de Bruce, et je ne vous trouve pas très raisonnable. Ne comprenez-vous pas comme c'est humiliant pour lui d'être obligé de demander ce qui lui appartient ?

Comme personne ne paraissait disposé à lui préparer à boire, Florence s'en chargea elle-même.

— De combien as-tu besoin ?

Les doigts épais de Bruce tripotèrent le nœud de sa cravate Armani.

— Quinze.

— Quinze livres ou quinze mille ?

Bruce, qui ne semblait pas d'humeur à plaisanter, s'octroya une rasade de gin en guise de réponse.

— Je vais te donner cinq mille, déclara Florence.

Verity sursauta violemment.

— Voyons, ce n'est pas...

— Si ce n'est pas suffisant, reprit Florence, je te conseille de revendre la superbe Mercedes que tu viens de t'offrir.

Seigneur, quel soulagement ! Elle avait l'impression de se libérer d'un corset trop serré. Elle aurait dû faire ça des années plus tôt, songea-t-elle.

— Tu veux que nous vivions comme des pauvres ? gémit Bruce.

— Non, je veux simplement que tu apprennes à vivre selon tes moyens, sans compter sur de continuelles aumônes de ma part, répliqua Florence, sans se fâcher le moins du monde.

Bruce finit son verre et le reposa brutalement sur le comptoir.

— Bon, n'en parlons plus. Il faut que nous partions. Ne t'inquiète pas pour nous, maman. La boutique va sans doute faire faillite, nous vendrons la maison et Jason devra fréquenter l'école publique, mais que cela ne t'empêche surtout pas de dormir...

— Bruce, est-ce que tu m'aimes ? coupa Florence.

— Quoi ?

— Est-ce que tu m'aimes ? répéta-t-elle en allumant une cigarette, dans le seul but d'agacer Verity. Est-ce que tu t'intéresses à moi ? Est-ce que tu souhaites que je sois heureuse ?

— Quelle question ridicule ! s'exclama Bruce. Bien sûr que oui... Nous t'aimons beaucoup tous les deux, ajouta-t-il en enlaçant sa femme.

— C'est que, vois-tu, tu es là depuis plus d'une heure et nous n'avons fait que parler de toi. Tu ne m'as toujours pas demandé comment j'allais.

Elle vit le coude de Verity s'enfoncer dans les côtes de Bruce.

— Pardon, maman, fit-il, comme un petit garçon rappelé à l'ordre. Comment vas-tu ?

— Extrêmement bien, merci, répondit-elle, le visage rayonnant. Je me sens tout à fait... rajeunie, oui, c'est le mot. Comment t'expliquer ça ? J'ai l'impression d'avoir été acculée dans une impasse pendant des années... mais quelqu'un est apparu et m'a remise sur la route.

— Je suis perdu, maman, balbutia Bruce, qui se demanda brièvement si Florence ne s'était pas laissé embobiner par une secte.

— J'ai rencontré quelqu'un qui me rend très heureuse, annonça Florence.

— Mon Dieu ! lâcha Bruce, dont le double menton se mit à frémir.

— Florence, c'est merveilleux ! s'exclama Verity. Je me réjouis pour vous.

— Nous avons décidé de profiter de la vie. Nous amuser, voyager à travers le monde...

Bruce eut un hochement de tête approbateur. Ce type devait être riche pour pouvoir se payer ce genre de loisirs.

— Dans quelle branche a-t-il travaillé ?

— Oh, il a fait différentes choses. Mais il n'est pas retraité, précisa-t-elle en souriant à son fils et à sa belle-fille.

— S'il n'est pas à la retraite, comment va-t-il se débrouiller pour voyager avec vous ? s'inquiéta Verity.

— Rien de plus facile, expliqua Florence en agitant une main chargée de bagues. Il est entre deux situations.

— Dans ce cas, comment pourra-t-il t'offrir tous ces voyages ?

— Oh, c'est moi qui les lui offrirai, pas lui !

— Quoi ? Mais tu as perdu la tête !

— Il s'occupe de moi. Il me fait rire. Avec lui, je me sens à nouveau vivante, pour la première fois depuis des années.

Florence prit le temps de souffler un rond de fumée absolument parfait, avant de poursuivre :

— Et si les gens trouvent que je suis une vieille folle, ça m'est égal. Nous sommes heureux, et il n'y a que ça qui compte.

Cette histoire ne plaisait pas du tout à Bruce. Son front se plissa.

— Pourquoi les gens te traiteraient-ils de vieille folle ?

— Eh bien... il est un peu plus jeune que moi, voilà tout.

— Quel âge a-t-il ? s'écria Bruce, de plus en plus hor-rifié.

— Écoute, il s'agit de ma vie. Si ça ne nous gêne pas, pourquoi les autres devraient-ils s'en soucier ?

— Maman ! Quel âge a-t-il ?

— Si tu tiens à le savoir, il est plus jeune que toi.

— Eh bien, en voilà un regard ébloui ! dit Florence lorsque Miranda rentra, peu avant minuit. Inutile de te demander si tu as passé une bonne soirée.

— Oui, oui, oui !

Miranda ôta ses chaussures et se mit à tournoyer sur elle-même dans le salon.

— Alors, pourquoi ne l'as-tu pas ramené ici ?

— Je préfère le laisser sur sa faim, pour l'instant.

En proie au vertige, Miranda se jeta sur le canapé.

— Je ne veux pas qu'il croie que je suis une fille facile. Nous savons toutes les deux que je le suis, mais lui, il le découvrira bien assez tôt.

— Quelle tactique ! Je suis épatée.

— Moi aussi. Comment s'est passée votre soirée ?

— Très semblable à la tienne, en fait : j'ai refusé de donner à Bruce ce qu'il désirait. Sauf que, dans son cas, il s'agissait d'argent... Pour tout t'avouer, ajouta Florence, j'ai fait quelque chose de très mal, ce soir.

Miranda noua les mains autour de ses genoux.

— Laissez-moi deviner. Vous avez mangé toutes les truffes à la vanille. Non, mieux que ça. Jason vous a flanqué des coups de pied, vous vous êtes mise en colère et vous l'avez pris par les chevilles pour le suspendre par la fenêtre jusqu'à ce qu'il demande pardon.

— Non, ce n'est pas ça. J'ai dit à Bruce et à Verity que je ne pouvais pas leur donner l'argent qu'ils voulaient parce que j'en avais besoin pour moi. Je leur ai raconté que je m'étais trouvé un gigolo et que nous allions partir pour une croisière autour du monde, histoire de dépenser, dépenser, dépenser jusqu'à mon dernier sou.

— Non ! cria Miranda en applaudissant.

— Si. Tu aurais dû voir leurs têtes ! Un pur plaisir, déclara Florence avec un soupir de contentement. Quand j'ai promis à Bruce que si nous nous mariions, il ne serait pas obligé d'appeler Orlando « papa », il a failli avoir une crise cardiaque.

— Ils vous ont crue ?

Miranda en pleurait de rire. Elle s'essuya les yeux avec son chemisier qui, étant noir, ne risquait pas de souffrir des coulées de mascara.

— Ils ont tout gobé.

— Mais... Orlando !

— Ça m'a paru le nom idéal pour un gigolo, déclara Florence, visiblement enchantée de sa trouvaille. Je n'avais rien prémédité, tu sais. J'ai parlé sur l'impulsion du moment. J'inventais au fur et à mesure. C'était brillant, je m'étonnais moi-même... Seigneur, je pourrais devenir la nouvelle Barbara Cartland !

— Une seule suffit, décréta Miranda. De toute façon, il n'y aurait pas assez de rouge à lèvres rose dans le monde pour vous deux... Un gigolo, reprit-elle en piochant dans la boîte de truffes à la vanille. Qu'est-ce qui vous a donné cette idée ?

— Tom Barrett et sa fiancée sur catalogue, la jeune femme qu'il a fait venir de Thaïlande. Je t'ai raconté cette histoire, non ?

Miranda hocha la tête, tout en offrant généreusement une truffe à sa propriétaire.

— Vous m'avez dit que ça ne durerait pas.

— Il le sait. Tom n'est pas stupide. Mais, en attendant, il se paie du bon temps et sa fille ne lui reproche rien. Puisque Tom est heureux, elle est contente. Elle ne sombre pas dans la dépression à la pensée de la fortune qui risque de lui passer sous le nez.

— Quand comptez-vous rétablir la vérité ? demanda Miranda, la bouche pleine de chocolat à la vanille.

— Dans deux mois environ.

— Deux mois ! Mais Bruce va vouloir rencontrer le gigolo de maman.

— Oui, sans doute, mais ce ne sera pas possible, décréta Florence en s'accordant une dernière gorgée de whisky. Je lui dirai qu'Orlando ne fréquente pas n'importe qui et que lui, Bruce, n'est tout simplement pas assez riche.

18

Pour Chloé, les deux semaines suivantes tinrent du cauchemar. Tous les jours, à l'heure du déjeuner puis après le travail, elle se traînait d'un appartement hideux à un autre appartement hideux, en quête d'un logement vaguement habitable.

Tous les soirs, lorsque sa mère l'appelait de Manchester, Chloé lui assurait que si elle n'avait pas encore déménagé, c'était parce qu'il y avait trop de logements charmants et qu'elle ne savait lequel choisir.

Comme elle l'avait prévu, son travail était devenu un véritable enfer. Tout en feignant de se soucier de son bien-être, Bruce cherchait désespérément un moyen de la renvoyer. Chloé n'était pas dupe. De plus, son patron était de fort mauvaise humeur : sa mère s'était entichée d'un gigolo sans scrupules, avec qui elle envisageait visiblement de dilapider son argent.

— Elle a complètement perdu la tête. Je pourrais la faire interner rien que pour ça, fulminait Bruce. Quant à la boutique, marmonnait-il d'un ton sinistre, je ne sais pas comment je vais l'empêcher de couler. Je ne sais vraiment pas.

Autant dire que l'atmosphère du magasin n'était pas euphorique. Selon la loi des catastrophes en série, plus Chloé s'efforçait de se comporter en employée modèle, plus les choses se passaient mal. En une semaine, elle récolta deux mauvais points pour être revenue en retard de sa pause déjeuner, ce qui ne lui était jamais arrivé auparavant.

— Je suis désolée, le bus est tombé en panne et j'ai dû faire le dernier kilomètre en courant, balbutia-t-elle en déboulant dans la boutique à 14 h 10.

Pour couronner le tout, l'appartement qu'elle était allée voir avait trouvé preneur juste avant qu'elle ne le visite.

— J'ai besoin que tu sois ici à l'heure dite, gronda Bruce, bien que le magasin soit vide.

Tout en notant le retard de Chloé dans son carnet, il ajouta :

— Je ne suis pas satisfait du tout.

Comme elle quittait la boutique, ce même soir, Chloé vit la voiture d'Adrian se garer en stationnement interdit. L'ami de Greg lui fit signe d'approcher.

— Chloé, c'est au sujet de ta mère. Il faut qu'elle arrête de téléphoner.

— Je le lui ai déjà dit.

Chloé piqua un fard. Tous les soirs, sa mère prenait plaisir à lui répéter les dernières insultes qu'elle venait de déverser dans l'oreille de son gendre. C'était à la fois humiliant et parfaitement stérile.

— Maintenant, nous sommes obligés de laisser le répondeur branché en permanence. C'est vraiment pénible.

— Je suis désolée. Ça m'ennuie autant que toi.

Chloé tripota nerveusement le journal qu'elle tenait à la main. Il lui restait trois appartements à visiter, et elle craignait d'arriver en retard.

— De toute façon, Greg déménage la semaine prochaine, annonça Adrian en jetant sa cigarette dans le caniveau. Elle ne pourra plus le harceler. Passe-lui le message.

Les mains de Chloé devinrent moites.

— Greg déménage ? Où ?

Adrian lui lança un regard méfiant.

— Comme il part à cause de ta mère, je ne pense pas qu'il aimerait que je te donne son adresse.

« Sois courageuse, sois courageuse », s'exhorta Chloé.

— Est-ce qu'il va habiter... chez une amie ?

— Je ne peux rien dire, Chloé. Ne me pose pas de questions. Je ne suis que l'intermédiaire.

Adrian eut au moins la décence de paraître embarrassé. Chloé se rappela tous les repas qu'elle lui avait préparés pendant les semaines qui avaient suivi le départ de sa femme. Durant cette période, il était bouleversé, avide de compagnie et souvent ivre. Elle avait écouté ses radotages, elle l'avait nourri, abreuvé… Seigneur, elle avait même repassé ses chemises !

Les soirées se terminaient invariablement par des promesses de gratitude éternelle.

— Greg et toi, vous êtes de vrais amis, balbutiait-il en larmoyant après sa neuvième ou dixième canette de bière.

Époque révolue, apparemment. Une année s'était écoulée. Adrian s'était guéri de Lisa et ne se soûlait plus.

— Moi aussi, je cherche un appartement, dit Chloé. Et je suis en retard pour mon rendez-vous. Tu ne pourrais pas me déposer à Finsbury Park ?

— J'aimerais bien, mentit Adrian, mais je suis un peu pressé.

— J'ai visité quarante-trois appartements en quinze jours. Tous affreux… Tu ne peux vraiment pas ?

Inutile. Adrian n'était plus son ami. Il était celui de Greg.

— Désolé, Chloé. Je ne peux pas. Tu ferais mieux de prendre le métro.

« Je ferais mieux de me jeter sous une rame, oui », pensa Chloé en regardant la voiture s'éloigner.

Deux des appartements étaient sordides, mais le troisième acceptable. Chloé assura au propriétaire qu'elle était très, très intéressée.

Lorsqu'elle rentra chez elle, un message sur son répondeur lui apprit que le propriétaire avait loué l'appartement à quelqu'un d'autre.

Chloé réchauffa le reste des pâtes de la veille et but un grand verre de milk-shake à la fraise, sa passion du moment, puis elle avala deux biscuits au chocolat et un gâteau de riz. Après son dîner, profitant de ce qu'elle pouvait encore s'offrir de l'eau chaude, elle prit un bain.

Ensuite, elle se campa devant la glace de la salle de bains et, soulevant sa chemise de nuit aussi prudemment que s'il s'était agi de pansements recouvrant l'œuvre d'un chirurgien, elle s'examina.

« Rien d'étonnant à ce que personne ne veuille lui louer un appartement, songea-t-elle. Elle était trop grosse et trop laide pour mériter une telle faveur. »

Prenant le miroir en pitié, elle redescendit sa chemise de nuit et se rendit à la cuisine pour ouvrir un paquet de biscuits fourrés à la crème.

Manger était son seul réconfort. Elle ne pouvait pas se permettre de pleurer, car elle était à court de mou-choirs.

De temps aussi, se dit-elle. Il ne lui restait plus que quinze jours avant de devoir déménager. Si elle ne trouvait pas de logement d'ici là, elle serait à la rue.

Ou pire, chez sa mère.

Quelques verres lui auraient remonté le moral. N'ayant pas le droit de vider une bouteille de vin, Chloé s'octroya un autre biscuit.

Une fois le paquet vidé, elle ravala sa fierté et composa le numéro d'Adrian.

Comme prévu, le répondeur se déclencha.

— Greg, c'est moi, Chloé. Il faut que je te parle de toute urgence, dit-elle d'une voix tremblante. S'il te plaît, rappelle-moi.

Elle raccrocha et garda les yeux fixés sur l'appareil. Moins de deux minutes plus tard, la sonnerie retentit.

— Que se passe-t-il ? demanda Greg sans préambule. Il y a un problème ?

« Un problème ? Oh, non, tout va bien. Je suis enceinte, mon mari m'a abandonnée, je pointerai bientôt au chômage, je n'ai plus d'endroit où vivre et, si je continue à manger comme ça, je vais finir par ressembler à une baleine ! »

— Chloé ? Tu es là ?

Entendre à nouveau la voix de Greg la bouleversait malgré elle. Elle agrippa le combiné des deux mains.

— J'ai parlé à ma mère. Il n'y aura plus de coups de téléphone.

— De toute façon, ça ne change rien pour moi. Comme tu le sais, je déménage la semaine prochaine.

« C'était le moment », songea Chloé en inspirant à fond.

— Greg, je ne m'en sors pas. Financièrement, je veux dire. Je cherche un appartement moins cher, mais mon salaire sera quand même insuffisant.

— Tu aurais dû y penser avant de tomber enceinte, répliqua-t-il froidement. En quoi cela me regarde-t-il ?

« Comment en sommes-nous arrivés là ? Nous étions si heureux ! se souvint Chloé. Personne n'aurait pu être plus charmant que Greg lorsque nous nous sommes rencontrés. »

Mais, bien sûr, elle connaissait la réponse. Une fois la nouveauté du mariage épuisée, Greg s'était désintéressé d'elle. En somme, il souffrait d'une incapacité pathologique à aimer longtemps. Quant à l'argent, il avait toujours été radin.

— Je me disais... que tu pourrais peut-être m'aider.

L'enveloppe vide des biscuits fourrés crissa sous ses doigts.

— Hélas, c'est impossible. L'appartement que j'ai trouvé va me coûter une fortune.

— J'en ai parlé avec Bruce, insista-t-elle. D'après lui, j'ai droit à une pension alimentaire. Si je prends un avocat, tu seras obligé de...

— N'y compte pas, Chloé, je me battrai jusqu'au bout. Tu as décidé d'avoir ce bébé, pas moi. Bon sang, tu es vraiment une garce ! D'abord, tu fiches notre mariage en l'air, puis tu as le culot de venir me réclamer une pension alimentaire ! Si tu es dans le pétrin, c'est uniquement de ta faute. Je ne te laisserai pas me dépouiller.

— Je ne veux pas te dépouiller, protesta Chloé, mal à l'aise. Mais je suis aux abois et, selon la loi, tu dois…

— Ne me menace pas ! Dans une semaine, j'aurai changé d'adresse. S'il le faut, je changerai aussi de boulot. Tes fichus avocats pourront toujours courir pour me retrouver !

Le lendemain matin, Chloé, seule dans la boutique, dégageait de délicats personnages en porcelaine d'un amas de papier bulle.

La sonnerie du téléphone lui fit l'effet d'une explosion. Ses doigts sursautèrent, et une minuscule jonquille se détacha du buste d'une jeune paysanne.

Bien qu'il ne s'agisse pas d'un objet de prix, cet incident allait augmenter la liste de ses mauvais points. Chloé se vit monter dans le train pour Manchester, direction la maison maternelle.

Un destin pire que la mort.

— Allô ? soupira-t-elle.

— Oh, quelle voix morose ! gronda gentiment Florence Curtis. Tu es censée dire : « Bonjour, *Occasions Spéciales*, que puis-je faire pour vous ? » d'un ton enjoué parfaitement écœurant. Je suis désolée, Chloé, tu ne parles pas du tout comme une hôtesse de l'air lobotomisée. Tu es renvoyée.

Contre toute logique, Chloé sentit son moral remonter légèrement.

— Trop tard. Je crois que je viens de me renvoyer sans l'aide de personne. Comment allez-vous, madame Curtis ?

— Merveilleusement bien, merci. Est-ce que Bruce est en train de te fusiller du regard ? Passe-le-moi. Je vais lui interdire de te renvoyer.

— Bruce est absent, malheureusement.

Elle mentait. En réalité, elle en était très heureuse.

— Il s'est rendu à une foire, à Birmingham, reprit Chloé. Voulez-vous qu'il vous rappelle à son retour ?

— Ne t'inquiète pas, c'est sans importance. Je lui téléphonerai ce soir. Et toi, comment vas-tu ?

— Très bien.

Autre mensonge.

— Tu as des clients en ce moment ?

— Non.

— Dans ce cas, cesse d'être polie et dis-moi comment tu vas réellement.

La gorge de Chloé se noua. C'étaient les premiers mots de sympathie qu'on lui adressait depuis des semaines. Et ils sortaient de la bouche de la mère de Bruce, une femme dont elle avait beaucoup entendu parler – pas toujours en bien, d'ailleurs – mais qu'elle n'avait jamais vue.

— Comment je vais réellement ? répéta-t-elle, les yeux brûlants de larmes. Pas bien, en fait.

— Je comprends. Bruce m'a parlé de ta situation. J'ignore si je dois te féliciter ou te plaindre.

— Je sais. Je me suis mise dans de sales draps.

— Pourquoi parlais-tu de renvoi ?

Rien n'échappait à Florence, constata Chloé. Pourtant, son fils la présentait tantôt comme une demeurée, tantôt comme une folle à lier.

— Je viens de casser une figurine en porcelaine.

— Elle était hideuse ?

— Carrément hideuse, répondit la jeune femme, que la paysanne au visage livide fixait d'un œil torve.

— Alors, c'est une bénédiction. Dis à Bruce qu'un client l'a cassée.

La gorge de Chloé se serra un peu plus.

— Ça m'étonnerait qu'il me croie.

— Il essaie de te virer ?

— Je pense, oui. Mais je ne peux pas vraiment le lui reprocher, balbutia Chloé.

— Et pour l'appartement ? Tu as plus de chance, de ce côté-là ?

« De la chance ? songea Chloé. Avait-elle jamais eu de la chance ? »

Elle renifla, s'efforçant de réprimer ses larmes.

— Non... Pardon, j'ai attrapé un rhume... marmonna- t-elle en cherchant un mouchoir dans sa poche.

Posant la main sur l'écouteur, elle émit un sanglot, une sorte de barrissement peu élégant. Les larmes libérées ruisselèrent sur ses joues et s'écrasèrent sur le papier bulle.

— Chloé, tu es toujours là ?

— Un client v... vient d'entrer, bredouilla-t-elle. Il faut que je vous laisse.

Vingt minutes plus tard, le téléphone sonna de nouveau.

— Prends un crayon et écris, ordonna Florence. 24 Tredegar Gardens, Notting Hill.

Chloé s'exécuta, perplexe. De quoi s'agissait-il ? D'un foyer pour jeunes mères sans abri ?

— Tu as noté ? Bien. Passe me voir après ton travail.

Chloé comprit alors pourquoi Bruce traitait sa mère de vieille sorcière autoritaire.

— Euh… j'ai rendez-vous pour visiter deux appartements.

— Passe me voir, répéta Florence. Je t'attends à 18 heures.

19

Florence roula son fauteuil jusqu'à la porte d'entrée et l'ouvrit. Sur le seuil, une jeune femme grelottait sous la pluie. Avec ses cheveux blonds mouillés, ses longs cils et sa robe en coton bleu qui adhérait à chaque courbe de son corps, elle ressemblait à une voluptueuse sirène extirpée sans ménagement de la mer.

— Madame Curtis ? Je suis désolée, je suis trempée. Comme il y avait du soleil ce matin, je n'ai pas pris de parapluie. Je ne pensais pas qu'il allait pleuvoir.

— Même le temps se met contre toi, commenta la vieille dame en reculant. Entre, Chloé. Et appelle-moi Florence, s'il te plaît.

Florence s'était toujours fiée à sa première impression. Il ne lui avait jamais fallu longtemps pour décider si quelqu'un lui plaisait ou non. Elle avait procédé ainsi avec chacun de ses maris, ainsi qu'avec Miranda.

Quand son arthrite avait empiré, l'année précédente, elle avait été obligée de passer une annonce pour trouver une pensionnaire susceptible de lui donner quelques coups de main en échange d'une réduction de loyer. Vingt-trois candidates peu engageantes plus tard, Miranda était arrivée chez une Florence désespérée. Se confondant en excuses pour son retard, la jeune fille avait expliqué que, captivée par les blagues salaces qu'échangeaient ses voisins de métro, elle avait raté sa station.

Elle s'était empressée de raconter deux de ces plaisanteries à Florence, et les deux femmes avaient immédiatement sympathisé. Florence, dont l'existence avait sombré dans la morosité depuis que le destin l'avait clouée dans un fauteuil, lui avait offert la chambre presque sur-le-champ.

Quant à Miranda, ses parents étaient morts dans un accident de voiture, trois ans plus tôt, et elle n'avait plus aucune famille. L'attitude irrévérencieuse de la vieille dame l'avait séduite. Elle s'était installée dès le lendemain. Depuis lors, enchantée d'être là et anxieuse de plaire, elle n'avait cessé de faire rire sa propriétaire, parfois malgré elle.

Une tasse de thé au coin du feu opéra des miracles sur Chloé. Au bout de vingt minutes, ses cheveux étaient presque secs et ses joues avaient repris des couleurs.

— Donc, tu as appelé ton mari hier, souffla Florence, comme Chloé marquait une pause dans son récit.

— C'était idiot, j'en ai conscience, mais j'étais désespérée. Et cela ne m'a menée nulle part. Même si je parvenais à le traîner en justice, la procédure prendrait des années... De toute façon, je ne suis pas du genre à faire ça.

Et Bruce comptait bien là-dessus, se dit Florence en examinant la jeune femme.

Chloé redressa la tête et écarta ses cheveux de son visage.

— Je sais que ça ne se voit pas en ce moment, mais j'ai ma fierté. Si mon mari tient à couper les ponts avec nous, dit-elle en posant une main protectrice sur son ventre, eh bien, je ne veux pas de son argent. Je préfère m'en passer et me débrouiller toute seule.

Le regard bleu était clair, le menton déterminé. Elle avait sûrement pleuré plus tôt dans la journée, mais à présent, il n'y avait plus trace de larmes dans ses yeux.

Touchée mais pas abattue, conclut Florence. L'étincelle était bien cachée, mais pas éteinte.

— Tu travailles pour mon fils depuis plus de trois ans, et il a chanté tes louanges d'innombrables fois. Ne t'inquiète pas pour ton boulot. Je veillerai à ce qu'il ne te renvoie pas.

Chloé émit un soupir.

— Merci infiniment. C'est un grand soulagement pour moi.

Sentant que l'entretien s'achevait, elle jeta un coup d'œil à sa montre. 18 h 30. Elle avait raté le premier rendez-vous mais, en se dépêchant, elle pourrait arriver à temps pour le deuxième.

Elle ramassa son sac et se leva.

— Où vas-tu ? demanda Florence en haussant les sourcils.

— Je vous suis très reconnaissante. Je suis désolée de vous quitter si vite, mais il faut que je...

— Ce n'est pas au sujet de ton travail que je t'ai demandé de venir. Ça, j'aurais pu t'en parler au téléphone. Maintenant que tu es debout, va jeter un coup d'œil avant de partir.

— Un coup d'œil sur quoi ?

— Je ne t'accompagne pas, fit Florence en désignant son fauteuil roulant. En haut de l'escalier, troisième porte à gauche.

Qu'y avait-il là-haut ? se demanda Chloé. Le vieux berceau de Bruce ?

— D'accord. Euh... que dois-je chercher ? s'enquit-elle avec appréhension.

Si Florence tenait à lui donner un berceau, elle serait obligée de le transporter en bus jusque chez elle !

— La chambre, ma petite, répondit Florence d'un ton brusque. Elle est libre. Si tu la veux, elle est à toi.

— Franchement, c'est terrifiant. J'ai l'impression d'être un agent double ! cria Miranda, pour couvrir le bruit de l'aspirateur qui happait goulûment les miettes de biscuit. Je n'attends qu'une chose : qu'il se passe au moins une journée entière sans que Beverly prononce le nom de Greg. Alors, je pourrai en conclure qu'elle ne pense plus à lui et je me confesserai. Mais je commence à douter que cela arrive jamais. Elle parle de lui pratiquement sans arrêt. Elle ne change de sujet que pour me demander comment ça va avec mon nouvel ami. La situation est très dangereuse. Une seule gaffe, et je suis fichue.

À genoux sur le sol, les fesses en l'air, la jeune fille aspirait énergiquement sous le canapé. Bien en sécurité dans son fauteuil, Florence demanda :

— Alors, comment appelles-tu Greg devant Beverly ?

— Je ne l'appelle pas ! répondit Miranda en s'asseyant sur les talons pour éteindre l'aspirateur. Je me contente de « mon ami » ou bien « mon copain ». Beverly est convaincue que c'est parce qu'il a un nom affreux, comme Horace ou Percy. Ou, mieux encore, Engelbert.

— Ce ne serait pas plus facile de l'appeler Engelbert ?

— Non, pas du tout, protesta Miranda, un peu vexée.

Greg, le petit ami sans nom, devait passer la prendre à 20 heures. Pour la trentième fois, elle se tourna vers la pendule de la cheminée. Il était 19 h 30.

— Vas-y, monte te préparer, dit Florence.

Miranda ramassa un élastique rose qui traînait sur le canapé.

— Qu'est-ce que c'est ?

— J'ai eu une visite, cet après-midi, déclara Florence. Je t'en parlerai plus tard. Va prendre ton bain.

La sonnette retentit à 19 h 45. Voilà un jeune homme très ardent, songea Florence avec amusement, en roulant son fauteuil vers l'entrée. Des bruits d'éclaboussements provenaient de l'étage, où Miranda s'ébattait joyeusement dans la baignoire.

— Il arrive ! cria Florence du pied de l'escalier. Ne t'inquiète pas. Je ne le mangerai pas !

Elle ouvrit la porte et découvrit le nouvel ami de Miranda. Cheveux noirs et yeux bruns, constata-t-elle avec admiration. Elle avait toujours eu un faible pour les hommes aux cheveux et aux yeux sombres. La tenue, un vieux jean et un polo d'un noir délavé, lui parut un peu trop décontractée pour un rendez-vous amoureux. Mais c'était ainsi que s'habillaient les jeunes gens ces temps-ci, se dit-elle pour se consoler. En tout cas, le corps que recouvraient ces vêtements semblait tout à fait satisfaisant.

— Bonjour. Entrez. Je suis enchantée de vous rencontrer enfin.

Il lui rappelait vaguement quelqu'un. Un acteur qu'elle avait vu à la télévision, peut-être ?

— Miranda m'a beaucoup parlé de vous, poursuivit-elle. Elle prend son bain, aussi vais-je veiller sur vous pendant qu'elle finit de se préparer.

— Oh ? D'accord, dit-il, l'air un peu surpris. Enchanté de faire votre connaissance.

— Par ici.

Florence recula et lui fit signe d'entrer dans le salon.

— Vous n'allez pas me rouler dessus avec votre engin ? demanda-t-il avec un sourire. Miranda m'a prévenu que vous en étiez bien capable.

— Pourquoi voudrais-je vous rouler dessus ? Dites-moi plutôt ce que vous aimeriez boire. J'ai une bouteille de vin blanc déjà ouverte, mais il y a de la bière dans le réfrigérateur, si vous préférez.

— Du vin, c'est parfait. Et, cette fois-ci, nous essaierons de ne pas perdre vos verres.

— Mes verres ?

— Ceux que vous avez laissés à Parliament Hill.

— Oh, ceux-là ! Miranda vous a raconté l'histoire ? s'écria Florence en riant. Quelle étrange aventure, n'est-ce pas ?

— En fait…

— Alors, où l'emmenez-vous ce soir ?

— Euh… je crois qu'il y a un malentendu.

Clic, clic, fit le cerveau de Florence. Elle reposa la bouteille de vin et examina son visiteur.

Ces yeux bruns lui rappelaient vraiment quelqu'un.

Clic, clic, clic…

— Mon Dieu ! s'exclama-t-elle enfin. Vous devez me prendre pour une toquée. Vous n'êtes pas Greg, n'est-ce pas ?

— Non, dit-il en souriant. Je ne suis pas Greg.

À présent, Florence comprenait pourquoi elle lui avait trouvé un air familier.

Ce n'était pas à la télévision qu'elle l'avait vu, mais en chair et en os. Rapidement, de loin, et sans les lunettes qu'elle aurait sans doute dû se résoudre à porter...

— Vous êtes le SDF.

— Une sorte de SDF. Mais vous pouvez m'appeler Danny.

Il n'était peut-être pas celui que sa pensionnaire attendait, mais Florence avait déjà décidé qu'il lui plaisait.

— Vous n'êtes donc pas le nouveau petit ami de Miranda, conclut-elle en lui tendant un verre de vin. Dommage. Peu importe, vous avez quand même le droit de boire.

Lorsqu'elle avait entendu la sonnette, Miranda avait failli jaillir de la baignoire et dévaler l'escalier. Après avoir enfilé quelques vêtements, bien sûr.

Mais elle ne s'était pas encore lavé les cheveux et elle avait rêvé de ce bain toute la journée. D'ailleurs, Florence était là pour distraire Greg.

« Inutile de me presser, se dit-elle en paressant dans l'eau chaude et parfumée. Laissons-leur le temps de faire connaissance. »

— La voilà ! annonça Florence, vingt minutes plus tard. Chérie, tu es ravissante dans cette robe.

Rassurée par les rires qui provenaient du rez-de-chaussée, Miranda s'était préparée tranquillement. Florence et Greg s'entendaient manifestement comme larrons en foire.

Mais, à la vue de ces deux personnes qui s'entendaient si bien, elle se pétrifia sur le seuil.

20

— Bonsoir, dit Miranda.

Elle regarda tour à tour Danny Delancey, sa montre, puis Florence.

— Où est Greg ?

— Chut ! fit Florence en fronçant les sourcils. Oubliez ce que vous venez d'entendre, ordonna-t-elle à Danny. Le petit ami de Miranda est officiellement l'Homme sans Nom. Franchement, chérie, ajouta-t-elle à l'adresse de Miranda, si tu as l'intention de devenir agent secret, tu dois être un peu plus discrète.

Miranda embrassa la scène d'un coup d'œil : une bouteille de vin presque vide trônait sur la table, Danny était confortablement installé sur le canapé, et les deux comparses se jetaient des coups d'œil entendus. À les voir, on aurait pu croire qu'ils tramaient un complot.

— Où est-il ?

Florence prit l'air innocent.

— Qui ?

— Greg.

— Chut !

— Ça ne marchera jamais, déclara Danny en secouant la tête. Il faut que vous l'appeliez autrement. Que diriez-vous de Percy ?

Ils se moquaient d'elle, c'était évident. Et il était déjà 20 h 10. Où donc était passé Greg ?

— Ne la taquinons pas, reprit Florence. Pauvre chérie, elle vient tout juste de rencontrer ce garçon. Tomber amoureux, c'est traumatisant. Ne t'inquiète pas, il ne va pas tarder.

D'un geste, elle invita Miranda à s'asseoir sur le canapé.

Affronter des comploteurs était déjà pénible, mais quand s'y ajoutait l'angoisse de s'être fait poser un lapin, la tension frôlait l'insoutenable.

— Qu'est-ce que vous fabriquez ici ?

Tant pis si elle se montrait désagréable. Greg n'avait jamais été en retard. Il n'allait pas la plaquer déjà, si ?

Daniel Delancey tapota le canapé à côté de lui.

— J'étais dans le quartier. Je suis passé à tout hasard. Il faut que nous fixions deux dates pour le tournage. Cette semaine, si cela vous convient.

Miranda se jucha sur l'accoudoir, aussi loin de lui que possible.

— Je suis très occupée, cette semaine, et je ne peux pas faire ça pendant mes heures de travail.

— D'accord, mais on pourrait vous interviewer ici. Jeudi soir, ça nous irait très bien, dit-il en consultant son agenda. Est-il possible de voir votre chambre maintenant ?

Parfaitement impossible, pensa Miranda avec horreur. Sa chambre disparaissait sous les vêtements qu'elle avait essayés avant de les rejeter.

— Non. Et jeudi soir, je ne suis pas libre non plus.

Non, mais ! Est-cc qu'elle avait l'air d'une fille dépourvue de toute vie sociale ?

— Un rendez-vous avec votre ami ? demanda Danny.

Il regarda sa montre et ajouta :

— Mon Dieu, déjà 20 h 20 !

Miranda serra les dents.

— Danny, votre verre est vide ! s'exclama Florence. Resservez-vous.

La sonnette retentit avant qu'il ait eu le temps de répondre. Miranda courut ouvrir.

— Te voilà enfin ! Tu es en retard !

— Un accident sur Bayswater Road.

— Oh, non !

— Pas moi, dit Greg. Un autobus et une Fiat. Les pompiers sont encore en train de dégager le conducteur de la Fiat.

— Ouf ! s'écria Miranda en se jetant dans ses bras. Tu m'as fait peur.

— Si c'est le genre d'accueil que ça me vaut, je devrais arriver en retard plus souvent, remarqua Greg en souriant.

— Surtout pas. J'ai cru que tu m'avais laissée tomber.

Elle couvrit son visage de baisers, avant de s'écarter de lui.

— Viens. Je voudrais te présenter à Florence.

— Eh bien ? Qu'en pensez-vous ? demanda Miranda avec impatience, dix minutes plus tard.

Daniel Delancey était parti, et Greg faisait une courte visite à la salle de bains.

— Je pense que tu devrais appeler Danny et lui dire que tu es d'accord pour jeudi soir. Jouer à la *prima donna* ne marche que si l'on s'appelle Elizabeth Taylor. Et, à ma connaissance, tu n'as pas encore décroché d'oscar. Ils sont tout à fait capables de terminer ce documentaire sans toi, tu sais.

— Je voulais dire, que pensez-vous de Greg ? reprit Miranda, un peu agacée. Est-ce qu'il vous plaît ?

— Oh, oui, oui. Il a l'air bien... plutôt charmant.

« Plutôt » était un terme pratique. Il pouvait aussi bien signifier « parfaitement charmant » que « légèrement charmant ». À vous de choisir.

Florence ne désirait pas s'attarder sur le sujet. Greg semblait vraiment gentil et charmant, mais elle n'avait pas immédiatement sympathisé avec lui comme avec l'autre, Danny. Des deux, elle savait qui elle préférait.

Mais quelle importance ? C'était Greg que Miranda souhaitait qu'elle apprécie, et Florence n'avait rien à reprocher à ce garçon. Il était beau, élégant, poli... et visiblement aussi séduit par Miranda qu'elle l'était par lui.

S'il en faisait un peu trop, il n'y pouvait sans doute rien. Vendre des contrats d'assurance durant des années devait forcément influer sur le caractère.

— Il a l'air très bien, répéta-t-elle.

Vaguement mal à l'aise, elle s'empressa de changer de sujet.

— Tiens, avant que tu partes, laisse-moi te raconter la visite que j'ai eue cet après-midi.

Miranda cacha sa déception. Elle ne voulait pas entendre le récit d'une visite rasoir, elle voulait que Florence chante les louanges de Greg. Or elle n'avait eu droit qu'à des « bien », prononcés de la voix lasse d'une grande personne à qui un enfant de cinq ans tend son dessin à admirer. « C'est un tracteur ? Un avion ? Oh, c'est bien, mon chéri. Va vite prendre ton bain avec ta nounou. »

Refoulant son impatience, Miranda s'efforça de paraître intéressée.

— J'ai demandé à Chloé de passer me voir. La jeune femme enceinte qui travaille pour Bruce, précisa Florence devant le regard perplexe de Miranda.

— Ah, oui...

— Elle doit quitter son appartement. Son mari refuse de l'aider financièrement. C'est une fille ravissante.

Mais pas très maligne, vu le type qu'elle avait épousé, commenta mentalement Miranda. Sans doute Florence lui avait-elle donné un peu d'argent.

— Je lui ai proposé de s'installer avec nous.

— Quoi ?

— Pas pour toujours, expliqua Florence. Jusqu'à ce qu'elle s'en sorte, c'est tout.

— Cela peut prendre des années ! Le bébé n'est même pas encore né. Vous lui avez offert la chambre qui est à côté de la mienne ?

— Elle était aux abois.

— Dire que vous me traitez de bonne poire ! Moi, je me suis contentée de partager mes sandwiches avec un sans-abri. Enfin, un type qui en avait l'air. Vous, vous partagez votre propre maison.

— Elle est grande. D'ailleurs, je m'ennuie ici, toute seule. Un peu de compagnie me fera du bien.

— La compagnie d'un bébé hurlant ? Il ne saura pas jouer au poker, si c'est ce que vous espérez. Et les nuits blanches, vous y avez songé ? Ça m'étonnerait que vous les appréciiez.

— À ce moment-là, Chloé aura sûrement trouvé un autre logement. Je te le répète, c'est provisoire.

— Je pense quand même que vous avez perdu la tête.

— Non, mais je m'ennuie. Vois le bon côté des choses : ça va agacer prodigieusement Bruce et Verity.

« Ils ne seront pas les seuls », ronchonna Miranda intérieurement. Soulagée, elle entendit Greg descendre l'escalier.

— Cela ne t'enchante pas, on dirait, remarqua Florence, comme le jeune homme apparaissait sur le seuil de la pièce. Je suis désolée, chérie. J'aurais dû t'en parler d'abord.

Elle avait l'air déçue. Prise de remords, Miranda se mordit la lèvre. Ce n'était pas son habitude de se montrer aussi peu charitable. Égoïste, désagréable, mesquine, renchérit-elle en elle-même, honteuse.

C'était la maison de Florence, après tout. Elle pouvait y inviter qui elle voulait.

— Ne vous inquiétez pas, ça ne me gêne pas... Florence collectionne les enfants abandonnés, expliqua Miranda à l'intention de Greg. Une fille enceinte à la rue va venir s'installer ici.

— Je préfère que ce soit chez vous plutôt que chez moi, déclara-t-il.

Il secoua ses clés de voiture avec impatience : les femmes enceintes n'étaient pas son sujet de conversation préféré.

— Le problème, c'est que la chambre a besoin d'être redécorée, dit Florence en regardant Miranda. Ce serait bien de passer une couche de peinture avant qu'elle arrive.

— Bien sûr, répondit Miranda, désireuse de se faire pardonner ses réticences. Nous pourrions nous en occuper dimanche, non ? demanda-t-elle en se tournant vers Greg.

— J'aimerais beaucoup, mentit-il, mais je vais être débordé ce week-end. Moi aussi, je déménage... Bon, il faut que nous partions. Enchanté de vous avoir rencontrée, dit-il en décochant un grand sourire à Florence.

— Moi de même.

— J'ai un peu honte, avoua Miranda dans l'entrée. Je n'ai pas été très gentille quand Florence m'a annoncé qu'elle accueillait cette fille.

— Ça ne m'étonne pas.

— En y réfléchissant, ça risque d'être amusant, poursuivit-elle en enfilant sa veste. C'est mignon, un bébé, non ?

— Ça t'ennuierait de changer de sujet ? J'ai l'impression d'entendre Beverly.

— Quoi ?

Bruce pressa le téléphone contre son oreille et fit signe à son fils de baisser le volume de sa console de jeux.

— Maman, attends... Jason, moins fort, je n'entends rien... Bon. Que se passe-t-il avec Chloé ?

— Elle s'installe chez moi, répéta Florence avec un enthousiasme exaspérant. C'est une merveilleuse idée, non ?

« Il ne manquait plus que ça, songea Bruce, furieux. Cette fois, c'en était trop ! »

— Je ne vois pas ce qu'il y a de merveilleux là-dedans, dit-il d'une voix glaciale. Pourquoi te mêles-tu de choses qui ne te regardent absolument pas ? Bon sang, maman, tu ne connais même pas Chloé !

— Maintenant, si. Elle est venue me voir hier soir.

— Elle est venue te voir ? s'exclama Bruce. Tu veux dire que...

— C'est moi qui le lui ai demandé, coupa Florence. Chloé doit quitter son appartement, et j'ai une chambre de libre. Je ne comprends pas pourquoi tu cries comme ça, Bruce. Je pensais que cela te ferait plaisir.

Bruce était dans un tel état de nerfs que, durant deux secondes, il ne comprit pas non plus. Puis il se souvint qu'il avait prévu de renvoyer Chloé.

Bientôt.

Il soupira. Une fois qu'on avait renvoyé une employée, il était préférable de ne plus jamais la revoir. Si celle-ci vivait chez sa mère, il la rencontrerait régulièrement, ce qui serait extrêmement embarrassant.

Connaissant Florence, c'était sans doute pour cela qu'elle avait invité Chloé.

— OK, fit-il en s'efforçant de recouvrer son calme. Tu peux me dire ce qui t'a poussée à recueillir Chloé ?

— Tout d'abord, j'ai besoin de compagnie. Maintenant que Miranda s'est trouvé un petit ami, elle ne restera guère à la maison. Je vais moi-même m'éloigner un certain temps... Est-ce que je t'ai dit qu'Orlando et moi envisagions de faire un tour à Las Vegas ? Du coup, il faut qu'il y ait quelqu'un pour garder la maison.

Las Vegas... Bruce frémit.

Florence allait jouer vingt-quatre heures sur vingt-quatre en compagnie de son gigolo. Cela tenait du cauchemar.

— Maman, je doute que ce soit une bonne idée de partir à Las Vegas.

— Pourquoi ? Il y a trop de chapelles ? Ne t'inquiète pas, mon chéri. Orlando m'a déjà demandée en mariage, et j'ai refusé.

« Merci, mon Dieu, c'est toujours ça d'évité », songea Bruce, dont les mains moites glissaient sur le combiné.

— Je n'ai pas du tout envie d'être mariée par un sosie d'Elvis Presley affublé d'oripeaux ridicules, poursuivit Florence, d'un ton qui se voulait rassurant. Je l'ai dit carrément à Orlando. Si nous décidons de nous marier, ce sera en Angleterre, avec un vrai pasteur et dans une vraie église.

21

Le nouvel appartement de Greg était situé dans un immeuble moderne entouré de jardins. L'appartement lui-même était petit, mais très pratique.

— C'est magnifique, j'adore ! s'écria Miranda.

Elle mentait. En réalité, elle préférait les immeubles anciens, et les tons vert et crème de la décoration lui rappelaient vaguement les toilettes municipales. Mais que pouvait-on dire d'autre lorsque quelqu'un vous faisait visiter son nouveau logement avec une fierté visible ?

Ce quelqu'un étant Greg, elle finirait forcément par apprécier l'appartement.

— Vraiment ? dit-il en passant un bras autour de ses épaules. Il n'est pas grand, bien sûr, mais il a ses avantages. Pas d'Adrian, par exemple.

Miranda l'embrassa. Adrian était un brave garçon mais, ces derniers temps, le manque d'intimité était devenu plus que gênant. Lors de son dernier rendez-vous avec Greg, les choses progressaient gentiment en direction de la chambre à coucher quand Adrian était rentré plus tôt que prévu avec une bande de copains. Remarquant l'attitude guindée de Greg et Miranda sur le canapé, les joues rouges de la jeune fille et son chemisier déboutonné, il avait brandi un pack de bières en criant :

— Oh ! là là ! On dirait qu'on arrive au moment crucial. Ne faites pas attention à nous, continuez. Nous avions prévu de regarder le match de foot, mais je sens que vous allez nous offrir un spectacle beaucoup plus amusant.

Miranda avait rougi de plus belle, mais le pire l'attendait encore. Greg et elle se dirigeaient vers la porte d'entrée lorsqu'ils avaient entendu un immense éclat de rire. L'un des amis d'Adrian agitait un soutien-gorge qu'il venait de découvrir en repoussant l'un des coussins du canapé.

C'était déjà assez agaçant de ne porter que du 80A sans que ce soit claironné par quelque fan de foot à moitié soûl !

Oui, si cet appartement leur permettait d'avoir une réelle intimité, il présentait des avantages non négligeables.

— Pas d'Adrian, acquiesça-t-elle avec joie. Seulement nous...

Greg lui caressa les cheveux.

— Tu ne m'as pas encore montré la chambre, reprit-elle après l'avoir embrassé.

— Faisons les choses comme il faut, en savourant chaque minute. Nous avons tout le temps. Il n'est que 19 heures, et tu as travaillé toute la journée. Tu dois mourir de faim. Sortons manger quelque chose, et ensuite... eh bien, je t'autoriserai à voir la chambre. Demain, c'est dimanche, ajouta-t-il en souriant. Si on veut, on peut passer toute la journée au lit...

— Sauf que j'ai promis à Florence de repeindre la chambre, gémit Miranda.

— Remets cette corvée à un autre jour.

— Ce n'est pas possible. Elle a fait livrer la peinture aujourd'hui.

— Je croyais que la fille ne devait emménager que dans une semaine.

— Oui, mais Florence aimerait que la chambre soit finie demain. À cause de l'odeur de la peinture.

— Elle ne peut pas t'y obliger, protesta Greg. Pour qui te prend-elle ? Son esclave personnelle ? Dis-lui que demain, ça ne t'arrange pas.

— Florence n'a rien d'une esclavagiste, elle désire seulement que le travail soit terminé rapidement. J'ai promis de le faire et je ne veux pas la laisser tomber.

Greg fronça les sourcils.

— J'avais très envie de passer la journée avec toi.

— Mais ce n'est pas impossible.

— Au lit, précisa-t-il, de plus en plus irrité. Pas en peignant ces foutus murs !

Un horrible silence s'installa.

— Mon Dieu, soupira Miranda. C'est notre première dispute. Aujourd'hui !

L'expression de Greg s'adoucit immédiatement.

— Non, nous n'allons pas nous disputer.

— Je suis désolée.

— Ne sois pas désolée. Je suis déçu, c'est tout. Je voulais que notre première journée dans cet appartement soit exceptionnelle.

Il prit le visage de Miranda entre ses mains et l'embrassa tendrement.

— Tu ne peux pas savoir comme j'ai rêvé de cet instant...

— Je n'ai pas faim, murmura Miranda contre sa bouche. Restons ici.

— On n'aura qu'à commander quelque chose plus tard, suggéra Greg, qui mourait de faim.

— Tu me détestes ?

— Non, fit-il en effleurant ses lèvres. Je t'aime.

C'était vrai. Il n'avait pas pensé rencontrer quelqu'un si vite après avoir quitté Chloé, mais voilà, c'était arrivé. Il avait trouvé Miranda et ne voulait pas la perdre.

Il la sentit frémir dans ses bras.

— Vraiment ?

— Oui.

Miranda ferma les yeux, ivre de bonheur. Et dire qu'elle avait failli ne pas se rendre à la réception assommante d'Elizabeth Turnbull ! Seuls l'insistance de Florence et l'espoir de dégoter un mari pour Beverly l'avaient poussée à y aller.

— Pourquoi attendre ? demanda-t-elle, tandis que ses doigts luttaient avec la ceinture de Greg. Montre-moi ta chambre.

— Nous avons réussi à attendre jusqu'à maintenant, dit-il pour la taquiner. Tu es sûre qu'il ne vaut pas mieux remettre ça au week-end prochain ?

Miranda vint à bout de la ceinture tandis qu'ils titubaient dans le couloir, puis elle poussa Greg vers une porte fermée.

— Oh, oui, j'en suis sûre.

Sa main se posa sur la poignée. La porte s'ouvrit, et elle entraîna Greg à l'intérieur.

Clang ! Bang ! firent les balais en tombant sur les boîtes à outils.

— Le débarras, murmura-t-il en la repoussant dans le couloir.

— Je parie que Mata Hari n'a jamais rencontré ce genre de problème.

— Je ne crois pas non plus qu'elle portait du 80A.

— En tout cas, elle n'avait pas à affronter Adrian et ses copains, répliqua Miranda en ouvrant la dernière porte. Ils ne sont pas là, si ?

— J'espère que non.

Miranda rentra chez elle à 8 heures du matin, la tête lourde et les jambes molles à cause du manque de sommeil.

Quelle nuit merveilleuse !

— Alors, tu t'es bien amusée ? dit Florence. Vous êtes allés danser ?

Elle tendit une tasse de café à Miranda.

— Non. On est restés bien tranquillement chez lui, répondit la jeune fille en affichant un air digne.

— Pas si tranquillement que ça, j'espère. Le problème, avec ces appartements modernes, c'est qu'on ne peut pas déboucher un tube d'aspirine sans que les voisins vous demandent si vous avez la migraine, déclara Florence avec un sourire narquois.

Miranda renonça à jouer les vertueuses. Elle but une gorgée de café et sourit.

— Je n'avais pas la migraine, hier soir.

— Tu as reçu deux coups de fil. D'abord ton amie Beverly, qui voulait savoir ce que tu comptais faire aujourd'hui. Quand je lui ai annoncé que tu allais repeindre une chambre, elle a dit qu'elle passerait peut-être te donner un coup de main.

« Nouvelle peu réconfortante », songea Miranda. Les mains de son amie étaient trop soigneusement manucurées pour être d'une quelconque utilité. Beverly cherchait seulement à occuper son dimanche. Pour elle, donner un coup de main se limiterait à débiter des ragots et à signaler de temps à autre un endroit que le pinceau n'avait pu atteindre.

— Qui d'autre a appelé ?

— Danny Delancey, répondit Florence. Comme il doit s'envoler demain pour New York, il aurait aimé faire l'interview cet après-midi.

— Du haut de l'escabeau, un pinceau entre les dents ? Super ! J'espère que vous avez refusé.

— Non, je lui ai dit que ce serait parfait, répliqua Florence, sans manifester le moindre repentir. C'était le seul jour qui lui convenait, et tu l'as déjà repoussé deux fois. Mais je lui ai demandé de n'arriver qu'à 17 heures. Comme ça, tu auras le temps de finir la peinture.

— À 17 heures ! Mais j'ai rendez-vous avec Greg à 18 heures !

C'était décidément trop injuste ! Danny Delancey s'était-il donné pour mission de lui gâcher la vie ?

— S'il attend un peu, il n'en sera que plus ardent, rétorqua Florence avec un haussement d'épaules exaspérant. Appelle-le et dis-lui que tu le verras à 20 heures.

— Y a quelque chose qui va pas, là-haut, dit Beverly.

Trop occupée à feuilleter le supplément du journal du dimanche pour pointer un faux ongle dans la bonne direction, elle fronça les sourcils et hocha la tête vers une partie du mur située au-dessus du chambranle.

— On voit les traces de pinceau.

— OK, marmonna Miranda en se frottant le dos. Il va falloir que je passe une deuxième couche.

— Il y a un article là-dedans sur les meilleurs endroits où rencontrer des hommes, annonça Beverly en se redressant sur le lit, ce qui envoya la moitié du journal sur le sol. Ils recommandent les centres de remise en forme... Tiens, je n'ai jamais fréquenté ce genre d'endroit.

— Les seuls mâles que tu y rencontreras seront des hommes d'affaires obèses et stressés, à qui leurs médecins auront dit qu'à moins de perdre trente kilos, ils mourront avant Noël, décréta Miranda en fermant les yeux pour éviter une giclée de peinture jaune. En plus, comme on leur aura confisqué leurs téléphones portables et leurs ordinateurs, ils seront en manque et sujets aux sautes d'humeur.

— Bon, laissons tomber... Voyons, fit Beverly en reprenant sa lecture, que penses-tu des cours du soir pour apprendre à entretenir sa voiture ?

— Bondés de femmes avides de rencontrer des hommes, répliqua sèchement Miranda. Et aucun vrai mâle, parce qu'avouer qu'on ne connaît rien à la mécanique n'est pas viril.

— Le cerf-volant ! s'exclama Beverly en posant le doigt sur le milieu de la page. C'est comme ça que tu as rencontré Trucmuche ! Ça a marché pour toi.

Miranda imagina Beverly à Parliament Hill, titubant sur ses talons hauts, repoussant ses cheveux d'une main et se raccrochant de l'autre au fil d'un cerf-volant capricieux.

En tout cas, Trucmuche était un nom parfait pour Daniel Delancey.

— Ce jour-là, je l'ai surtout couvert d'injures, rectifia- t-elle.

— Je peux très bien couvrir quelqu'un d'injures, protesta Beverly. Je suis même experte en la matière. Je n'ai pas toujours travaillé chez Fenn, tu sais. Avant, j'étais réceptionniste dans un cabinet médical.

Floc ! Une goutte de peinture glissa du rouleau et s'écrasa sur la tête de Miranda. Elle avait l'impression de se faire bombarder par les pigeons de Trafalgar Square.

— J'ai mal aux jambes, aux bras et au dos, soupira-t-elle.

— Oh, cessez un peu de vous plaindre. Prenez deux aspirines et arrêtez de gémir. Le docteur ne peut pas vous recevoir avant mardi en huit, un point, c'est tout.

— Quoi ?

— C'est moi quand j'étais secrétaire médicale, expliqua Beverly avec satisfaction. Je t'ai dit que j'étais douée.

— Mais j'ai vraiment mal !

— Je ne vois pas pourquoi. Tu n'as peint que la moitié du plafond et un seul mur.

« Et j'ai passé la nuit à faire l'amour », acheva Miranda. Mais mieux valait ne pas le mentionner devant Beverly.

— Je croyais que tu étais venue m'aider.

— Je t'aide en te tenant compagnie.

— Tu pourrais me tenir compagnie en haut de l'escabeau.

— J'ai le vertige, et la peinture me donne des allergies, répliqua Beverly en se lovant sur le lit. Je ferai ma part de travail tout à l'heure, en te rendant présentable pour la caméra.

Dès que Beverly avait su que Danny Delancey venait interviewer son amie, elle avait proposé à Miranda de la maquiller.

— Rien d'excessif, supplia celle-ci. Un soupçon d'ombre à paupières et de rouge à lèvres, c'est tout. Très, très peu de fond de teint.

Beverly ayant tendance à abuser de ce dernier produit, il était nécessaire de la contrôler.

— Pas de panique, tu seras superbe, assura Beverly en tapotant son sac bourré de cosmétiques.

— D'accord, mais promets-moi que tu ne me mettras pas trop de fond de teint.

— Juste ce qu'il faut pour que tu aies à nouveau figure humaine, fit Beverly d'un ton apaisant.

— Tu n'es plus mon amie.

— Je suis ton amie, et c'est pour ça que je suis franche.

— Si tu étais mon amie, dit Miranda tristement, tu bougerais tes fesses de paresseuse pour aller me préparer un sandwich au Nutella et un milk-shake à la banane.

Miranda projetait de la peinture dans un coin du plafond lorsque la porte s'ouvrit derrière elle. Elle entendit avec satisfaction le tintement de la porcelaine contre le verre.

— Je retire tout ce j'ai dit, Beverly. Tu n'as pas des fesses de paresseuse et tu es vraiment mon amie.

— C'est très gentil, répondit une voix inconnue, mais je ne suis pas Beverly.

Pouffant de rire, Miranda se retourna et découvrit une jolie blonde un peu ronde, vêtue d'une chemise ample et d'un pantalon large.

— Chloé ?

— Exact, dit Chloé en lui tendant l'assiette. Un sandwich au Nutella, c'est ça ?

— Hourra ! Je descends.

Miranda planta le pinceau dans le pot de peinture et sauta de l'escabeau.

— Je suis Miranda, à propos.

— Je l'avais deviné.

— Je te serrerais bien la main, mais je suis couverte de peinture.

D'un geste vague, elle désigna la pièce et ajouta :

— J'espère que tu ne comptais pas t'installer aujourd'hui...

— Non, non. J'ai eu Florence au téléphone, tout à l'heure, expliqua Chloé. Elle m'a dit ce que tu étais en train de faire. Je suis venue t'aider.

— Il n'en est pas question ! protesta Miranda, les yeux fixés sur le ventre de la jeune femme.

— Je suis enceinte, pas paralysée. Quelle jolie couleur ! s'exclama Chloé en grimpant sur l'escabeau. Repose-toi, maintenant. Mange ton sandwich et bois ton milk-shake.

Enchantée, Miranda lui sourit.

— Tu parles déjà comme une maman.

22

Vers 13 heures, le deuxième mur et le plafond étaient terminés, et Beverly avait fini de lire à haute voix le long article du *Sunday Express* spéculant sur un éventuel mariage entre Miles Harper et Daisy Schofield avant Noël.

—Lui ne tient pas vraiment à se marier, apparemment, commenta Beverly en levant le supplément en couleurs pour montrer la photographie à ses compagnes. Miranda a rencontré Miles il y a quelques semaines, expliqua-t-elle à Chloé. Il l'a invitée à une réception, Miranda a refusé, et depuis, elle le regrette.

—Oh, non ! fit Chloé avec sympathie.

—Ne l'écoute pas, intervint Miranda. Je ne l'ai pas regretté une minute. Je suis très heureuse de la façon dont les choses ont tourné.

—Tant mieux, car tu n'as plus eu de nouvelles de lui, conclut Beverly en ornant le visage de Daisy Schofield d'une moustache en guidon de vélo. Je ne la trouve pas si belle que ça, vous savez. On dirait qu'elle a le visage de travers, non ?

—C'est parce que ta moustache est de travers, signala Miranda.

—Mon mari... enfin, mon ex-mari... la trouvait éblouissante, déclara Chloé.

Se rappelant l'admiration de Greg pour le mannequin australien, Miranda renchérit :

—Il n'est pas le seul.

—Depuis combien de temps t'a-t-il quittée ? demanda Beverly, pour qui aucune situation n'était trop délicate pour être abordée.

—Depuis le jour où je lui ai appris que j'étais enceinte. C'était le 1er avril.

— C'est incroyable ! Quelle ordure ! s'exclama Beverly, indignée. Et que fait-il, maintenant ?

— Je n'en sais rien et je m'en fiche, répondit Chloé, à moitié sincère.

Elle posa son rouleau sur la grille du pot de peinture et examina le troisième mur.

— Mais, jusqu'à la minute où tu lui as annoncé la nouvelle, vous étiez heureux ? insista Beverly.

— Oui.

— Est-il possible qu'il change d'avis et revienne ?

— Non.

— Il a trouvé quelqu'un d'autre ?

— Beverly, tais-toi, protesta Miranda.

— Pourquoi ? C'est intéressant.

— Chloé n'aime peut-être pas en parler. Tu cherches à lui faire de la peine ?

— Je crois qu'il a une petite amie, reprit l'intéressée, mais tu as raison, Miranda, je préfère ne pas parler de lui.

— Tu vois ? fit Miranda, fière de sa perspicacité.

— S'il rejette son enfant, tant pis pour lui, poursuivit Chloé. Dans l'immédiat, je ne m'intéresse qu'à deux choses : ma nouvelle maison, dit-elle en désignant d'un geste la chambre à moitié peinte, et mon bébé.

« Mon Dieu, qu'elle était forte et courageuse ! songea Beverly, émerveillée. Elle ressemblait à ces héroïnes de Danielle Steel, qu'on aurait bien aimé gifler de temps à autre tant elles étaient parfaites. » Elle regarda Chloé avec admiration.

Miranda, qui n'avait jamais lu l'œuvre de Danielle Steel, fut moins crédule.

— Il y a combien de bluff là-dedans ? Soixante-dix, quatre-vingts pour cent ?

— À peu près, admit Chloé avec un sourire de

soulagement. Mais ça s'améliore. Il y a quinze jours, c'était quatre-vingt-dix pour cent.

De 16 heures à 17 heures, Miranda se prépara pour l'interview. Elle se lava les cheveux, se coiffa d'une manière plus sage que d'ordinaire, puis se laissa maquiller par Beverly.

— Pardon, nous avons dû nous tromper de maison, dit Danny Delancey lorsqu'elle ouvrit la porte.

— Ah ah ah ! fit-elle, un peu vexée. C'est Beverly qui m'a maquillée. Ça va, non ?

Il recula pour l'examiner des pieds à la tête

— Le visage est bien, répondit-il. C'est le reste qui m'a surpris. J'essaie seulement de me rappeler à qui vous me faites penser.

À une jeune et ravissante actrice, espéra Miranda.

— Ça y est ! Margaret Thatcher, annonça Danny, enchanté de lui-même. Tu ne trouves pas ? demanda-t-il à l'homme qui se tenait derrière lui.

— Moins soixante ans, dit celui-ci en tendant la main à Miranda. Bonjour. Je m'appelle Tony Vale. C'est moi qui vais vous filmer.

— En réalité, vous ressemblez à une adolescente déguisée en Margaret Thatcher, reprit Danny. C'est votre tenue d'interview ?

Miranda lissa de la main la stricte jupe bleu marine qui lui descendait jusqu'aux genoux. Comment avait-il deviné ?

— Euh...

— Il va falloir que vous l'enleviez, malheureusement.

— Pendant que vous filmerez ? plaisanta Miranda.

— À vous de décider, répondit Danny en poussant un trépied encombrant dans l'entrée. Pas question de vous y obliger.

Miranda guida les deux hommes jusqu'au salon.

— Cette séquence de strip-tease ne me plaît qu'à moitié. Est-ce vraiment indispensable pour le scénario ?

— Une séquence de strip-tease ! Qu'est-ce que ça signifie ? s'écria Beverly, scandalisée.

— Je vous présente Beverly, dit Miranda, tandis que Florence et Chloé éclataient de rire. Je vous avais bien dit qu'elle était très crédule.

Une fois la triste jupe bleu marine remplacée par un jean, le tournage commença. Danny mena habilement l'entretien dans la chambre exceptionnellement bien rangée de Miranda, où Tony Vale se fit aussi discret que possible.

— Parfait, dit Danny. Maintenant, descendons tout ce bazar en bas.

Tony prit son matériel et se dirigea vers la porte.

— Euh... pourquoi ? s'étonna Miranda.

— Pour interviewer votre propriétaire. C'est un vrai personnage, répondit Tony sans se retourner.

— Ça ne durera pas longtemps, expliqua Danny. Elle a promis de dire deux ou trois choses gentilles sur vous. Enfin, c'est l'idée générale. Avec Florence, on ne sait jamais, n'est-ce pas ?

— Elle a intérêt à dire des choses gentilles, sinon je lui tords le bras, marmonna Miranda, qui tenait la porte ouverte pour les laisser passer.

— Florence, vous êtes faite pour ça, déclara Danny quand ce fut fini.

— C'était honteux, oui, riposta Miranda. Elle a quasiment flirté avec la caméra !

Les yeux de Florence brillèrent. Grâce à Beverly, son maquillage, pour une fois, était symétrique.

— Et alors ? On ne sait jamais qui regarde. Il y a peut-être dans le monde un milliardaire célibataire qui aimerait trouver quelqu'un pour lui tenir compagnie dans ses vieux jours. Il allume la télévision, et boum ! Le voilà amoureux fou.

— Je vous trouve un peu gourmande, dit Miranda. Vous avez déjà Orlando.

— Qui est Orlando ? demanda Danny.

— Débarrassez la table, ordonna Chloé, qui sortait de la cuisine avec deux plats de sandwichs.

Beverly la suivait, tenant contre elle plusieurs bouteilles de vin.

— Nous allons fêter la fin du tournage, annonça Florence.

Miranda fourrait un sandwich aux asperges dans sa bouche lorsque le téléphone sonna.

— J'y suis ! cria Florence en allongeant le bras pour décrocher. C'est sans doute Bruce, qui appelle pour vérifier qu'Orlando ne m'a pas enlevée.

Elle écouta une seconde, puis tendit le combiné à Miranda. La jeune fille s'empressa d'avaler.

— Qui est-ce ?

— Il ne s'est pas présenté, répondit Florence en gloussant.

— Que se passe-t-il ? demanda Greg à l'autre bout du fil. On dirait que c'est la fête, chez toi.

— Oh... bonsoir, fit Miranda en rougissant malgré elle.

— Qui c'est ? Ton petit ami ? Formidable ! Propose-lui de nous rejoindre ! s'écria Beverly. Elle le cache, c'est très mystérieux. Je n'ai même pas pu faire sa connaissance !

— Je croyais que tu repeignais une chambre, grommela Greg.

— C'est fini ! La nouvelle pensionnaire de Florence m'a donné un coup de main, si bien que tout a été terminé très rapidement. Ensuite, Danny et Tony sont arrivés. Nous venons d'achever le tournage...

— Tu veux que je vienne ? demanda Greg, qui se méfiait un peu de ce Danny Delancey.

— Dis-lui de se dépêcher ! lança Beverly.

Miranda hésita. Que faire ? Il fallait bien que ça arrive, un jour ou l'autre...

— Tu as entendu ? dit-elle d'un ton léger. Mon amie Beverly est là. Elle meurt d'envie de te rencontrer.

— Oh mon Dieu, gémit Greg, horrifié. Tu ne lui as rien dit, j'espère ?

— Pas encore, mais...

— Réponds-lui que je suis débordé. Et toi, ne laisse pas ce Danny s'approcher trop près de toi. Ou, mieux encore, fourre-le dans les bras de Beverly. Ça réglerait le problème.

Ça, c'était une idée. Miranda raccrocha et sourit béatement à Danny.

— Vous ricanez comme si vous étiez droguée, s'inquiéta-t-il.

— Ce n'est pas un ricanement. Je ne ricane jamais. Je ne me drogue pas non plus. Je me demandais seulement si vous aviez une petite amie.

— Pourquoi ? Vous vous proposez pour le poste ? Toutes les candidatures écrites seront examinées. Envoyez-moi votre CV et une lettre de motivation soulignant les qualités qui font de vous la femme la plus apte à assumer cette responsabilité. Si vous êtes sélectionnée, vous serez convoquée pour un entretien...

— C'est oui ou c'est non ? coupa Miranda.

Derrière Danny, Beverly bavardait avec Tony Vale, mais sans enthousiasme. Sans doute parce qu'il avait la quarantaine, une allure de chat efflanqué et qu'il lui avait déjà chanté les louanges de sa merveilleuse épouse.

— Non, répondit Danny en souriant. Écoutez, reprit-il après un bref coup d'œil à sa montre, je dois rentrer tôt ce soir, car je décolle demain matin de bonne heure. Toutefois, cela ne nous empêche pas de dîner ensemble. Malheureusement, je ne couche pas avec une fille dès le premier rendez-vous, mais mon absence sera de courte durée. Alors, si vous manœuvrez habilement...

— Ça ne vous arrive jamais d'être sérieux ? Je pensais à Beverly !

— Excusez-moi, fit-il. Et vous, vous êtes sérieuse ? Il s'agit bien de cette Beverly qui cherche désespérément un père pour ses bébés ?

Zut, se dit Miranda, qui se souvint soudain qu'elle lui avait déjà parlé de son amie. Autant tenter de vendre une maladie grave à un homme en bonne santé !

— Quels bébés ? glapit Beverly en se rapprochant de Danny.

Miranda soupira. Cette pauvre fille était vraiment obsédée.

— Pas bébés, bêê bêê, rectifia Danny. J'imitais le bêlement du mouton. Miranda avait oublié comment il crie.

— Ah, bon ? fit Beverly, interloquée. Alors, il vient ?

— Qui ça ? demanda Miranda.

— Ton ami !

— Non. Il n'a pas le temps.

— Bon, tant pis. Il faut que je m'en aille, de toute façon.

Elle consacrait en général le dimanche soir à s'épiler, se rappela Miranda.

— On a passé un bon moment, n'est-ce pas ? reprit Beverly en adressant un sourire charmeur à Danny.

Florence roula son fauteuil vers eux et tapota le bras de Danny.

— Je l'ai bien observé, dit-elle à Miranda. Imagine-le avec les cheveux plaqués en arrière. Est-ce qu'il ne ferait pas un merveilleux Orlando ?

— Que se passe-t-il ? demanda Danny. C'est la deuxième fois que j'entends ce nom. Qui est Orlando ?

— C'est encore moi, dit Miranda quand Greg décrocha. La voie est libre, Beverly est partie. Tu ne risques plus rien.

— Enfin, à peu près, plaisanta Chloé, qui était assise en face d'elle.

— J'arrive, annonça Greg.

23

— Vous le feriez vraiment ? s'écria Florence. Vous tiendriez le rôle d'Orlando toute une soirée ?

— Pourquoi pas ? J'ai toujours rêvé d'être un gigolo.

L'idée attisait son instinct de journaliste. Qu'y avait-il de plus passionnant que l'étude des réactions humaines ? Et les plus mesquines étaient souvent les plus amu- santes.

— Vous ne pourriez pas porter ce genre de vêtements, observa Miranda.

— Qui est passé maître dans l'art du déguisement, vous ou moi ? riposta-t-il.

— Il vous faudrait deux chaînes en or autour du cou, suggéra Florence.

— Une chemise en soie, ajouta Chloé.

—Un pantalon étroit et des chaussures pointues. Avec des talons, renchérit Miranda en jubilant.

—Il ne s'agit pas de jouer *La Fièvre du samedi soir*, protesta Danny.

—Il a raison. Il ne doit pas paraître trop vulgaire, intervint Chloé. Bruce et Verity ne seraient pas dupes. Ils savent que Florence ne s'éprendrait pas d'un type pareil.

—Bon, d'accord. Des habits élégants, concéda Miranda, qui regrettait le style Travolta. Vous louerez un costume Armani.

—Merci, fit Danny.

—Une seule chaîne en or, dit Chloé.

—Un peu de fond de teint pour faire croire que vous passez vos journées à bronzer, enchaîna Miranda. Et un diamant au petit doigt ! Vous leur direz que c'est un cadeau de votre dernière amie.

—À vous de payer, alors, rétorqua-t-il.

—Le zirconium imite parfaitement le diamant, déclara Chloé. Donnez-moi votre taille et je commanderai une bague sur catalogue.

—Ça coûte quand même de l'argent, remarqua Miranda.

—Si on le rend rapidement, ils remboursent, expliqua Chloé, que l'histoire amusait de plus en plus. Quand allez-vous faire ça ?

—Le week-end prochain, ça vous convient ? demanda Florence à Danny.

—Très bien. Je compte sur vous pour régler les détails. Je vous appellerai dès mon retour des États-Unis, répondit-il en se levant. Bon, il vaut mieux que je rentre.

Miranda regarda Danny s'incliner pour embrasser Florence sur la joue, puis contourner la table pour faire de même avec Chloé. Elle s'attendait au même traitement, mais dut se contenter d'un clin d'œil un peu vexant.

Agacée, elle serra les dents. Qu'est-ce que c'était que ce clin d'œil ? Un prix de consolation ? Décidément, Danny Delancey s'ingéniait à l'humilier ! Pire encore : comme elle avait penché la tête sur le côté afin d'accueillir un baiser, il lui fallait tout à coup simuler une envie brutale de s'étirer le cou.

Ah, les hommes ! Ils étaient pathétiques. Danny embrassait volontiers les vieilles dames ridées – pardon, Florence – et les femmes enceintes, mais quand il s'agissait de vraies filles, de filles comme elle, il se dégonflait. Il avait sans doute peur que Greg débarque et le provoque en duel.

— Vous avez mal au cou ? demanda Danny.

Trouillard...

— Une crampe, répondit-elle en se massant vigoureusement.

Tout en hissant la caméra sur son épaule, Danny se tourna vers Chloé.

— Je peux vous déposer chez vous, si vous voulez.

— Vous êtes sûr ? J'habite très loin.

— Pas de problème... Je n'ai pas de petite amie, moi. J'ai tout mon temps.

Une fois de plus, il se moquait d'elle, comprit Miranda. Mais pourquoi proposait-il à Chloé de la ramener ? Il ne s'intéressait pas à elle, quand même ? D'accord, c'était une jolie fille, mais une jolie fille enceinte de trois mois.

— On s'est bien amusés, déclara Florence, qui regardait par la fenêtre Danny ouvrir la portière de sa BMW pour Chloé.

Avec un vague malaise, Miranda le vit dire quelque chose qui fit rire sa passagère. Elle tenta de se rappeler si Danny lui avait ouvert la porte lorsqu'il l'avait emmenée dîner à la *Brasserie Langan*, ou bien s'il s'était assis derrière le volant en criant : « C'est ouvert ! » En général, c'était ainsi que cela se passait avec elle. En sa compagnie, s'aperçut tristement Miranda, les hommes oubliaient systématiquement d'ôter leur chapeau ou de s'incliner devant elle en l'appelant « madame ».

Elle n'avait rien d'une Scarlett O'Hara.

Peut-être ses cheveux bleus et verts y étaient-ils pour quelque chose.

« Je pourrais les teindre, songea-t-elle, cesser de déclencher des catastrophes et apprendre à me pavaner, une ombrelle à la main... »

— Ils ont l'air de bien s'entendre, non ? dit Florence avec satisfaction.

La voiture démarra, et Chloé leur fit au revoir de la main. Machinalement, Miranda lui rendit son salut. Puis elle se tourna vers Florence, les sourcils froncés.

— Oui, mais ça m'étonnerait que ça marche.

— Quoi donc ?

— Vos manœuvres d'entremetteuse ! Pourquoi Danny accepterait-il de s'encombrer du bébé d'un autre ? protesta Miranda, avec une véhémence qui la surprit elle-même. Et pourquoi Chloé voudrait-elle s'engager à nouveau ?

Florence éclata de rire.

— Voyons, Miranda ! Est-ce que j'ai proposé de payer leur lune de miel ? Ils s'entendent bien, c'est tout ce que j'ai dit. En quoi ai-je joué les entremetteuses ?

Un peu honteuse, Miranda feignit de s'intéresser vivement à la BMW qui s'éloignait.

— C'est votre regard, expliqua-t-elle pour se justifier. Je sais quand vous vous êtes mis une idée en tête.

— À propos d'idée, j'en ai eu une bonne aujourd'hui, non ? s'exclama Florence en lui envoyant un coup de coude dans les côtes. J'ai hâte d'être au week-end prochain, avec mon cher Orlando !

Au moment où la voiture de Danny disparaissait, celle de Greg surgit à l'autre bout de la rue. Le moral de Miranda remonta en flèche.

— Je vais chercher mes affaires.

— Tu restes chez lui, cette nuit ?

— Ça ne vous gêne pas ? Vous voulez que je fasse quelque chose avant de partir ?

Florence observa la jeune fille. C'était stupide, elle le savait, mais elle avait l'impression d'être une maman oiseau qui regarde son petit frétiller d'impatience sur le bord du nid. En un an, Miranda et elle étaient devenues si intimes qu'il lui était difficile d'envisager la vie sans elle.

« Je devrais me réjouir pour elle, pensa Florence. Elle est amoureuse, peut-être pour la première fois de sa vie. Je devrais être heureuse. Dommage, cependant, qu'elle ait choisi ce type-là plutôt que... »

— Ça ira très bien, affirma-t-elle courageusement.

Ce syndrome du nid vide était ridicule. D'ailleurs, se rappela-t-elle, le nid ne serait pas vide. Si Miranda la quittait, il lui resterait toujours Chloé.

— La fête est finie ? demanda Greg quand Miranda lui ouvrit la porte, son sac à la main.

— Oui. Tout le monde est parti.

— C'est la voiture de Daniel Delancey que j'ai vue s'éloigner ? Tu es sûre qu'il ne s'intéresse pas à toi ?

— S'il s'intéresse à quelqu'un, c'est à la nouvelle pensionnaire de Florence.

Malgré elle, cette idée continuait à l'irriter. Elle la repoussa aussitôt au fin fond de son cerveau.

— Je croyais qu'elle n'emménageait que dans une semaine.

Miranda se hissa sur la pointe des pieds et l'embrassa sur la bouche. Parler de Danny Delancey et de Chloé était la dernière chose dont elle eût envie.

— En effet, fit-elle en refermant la porte. Elle était seulement venue donner un coup de main pour la peinture. Maintenant, est-ce que je peux te poser une question personnelle ?

Greg poussa Miranda contre le capot encore chaud de sa voiture et caressa son ventre nu.

— Personnelle jusqu'à quel point ?

— Extrêmement, outrageusement, scandaleusement personnelle.

Il hésita une fraction de seconde.

— Vas-y.

— As-tu autant de courbatures que moi après la nuit que nous avons passée ?

Les derniers rayons du soleil éclairaient les minuscules taches de rousseur qui parsemaient le visage de Miranda. Ses yeux noirs brillaient, et un sourire retroussait ses lèvres bien dessinées.

La plupart des gens étaient plus à leur avantage vus de loin. Miranda, elle, gagnait à être regardée de près.

— Tu es belle, murmura-t-il.

— Et toi, tu n'as pas répondu à ma question.

— Je t'aime.

Miranda prit l'air sceptique, mais Greg comprit qu'elle le croyait. Et avec raison, car rien n'était plus vrai.

— Tu veux que je te réponde franchement ? dit-il en souriant, ses lèvres à quelques centimètres de celles de Miranda. Oui, j'ai autant de courbatures que toi. Mais tu sais quoi ?

— Quoi ?

À moitié couchée sur le capot de la voiture, Miranda se demanda brièvement si les voisins n'allaient pas crier au scandale.

— Ça m'est égal d'avoir mal, dit Greg. Ça ne m'arrêtera pas. Si tu as l'intention de dormir, tu ferais mieux de rentrer chez toi.

Comme si elle en avait été capable ! Elle jeta les bras autour du cou de Greg. Tant pis si, demain, elle ne pouvait plus marcher, pousser un balai ou laver des cheveux. Cela n'avait aucune importance.

Sauf pour Fenn, bien sûr, qui tarabustait ses apprenties lorsqu'elles arrivaient le lundi matin tellement fourbues qu'elles étaient incapables d'effectuer la tâche la plus simple.

Mais que savait Fenn de l'amour ? Il ne sortait qu'avec des mannequins maigres comme des spaghettis, qui ne parlaient que si l'on appuyait sur le bon bouton. D'ailleurs, il était le premier à admettre que ses brèves liaisons étaient invariablement décevantes.

Pauvre Fenn, quelle existence ennuyeuse il menait ! Certes, il était photographié, adulé, invité partout, mais il ignorait tout du plaisir de vivre avec l'être aimé.

— S'il te faut tout ce temps pour te décider, c'est que je deviens mauvais. Je devrais peut-être rentrer chez moi, en fin de compte, dit Greg d'un ton faussement offensé.

Miranda lui caressa le dos.

— Je pensais à mon patron.

— C'est bien le moment ! Ne pense pas à ton patron, pense à moi.

— OK, allons-y, fit-elle en humant avec délices le parfum de son après-rasage. Je dormirai dans une autre vie.

— Je t'aime.

Miranda comprit pourquoi il le répétait. Il attendait qu'elle le lui dise à son tour.

— Je t'aime aussi, déclara-t-elle en frémissant de bonheur.

Au-dessus d'eux, la fenêtre du salon s'ouvrit.

— Si vous continuez à troubler l'ordre public, j'appelle la police ! cria Florence.

24

Le vendredi après-midi, Chloé avait rendez-vous à l'hôpital pour une échographie. Elle se demandait comment l'annoncer à Bruce quand il arriva le mercredi matin avec une autre nouvelle.

— Nous sommes enfin autorisés à faire sa connaissance.

Son double menton frémissait d'horreur. Chloé prit mentalement note de commander le faux diamant.

— La connaissance de qui ? demanda-t-elle.

— Du gigolo, évidemment. Vendredi soir.

— Orlando ? s'exclama-t-elle avec enthousiasme. Oh, il va vous plaire ! Il est formidable.

Bruce se tourna brusquement vers elle.

— Tu l'as déjà vu ?

— Il était là, dimanche.

— Et tu ne m'en as rien dit ?

— Vous ne m'avez rien demandé... Je regrette. Je ne pensais pas que vous vouliez...

— Bon sang, Chloé, ce type est un arnaqueur ! s'écria Bruce. Dès qu'il aura plumé ma mère, il s'en prendra à une autre veuve pleine aux as… Bien sûr que je veux que tu m'en parles !

— Eh bien, je l'ai trouvé très gentil, dit Chloé. Charmant, amical… Florence et lui semblent très bien s'entendre. Et il a l'air de l'aimer sincèrement.

Bruce la fusilla du regard.

— C'est un gigolo, voyons ! C'est son boulot d'avoir l'air de l'aimer.

— Mais avec moi aussi, il est très gentil. Et je n'ai pas d'argent. Il sait très bien que je ne pourrai jamais lui acheter une Porsche, moi…

Elle s'interrompit et détourna les yeux.

— Une Porsche ! répéta Bruce, hors de lui. Mon idiote de mère lui a acheté une Porsche ?

— Pas encore, mais elle y pense.

— Bon. Il va falloir que j'aie une petite conversation avec elle.

— Mais vous vous trompez peut-être sur son compte. Comme je viens de vous le dire, il a l'air d'aimer sincèrement Florence et, avec moi, il a été très gentil.

— Tu lui plais sans doute, répliqua Bruce. Avec ma mère, le boulot. Avec toi, le plaisir… Hé ! J'ai une idée, ajouta-t-il en se frappant le front. Tu pourrais le séduire et l'éloigner de Florence…

— Moi ? Pas de problème, rétorqua Chloé. C'est vrai, pourquoi perdrait-il son temps à sillonner le monde avec des millionnaires, alors qu'il pourrait s'enfuir avec une vendeuse fauchée et enceinte de trois mois ?

— Je ne te demande pas de t'enfuir avec lui, rectifia Bruce avec un geste de mépris. Un petit tour dans la chambre à coucher suffira. Il faut seulement le prendre sur le fait. Montrer à ma mère qui est réellement ce type. Tu y arriveras très facilement, puisque tu t'installes là-bas le week-end prochain... Florence reprendra aussitôt ses esprits, poursuivit Bruce, de plus en plus séduit par son idée. Elle a beau être stupide, elle a sa fierté. Dès qu'elle comprendra qu'il s'est fichu d'elle, elle le laissera tomber. Et le problème sera réglé.

— Je ne peux pas faire ça à Florence, protesta Chloé.

— C'est dans son intérêt, dit Bruce en se frottant les mains.

— Mais je suis enceinte. Vous ne pensez pas que ça risque de... de freiner cet homme ?

— Voyons, Chloé, c'est un gigolo ! Il n'a pas de scrupules. Tu es une jolie fille. Pour les types de son espèce, c'est la seule chose qui compte.

— Florence va m'en vouloir. Elle me jettera dehors.

Bruce réfléchit un instant.

— Écoute, si tu réussis à nous débarrasser de cet Orlando, je te donnerai deux mille livres.

— Quoi ?

— D'accord, trois mille.

— Mais...

— Bon, très bien, cinq mille.

Bruce lâcha un soupir. C'était une grosse somme, mais l'enjeu était de taille. Si ces cinq mille livres lui permettaient de sauver son héritage, cela en valait la peine.

— Je ne coucherai pas avec lui, déclara Chloé.

Bruce, qui s'y attendait, parut se résigner.

— Comme tu veux. Tout ce que je te demande, c'est de faire en sorte que ma mère comprenne qu'Orlando s'est moqué d'elle.

— Si c'est bien le cas, lui rappela la jeune femme.

— Ta naïveté te perdra, Chloé.

— On ne doit pas juger les gens tant qu'on ne les connaît pas, insista-t-elle pourtant. Si ça se trouve, Orlando vous plaira.

— Mmm, fit Bruce, qui suspectait la grossesse d'avoir altéré les facultés mentales de son employée.

— Nous verrons cela vendredi, dit-elle d'un ton léger. C'est le jour où j'emménage.

Il haussa les sourcils. La soirée allait être intéressante.

— Très bien, ça me permettra d'observer son comportement avec toi.

— Malheureusement, je serai dans ma chambre, en train de déballer mes affaires... À moins que vous ne me donniez mon après-midi ?

— Vous êtes superbe, dit Miranda. À la fois élégant et vulgaire.

— Subtilement vulgaire, rectifia Danny, qui se regardait dans la glace de Miranda pendant qu'elle lui passait un produit sur les cheveux.

— Voilà, c'est fini.

Elle recula d'un pas pour admirer son œuvre.

Ils s'étaient mis d'accord sur une allure de danseur argentin, avec cheveux noirs plaqués en arrière et teint légèrement bronzé. Danny était vêtu d'un blazer, d'un polo blanc et d'un jean soigneusement repassé. À ceci s'ajoutaient la chaîne en or, le faux diamant et un après-rasage au parfum entêtant. Le résultat était parfait.

— Souriez, ordonna Miranda.

Danny lui décocha un sourire charmeur.

Sentant quelque chose frémir dans sa poitrine, Miranda secoua la tête.

— Bon sang, vous êtes excellent.

— Je sais. Ça fait peur, hein ?

Il lui prit la main et y déposa un baiser langoureux.

— Mon Dieu, murmura Miranda, vous allez le regretter.

— Pourqu... Ô Seigneur ! marmonna-t-il, tandis qu'un goût ignoble s'insinuait dans sa bouche.

— Devinez ce que je viens de vous mettre sur la tête ? demanda-t-elle en agitant les mains. Du gel !

Danny la regarda se planter devant la glace et se coiffer à son tour. Il était presque 20 heures. Bruce et Verity devaient arriver d'une minute à l'autre.

— Pas de petit ami ce soir ?

— Il est en voyage, répondit-elle d'un ton détaché.

Miranda étala généreusement du blush sur ses joues. Depuis le départ de Greg pour Birmingham, elle avait quasiment compté les minutes. Mais c'était sa dernière soirée sans lui. Demain, à l'heure du déjeuner, il serait de retour, hourra !

— Il assiste à un séminaire, expliqua-t-elle sans se retourner. À Birmingham.

— Espérons-le, fit la voix ironique de Danny.

Miranda pivota sur elle-même et le fusilla du regard.

— Qu'est-ce que vous racontez ? Bien sûr qu'il suit un séminaire !

— Comment pouvez-vous en être certaine ? Il a peut-être une autre copine cachée quelque part... Je ne dis pas que c'est le cas, simplement que c'est possible.

— Pourquoi faites-vous ça ? Ça vous excite ?

Il prit l'air innocent.

— Pas du tout. Je pensais seulement à un article sur les bigames que j'ai écrit pour le supplément du dimanche, l'année dernière. J'ai été stupéfait de constater que les épouses ne se doutaient absolument pas de ce qui se passait.

Miranda eut presque pitié de lui. Ce ne devait pas être drôle d'avoir l'esprit aussi soupçonneux.

— Écoutez, tout le monde n'est pas menteur ou tricheur, vous savez, dit-elle patiemment. Je ne le suis pas, Florence ne l'est pas... et Greg non plus. C'est un garçon honnête et fiable, et quand il me dit qu'il va à Birmingham pour assister à un séminaire, je le crois. Alors, n'en parlons plus.

— Bon, d'accord, je suis désolé, fit Danny en lui souriant d'un air penaud – enfin, presque penaud. Je ne dois pas médire du parfait petit ami de Miranda, je ne dois pas médire du parfait...

— Arrêtez ! cria-t-elle, rouge de colère, en lui jetant son peigne à la figure.

— Ce doit être ça, l'amour, commenta-t-il.

— Il est 20 heures, dit Miranda en le poussant vers la porte. Nous ferions mieux de descendre. Je n'ai pas envie que Bruce et Verity me surprennent avec le gigolo de Florence dans ma chambre.

25

Bruce ne tomba nullement sous le charme d'Orlando. Miranda, qui faisait le service, se contenta d'admirer en silence la prestation de Danny. C'était peut-être un crétin mais, dans le rôle du jeune homme dévoué, il était parfait.

Florence incarnait à merveille la vieille femme subjuguée.

Chloé participait à la comédie, échangeant des regards lourds de sous-entendus avec Danny quand Florence détournait les yeux de son gigolo.

Quant à Bruce et Verity, ils avaient l'air de mâcher du citron.

— Nous pensions passer d'abord quelques semaines à Las Vegas, avant de prendre un avion pour Miami, expliquait Danny.

— S'il nous reste de l'argent, intervint joyeusement Florence.

Danny lui serra la main.

— Ne t'inquiète pas, il en restera. Nous nous porterons chance... D'ailleurs, je suis en veine en ce moment, vous ne trouvez pas ? fit-il en souriant chaleureusement à Bruce. Rencontrer Flo a été la meilleure chose qui me soit arrivée depuis des années.

Bruce, qui se retenait difficilement de lui sauter à la gorge, n'en douta pas.

— Où vous êtes-vous rencontrés ? demanda-t-il.

— Au casino du *Grosvenor*. Vous connaissez Flo, toujours prête à prendre des risques, dit Danny en passant négligemment un bras autour des épaules de la vieille dame. J'ai toujours été attiré par les femmes qui n'ont pas froid aux yeux... Cette robe te va à ravir, à propos, ajouta-t-il. Tu es magnifique, ce soir.

Florence tapota la main d'Orlando, puis elle se pencha en avant pour lancer un aparté très audible à Verity :

— Il est charmant, non ? Tu ne peux pas imaginer comme c'est délicieux d'être à nouveau couverte de compliments !

Verity ne pouvait pas l'imaginer, en effet. Les seules fois où Bruce remarquait son aspect physique, c'était pour lui signaler que son vernis à ongles était écaillé ou qu'on voyait la bretelle de son soutien-gorge.

— Elle mérite des compliments, non ? intervint Danny. Oubliez qu'il s'agit de votre belle-mère et regardez-la. C'est une belle femme, un être original, fabuleux. Elle sait ce qu'elle veut, elle a du caractère...

— Et un bon paquet d'argent ! s'écria Bruce malgré lui.

— Bruce ! s'exclama Florence en le fusillant du regard.

— Eh bien, quoi ? C'est un fait. Je n'ai pas le droit d'en parler ?

Danny hocha la tête d'un air compréhensif.

— Rassurez-vous, l'argent de Florence ne m'intéresse pas.

— Dans ce cas, qu'est-ce que c'est que cette histoire de Porsche ?

— Je n'ai pas demandé à Florence de m'acheter une Porsche, protesta Danny, peiné. C'est elle qui me l'a proposé.

— C'est exact, intervint celle-ci. D'ailleurs, nous ne l'avons pas encore achetée, il y a une liste d'attente.

Bruce réprima un soupir de soulagement.

— Quel genre de travail faites-vous ? demanda-t-il.

— Oh, diverses choses, répondit Danny en haussant les épaules. Je suis dans la communication.

Comme il lissait ses cheveux en arrière, le faux diamant étincela à la lumière. Miranda vit Bruce et Verity écarquiller les yeux, puis échanger un regard atterré.

— J'aime beaucoup votre bague, déclara Verity. Où l'avez-vous trouvée ?

— Celle-là ? dit-il en agitant le petit doigt. C'est un cadeau d'une amie très chère... Mon Dieu, il est déjà si tard que ça ? Nous devrions appeler un taxi.

— Où allez-vous ? demanda Bruce, surpris.

— Au casino, bien sûr ! s'exclama Florence. Je ne t'en ai pas parlé ? Nous y allons tous les vendredis !

— Pour fêter notre anniversaire, expliqua Danny. C'est un vendredi soir que nous nous sommes rencontrés.

— Pourquoi ne viendriez-vous pas avec nous ? suggéra Florence. Nous passerions une soirée délicieuse, tous les quatre.

— Pour te regarder jeter ton argent par les fenêtres ? grommela Bruce. Non, merci. Bon sang, pourquoi fais-tu ça ?

— Parce que c'est amusant.

Florence sortit de son sac un bâton de rouge assorti à la couleur de sa robe et s'en recouvrit abondamment les lèvres.

— Amusant... répéta son fils, excédé.

— Bruce, détends-toi. Selon toi, jouer au golf est amusant. Or je crois savoir que la cotisation de ton club très chic n'est pas vraiment bon marché. Chacun ses goûts. Tu aimes envoyer des petites balles blanches dans des trous, et moi, je préfère le black jack et la roulette... D'ailleurs, poursuivit-elle en se parfumant à l'aide d'un petit vaporisateur, il faut que nous nous entraînions pour Las Vegas.

— Mon Dieu, soupira Bruce.

Il renversa la tête en arrière et finit son whisky d'un trait.

— Alors, vous venez ? insista Danny, la main sur le téléphone. Parce que si c'est oui, nous prendrons votre voiture.

Bruce semblait sur le point d'exploser. Se mordant la lèvre pour ne pas rire, Miranda se tourna vers Florence, laquelle regardait amoureusement Danny.

— Non, non et non. On ne vient pas avec vous, siffla Bruce.

Il pointa un doigt menaçant sur Danny.

— Et laissez-moi vous dire une bonne chose...

— Bruce est fatigué, il a eu une dure journée, intervint Verity, de peur que son mari ne se déshérite lui-même. Il faut que nous rentrions, nous avons promis à la baby-sitter de ne pas nous attarder.

— Mais il n'est que 21 heures, remarqua Florence, l'air consterné.

— Ne vous inquiétez pas, j'ai saisi le message, dit Danny. Je ne suis pas idiot. Vous croyez que je ne m'intéresse qu'à l'argent de votre mère, n'est-ce pas ? Eh bien, vous vous trompez. Si je suis ici, c'est que je l'aime vraiment. Je veux la rendre heureuse. Quant à l'argent, je suis désolé de ne pas en gagner assez pour vous plaire, mais je n'y peux rien.

— Mon fils ne comprend pas qu'il y a des choses plus importantes que l'argent dans la vie, expliqua Florence.

— Tu... tu deviens complètement sénile, bredouilla Bruce, écarlate.

— J'aurais aimé que nous soyons amis, déclara Danny avec un soupir déçu. Mais je vois bien que ça n'en prend pas le chemin. En tout cas, j'aurai essayé. J'ai fait de mon mieux.

— Je le sais bien, chéri, fit Florence en lui tapotant la main. Appelle donc un taxi.

— Et mettez la course sur le compte de ma mère, glapit Bruce.

Florence lui jeta un regard désapprobateur.

— Je regrette que tu réagisses ainsi, mon garçon. Va donc, ne fais pas attendre la baby-sitter.

— Oh, non, je n'ai pas encore fini...

— Bruce, tu es mon fils et je t'aime, mais parfois, tu te conduis comme un abruti.

— Mais...

— Ne m'interromps pas ! s'écria Florence qui, du coin de l'œil, suivait les efforts désespérés de Miranda pour retenir un fou rire. Si tu es incapable d'être aimable avec Orlando, il vaut mieux que tu rentres chez toi.

26

À 22 heures, Miranda avait perdu cent soixante livres et commençait à paniquer.

— D'habitude, j'ai de la chance, gémit-elle.

— N'oublie pas que tu me dois cent livres, ricana Danny, accroupi de l'autre côté du Monopoly.

Dans le feu du jeu, ils avaient tout naturellement abandonné le vouvoiement.

— Quelle générosité ! s'exclama Miranda en comptant l'argent qu'il lui restait.

Subrepticement, elle glissa deux billets de cinquante livres dans sa ceinture. Si Danny ignorait qu'elle les avait, il ne pourrait réclamer son dû.

— Bon, à moi, fit Florence.

Elle secoua les dés et les jeta avec panache.

— Six... Un, deux, trois, quatre, cinq, six. Ah ! Je dois prendre une carte. « C'est votre anniversaire », lut-elle à haute voix. « Chaque joueur vous donne cinq cents livres. »

— Je pense que vous voulez dire dix, protesta Danny.

Florence lui décocha un clin d'œil.

— Il faut toujours essayer, chéri, toujours. Accepteriez-vous de me vendre cette drôle de petite carte bleue, par hasard ?

— Cette drôle de petite carte bleue, c'est Park Lane.

— Dites un prix, proposa Florence avec majesté.

— Une Porsche toute neuve.

— Oh ! gloussa Miranda. Vous avez vu la tête de Bruce quand il a su que Florence en avait commandé une pour Orlando ?

Elle se redressa et imita l'expression du martyr prêt à entrer dans l'arène.

— Pauvre vieux Bruce, j'ai failli avoir pitié de lui. Pendant une seconde, j'ai cru que ses yeux allaient jaillir des orbites... comme ça... Zing ! Bing !

Chloé la dévisagea avec surprise.

— Elle est droguée ? s'inquiéta Florence.

— À moins qu'elle ne nous cache quelque chose, dit Danny en recomptant son argent. Ce pourrait être une tentative de diversion pour qu'on ne remarque pas qu'elle a atterri chez l'un d'entre nous...

— Oui ! Bond Street ! cria Chloé. Hourra, c'est à moi ! Allez, Miranda, par ici la monnaie !

— Fayot, marmonna celle-ci en fusillant Danny du regard.

— Sept cents livres pour Fenchurch Street Station, d'accord ? proposa-t-il à Chloé.

— Huit cents.

— Il n'en a que sept, observa Florence.

— C'est le moment de me rembourser, dit Danny à Miranda. Il me faut mes cent livres.

— Je ne les ai pas ! Chloé vient de me plumer.

Danny pouvait bien tempêter, il ne mettrait pas la main sur ses économies.

— Donne-moi mes cent livres.

— Je ne peux pas.

— Mais si, tu peux.

— Enfin, comment pourrais-je te donner quelque chose que je n'ai pas ?

— Qu'est-ce qui te prend ? s'exclama Florence en voyant Danny bondir sur ses pieds.

— Vous ne le saviez pas ? J'ai un second boulot. Je recouvre des créances durant mes loisirs...

Miranda se sauva à quatre pattes. Le frottement du tapis lui brûla les genoux.

— Non ! cria-t-elle lorsque Danny l'empoigna. Tu n'as pas le droit !

Une lutte dépourvue de dignité s'ensuivit. Miranda eut beau hurler, des doigts chauds s'introduisirent habilement sous son tee-shirt et glissèrent sur son ventre.

— Désolé, fit Danny en se redressant triomphalement. Il le fallait.

Le sourire aux lèvres, il agita les billets froissés sous le nez de Miranda et les écarta prestement avant qu'elle ne les lui reprenne.

— Je te déteste, dit-elle en soupirant. Maintenant, je suis complètement ratiboisée.

— Courage. Je peux atterrir sur Old Kent Road d'ici une minute, et alors je te devrai... oh, deux bonnes livres.

— À propos, ce n'est pas du gel que j'ai mis sur tes cheveux, tout à l'heure, déclara Miranda en rentrant son tee-shirt dans sa jupe. J'ai confondu avec le tube de glu extraforte.

La sonnerie du téléphone retentit.

— Arrêtez de vous chamailler, intervint Florence, au moins le temps que je réponde.

— Je devrais peut-être regarder dans ton soutien-gorge, dit Danny. Si ça se trouve, tu y as planqué des tonnes de billets.

Écarlate et hors d'haleine, Miranda leva les yeux vers lui.

— Tu n'oserais pas.

— On parie ? Oh, pardon, j'avais oublié que tu n'avais plus de quoi parier.

— Espèce de sadique, gémit Miranda.

— Miranda ! cria Florence.

— Quoi ? Je n'ai pas le droit de le traiter de sadique ?

— Téléphone pour toi, expliqua Chloé.

Miranda se releva et vit que la vieille dame tendait le combiné dans sa direction.

— Qui c'est ?

— Un type qui veut te prêter deux mille livres, gloussa Florence en feignant d'embrasser le combiné. À ton avis, qui ça peut être ?

Chloé se poussa légèrement pour faire de la place à Miranda. Au son de la voix de Greg, le cœur de Miranda sauta de joie.

— Ça a l'air très gai, chez toi, remarqua-t-il. Que se passe-t-il ?

— Je suis en train de perdre au Monopoly, mais c'est parce que je suis entourée de tricheurs. Comment vas-tu ?

— Je me sens seul. Tu me manques.

— Oh, fit Miranda, une main en écran devant la bouche. Toi aussi, tu me manques.

— Comme c'est romantique... déclara Danny en étreignant l'épaule de Chloé. Quelqu'un pourrait me donner un mouchoir ?

Cette fois-ci, Miranda plaqua la main sur l'écouteur.

— Tu risques d'en avoir besoin pour éponger le sang... Pardon, reprit-elle en ôtant sa main. Certaines personnes ont vraiment un sens de l'humour très puéril. Alors, où es-tu ? À Birmingham, en train de fêter la fin du séminaire ?

— Mieux que ça. Je suis dans une station-service, sur l'autoroute.

Miranda émit un cri strident.

— Sans blague ?

Danny se renversa sur un coude et chuchota :

— Il a rencontré une strip-teaseuse prénommée Susie et il appelle de Gretna Green pour annoncer son mariage... Aïe ! s'exclama-t-il, comme Miranda lui donnait un coup de pied.

Pour faire bonne mesure, la jeune fille lui tira la langue.

— Je n'en pouvais plus, poursuivait Greg. Nous sommes allés dans une discothèque. Tu aurais dû voir les autres, ils draguaient tout ce qui portait jupon. Leur seul objectif était de lever une fille pour la nuit. Je les ai laissés. C'est peut-être comme ça qu'ils s'amusent, mais pas moi.

— Alors, tu es sur le chemin du retour ? Tu comptes arriver dans combien de temps ?

— Je passerai te prendre vers 23 heures. Enfin, si tu veux.

— Je le veux, je le veux absolument.

Miranda rayonnait. Elle aurait volontiers chuchoté de charmantes petites choses aguicheuses dans l'appareil mais, en présence d'un public aussi ricanant, c'était impossible.

— Je t'aime, dit Greg.

— Mmm... moi aussi.

Il éclata de rire.

— Tu ne peux pas parler ?

En face d'elle, Danny jouait d'un violon imaginaire.

— Non.

— Ça ne fait rien. À bientôt.

— Eh bien, tu es drôlement gentille avec les gens qui te proposent de l'argent, commenta Danny quand elle eut raccroché.

— Je n'ai plus besoin de prêt, annonça Miranda en lui adressant un sourire insouciant. J'arrête. Continuez à jouer sans moi. Et toi, tu peux t'excuser pour toutes les bêtises que tu m'as dites à propos des hommes qui inventent de faux séminaires pour aller batifoler.

— Je suis désolé. Il a l'air vraiment fou de toi.

— Exact.

— Il a beaucoup de chance.

— Exact, répéta-t-elle.

— Qu'a-t-il de plus que moi ? Non, ne me dis rien. Il est sensationnel au lit.

Florence gloussa.

— Exact à nouveau, répondit Miranda en se dirigeant vers la porte. Ça fait trois sur trois. Excellent. Tu n'as jamais songé à devenir médium ?

Il était 23 h 05.

Depuis sa chambre, Chloé entendait les exclamations et les rires de Florence et Danny, qui continuaient à jouer au Monopoly.

Tout en bâillant à s'en décrocher la mâchoire, elle se mit au lit. La journée avait été longue. Après ses quatre heures de travail à la boutique, l'expédition jusqu'à l'hôpital, le trajet de retour et l'emménagement, elle était exténuée. Sans compter qu'il lui avait fallu rester imperturbable durant la brillante prestation de Danny Delancey dans le rôle d'Orlando.

L'échographie était posée sur la table de nuit, entre son vieux réveil et la lampe de chevet. Chloé prit l'image floue et l'examina.

Bien que, de profil, on eût dit un champignon exotique, le médecin lui avait assuré qu'il s'agissait d'un bébé.

Les yeux emplis de larmes de joie, Chloé suivit du doigt le contour de la tête et du ventre. Elle avait vu le petit cœur battre frénétiquement sur l'écran, les deux jambes minuscules s'étendre...

Puis elle se rappela la salle d'attente bondée de couples aux mains entrelacées. Tous ces maris, ces fiancés, ces compagnons qui avaient hâte de voir pour la première fois leur propre champignon exotique !

— Oh, Greg, espèce d'abruti, de sale égoïste ! murmura-t-elle. Tu me manques tellement !

Chloé admirait toujours l'image miraculeuse en noir et blanc lorsqu'elle entendit une voiture s'arrêter devant la maison. Un bref coup de klaxon déclencha une activité effrénée dans la chambre voisine. Des tiroirs se refermèrent violemment, la radio s'éteignit et la porte claqua.

Les talons hauts de Miranda ébranlèrent l'escalier, un joyeux « bonsoir » retentit à l'adresse de Florence, puis le bruit des talons décrut. Prise de curiosité, Chloé repoussa sa couette pour aller jeter un coup d'œil par la fenêtre. Au même moment, le moteur rugit et la voiture s'éloigna.

De toute façon, elle n'aurait rien pu distinguer dans l'obscurité, se dit-elle en se recouchant.

Quelle veinarde, cette Miranda, d'avoir un ami si épris d'elle qu'il avait roulé toute la soirée pour passer la nuit avec elle !

En fermant les yeux, Chloé se demanda si un homme éprouverait jamais la même chose pour elle. Faire l'amour... elle se rappelait à peine ce que c'était. Il y avait des mois que personne ne s'était approché d'elle sans enfiler d'abord des gants chirurgicaux.

27

Du lit, Greg regarda Miranda ouvrir la porte de la chambre d'un coup de hanche.

— Ça valait vraiment la peine que je revienne, dit-il en prenant la tasse de thé qu'elle lui tendait. Désolé, mais je suis à court de champagne.

— Ce n'est sans doute pas très bon. Tu es aussi à court de lait.

Le thé était même très mauvais, Miranda y ayant ajouté un peu de café instantané à titre de compensation. Mais Greg s'en moquait. Elle était là, et cela seul comptait.

— J'étais sincère tout à l'heure, au téléphone, reprit-il, l'air grave. Ces derniers jours ont été atroces. Tu m'as horriblement manqué.

Miranda renonça au thé imbuvable et se glissa sous la couette.

— Toi aussi, tu m'as manqué.

— Ça m'a fait réfléchir, poursuivit Greg. Je sais que ça va te paraître précipité, mais je trouve idiot que je vive ici, et toi là-bas... qu'on paie tous les deux un loyer, sans parler des allées et venues...

Le cœur de Miranda s'emballa. Greg avait-il dit ce qu'elle pensait avoir entendu ?

« Voyons, se sermonna-t-elle, arrête de faire l'imbécile ! » Bien sûr qu'il l'avait dit. Même si ses propos n'avaient pas été follement romantiques, admit-elle avec un élan de tendresse. C'était le problème, avec les hommes : ils ne regardaient pas assez de films sentimentaux et n'avaient aucune idée de la façon de procéder.

— Que suggères-tu ? demanda-t-elle en pianotant sur la poitrine nue de Greg. Que nous plantions une tente sur la berge du Grand Union Canal ? C'est à peu près à mi-chemin.

Greg lui prit la main pour l'empêcher de bouger. Ce qu'il avait à dire était important. Mieux valait éviter toute distraction.

— Je suggère que tu t'installes ici. Que nous vivions ensemble.

Miranda le dévisagea, les yeux écarquillés. Surtout ne pas rire, ne pas rire ! s'exhorta-t-elle.

— Pour économiser du temps et de l'argent ?

— Non, répondit Greg. Parce que je t'aime et que je veux être avec toi tout le temps.

— Qu'est-ce qui t'arrive ? demanda Beverly dans le dos de Miranda.

La jeune fille sursauta.

— Moi ? Rien, rien... Pourquoi m'arriverait-il quelque chose ?

Beverly haussa les sourcils et désigna l'amas d'éponges dans l'évier.

— Tu savonnes ces trucs depuis vingt minutes. Tu as raté ta pause café. Et, plus grave, tu as raté ta pause Mars. Je n'avais jamais vu ça.

« Seigneur, il va falloir que je lui dise bientôt », songea Miranda. Elle souleva les éponges et se mit à les presser.

— Je n'avais pas faim, dit-elle en haussant les épaules.

— Pas faim ? Tu dois être malade. Tâche de retrouver ton appétit avant la semaine prochaine.

— La semaine prochaine ?

— Ton déjeuner d'anniversaire, idiote ! Dimanche, au restaurant. La table est réservée pour 13 heures.

Absorbée par ses pensées, Miranda avait complètement oublié son anniversaire. Déjeuner tous ensemble pour les anniversaires était une tradition très appréciée du personnel du salon de coiffure, d'autant plus que c'était Fenn qui payait l'addition.

— Et tu as intérêt à amener ton copain, poursuivit Beverly. Tout le monde meurt d'envie de le voir.

« Il faut vraiment que je lui dise la vérité », gémit intérieurement Miranda. Un début de nausée lui noua l'estomac. Elle inspira à fond.

— C'est que, dimanche prochain… il a un tournoi de golf. Il ne pourra pas venir.

Voilà pourquoi les gens racontaient des bobards, comprit soudain Miranda. C'était facile, et après, on se sentait tellement mieux ! La nausée avait disparu comme par magie.

« Je le lui dirai bientôt, se promit-elle. Mais pas tout de suite. »

— Il ne sera pas là le jour de ton anniversaire ? C'est une honte ! protesta Beverly, scandalisée. Ce que les hommes peuvent être égoïstes, quand même ! Il ne va pas s'absenter tout le week-end, j'espère ? Où a lieu ce tournoi ?

Miranda, qui se savait incapable de citer le nom d'un seul club de golf, se réjouit d'entendre un pas énergique s'approcher d'elles.

Sauvée par son patron ! Elle aurait tout vu.

— Beverly, arrête de bavarder et retourne travailler, dit Fenn d'un ton sec. Il y a quelqu'un qui attend à l'accueil.

Beverly pivota sur elle-même et examina la fille qui venait d'entrer. Elle portait un pull blanc, un pantalon de treillis et des lunettes de soleil. Une casquette de base-ball kaki cachait ses cheveux.

— Elle n'a pas rendez-vous et je ne l'ai jamais vue ici.

Quand il s'agissait des réservations, Beverly avait une mémoire d'éléphant.

— Alors, débarrasse-toi d'elle ! riposta Fenn, exaspéré. Propose-lui un rendez-vous pour l'année prochaine.

— Oh ! s'écria Miranda quand la fille ôta ses lunettes. C'est Daisy Schofield !

— Mon Dieu, ta rivale ! fit Beverly en lui tapotant l'épaule pour la consoler. Daisy Schofield est la petite amie de Miles Harper, expliqua-t-elle à Fenn. Vous vous souvenez du jour où Miranda s'est retrouvée dans la piscine de Tabitha ?

Sur le visage de Fenn, la surprise fit place à l'inquiétude.

— Miranda ? J'espère que tu ne sors pas avec Miles Harper.

— Non, bien sûr que non. C'est une mauvaise plaisanterie.

— Ça ne l'empêche pas de penser à lui, ricana Beverly. Très, très souvent.

— Fenn, je te jure que c'est faux, affirma Miranda en s'efforçant de ne pas rougir.

« Effort vain, songea Fenn, amusé, tout en réorganisant rapidement ses rendez-vous dans sa tête. » Il avait beau être surchargé de travail, les affaires étaient les affaires, et coiffer l'une des femmes les plus photographiées du pays lui ferait une publicité formidable. Il jeta un regard sévère à Miranda.

— Bon, puis-je compter sur toi pour ne pas la noyer dans le lavabo ?

Miranda avait déjà eu des clients taciturnes, mais Daisy Schofield les battait tous.

— Ce sont des amis qui vous ont recommandé Fenn Lomax ? demanda-t-elle sans se décourager, en massant la tête couverte de shampooing.

Pour quelqu'un qui proclamait haut et fort que ses cheveux longs étaient naturellement blonds, Daisy Schofield avait d'étranges racines noires. Fallait-il la prévenir ?

— Je l'ai vu à la télé, répondit-elle en bâillant.

— Ah, bon... Je pensais que Tabitha Lester vous avait peut-être suggéré...

— Non.

Un autre bâillement révéla des dents dépourvues de tout plombage.

« La veinarde ! songea Miranda. Je la déteste, je la déteste. »

— C'est que... euh... l'autre jour, nous étions chez Tabitha, en train de la coiffer, et nous sommes tombés sur votre fiancé.

Si Fenn avait été là, il l'aurait tuée, mais c'était plus fort qu'elle. Elle voulait savoir si Miles avait raconté à sa petite amie leur partie de water-melon.

— Je n'ai jamais rencontré Tabitha Lester, répliqua Daisy en fermant les yeux.

Elle ne cherchait pas à être désagréable. Il se trouvait seulement qu'elle n'avait pas envie de discuter.

« Je l'ai bien mérité, se dit Miranda. Qu'est-ce que j'attendais ? Qu'elle s'exclame : « C'est vous qui avez fini dans l'eau avec Miles ? Depuis ce jour, il n'arrête pas de parler de vous ! »

« Comme c'était plausible ! Il aurait beau me croiser cent fois dans la rue, il ne me reconnaîtrait pas. J'ai passé dix minutes avec Miles Harper, et ça a suffi pour que je m'entiche de lui comme une gamine. »

Franchement, cela n'avait pas plus de sens que le béguin stupide de Beverly pour Greg. Et encore, Beverly n'avait personne dans sa vie. Elle, en revanche, était censée être amoureuse de Greg.

Mais cela ne faisait de mal à personne, après tout. Le monde n'était-il pas rempli de femmes heureusement mariées dont George Clooney hantait les rêves ?

La voix de Daisy la tira de ses réflexions.

— Pouvez-vous me donner mon sac ?

Miranda interrompit le shampooing.

— Pardon ?

— Mon portable sonne, expliqua Daisy en désignant du pied son sac posé sur le sol. Je ne peux pas l'attraper et j'attends un coup de fil important.

Miles !

Miranda se jeta sur le sac et faillit se cogner contre le lavabo en se relevant. Son imagination s'emballa de nouveau.

— Tu es chez Fenn Lomax ? dirait Miles Harper. Est-ce qu'il n'y a pas une ravissante employée ? Avec des yeux splendides ? Des cheveux bleus et verts un peu hérissés ? Oui ? Formidable ! Passe-la-moi, s'il te plaît.

Mais Miranda réalisa bientôt combien les vraies conversations téléphoniques étaient décevantes.

— Bonjour, Suzie.

D'un geste, Daisy ordonna à Miranda de fermer le robinet et de lui donner une serviette.

— Non, rien de spécial, reprit-elle. Je me fais coiffer et, ce soir, je vais à une remise de prix avec Ritchie.

Miranda, qui nettoyait à fond le lavabo pour paraître occupée, se demanda qui pouvait être ce Ritchie.

Heureusement, Suzie aussi.

Daisy pouffa de rire.

— Ritchie Capstick, le présentateur de clips sur MTV. C'est mon agent qui a organisé ça... Seigneur, tu plaisantes ! Il est affreux et résolument gay... Aucune comparaison possible avec Miles !

Discuter avec cette Suzie opérait des miracles sur Daisy. Le visage animé, la jeune fille riait et blaguait comme un être humain. Miranda, qui s'était mise à astiquer les flacons de shampooing, entendit Suzie émettre des gloussements aigus à l'autre bout du fil, mais ne réussit pas à distinguer les propos qui les accompagnaient.

— Non, il s'entraîne à Montréal pour le Grand Prix du Canada, commenta Daisy avec une grimace. Enfin, dans dix jours, ce sera fini.

Une rafale de couinements jaillit de l'appareil.

— Oui, bien sûr qu'il risque sa vie. Mais c'est son boulot et c'est ce qui le rend si excitant. Tu crois que j'aurais fait attention à lui s'il élevait des moutons ?

Nouveaux piaillements.

— Eh bien, si ça doit arriver, ça arrivera, fit Daisy en haussant les épaules. Mais quelle publicité ! Le monde entier raffole des tragédies. Alors, une fiancée en deuil, tu parles !

— Il faut que je vous rince les cheveux, intervint Miranda d'un ton glacial. Fenn attend.

L'ignorant, Daisy poursuivit :

— Oui, comme Kate Winslet dans *Titanic*... En plus, le noir me va super bien.

28

Greg retrouva Adrian au bar du *Prince of Wales*.

— Tu lui as demandé d'emménager chez toi ? s'écria Adrian en s'étranglant avec sa bière. Bon sang, tu cherches les ennuis ou quoi ? Tu viens de te séparer de ta femme et tu veux déjà t'installer avec une autre fille ?

Cette réaction ne surprit pas Greg. Adrian accumulait les liaisons sans avenir, tout en désirant secrètement – comme beaucoup d'hommes divorcés – rencontrer la compagne idéale et se ranger une fois pour toutes.

— Je n'avais pas prévu ça. Ce n'est pas le genre de chose que l'on projette, dit Greg avec un haussement d'épaules. Mais voilà, c'est arrivé. Nous avons envie de vivre ensemble. Alors, pourquoi ne s'installerait-elle pas chez moi ?

Adrian s'efforça de cacher sa jalousie. Comment aurait-il pu blâmer Greg, alors que lui-même trouvait Miranda tout à fait à son goût ?

— L'histoire de Chloé et du bébé ne la gêne pas ?

Greg prit le temps d'avaler une gorgée de bière.

— Grâce à Dieu, Miranda déteste les gosses. Tu aurais dû l'entendre déblatérer contre le petit-fils de sa propriétaire, l'autre jour ! Il n'arrête pas de lui donner des coups de pied, et Miranda ne peut pas le supporter.

— Si je comprends bien, dit Adrian, tu ne lui as pas parlé de Chloé et du bébé ?

— À ton avis ? grommela Greg.

— Eh bien, il va falloir que tu la mettes au courant.

— Pourquoi ?

— Pourquoi ? Parce qu'elle sera folle furieuse quand elle le découvrira !

Greg le regarda avec commisération.

— Eh bien, elle ne le découvrira pas, voilà tout. Il n'y a aucune raison pour qu'elle l'apprenne. Je peux compter sur toi, non ?

— Euh... oui, mais...

— Écoute, ce qui s'est passé avec Chloé, je n'y suis pour rien, dit Greg avec impatience. Alors, pourquoi faudrait-il que j'en souffre ? Je ne vois pas pourquoi je devrais en subir les conséquences !

— Je suis d'accord avec toi, mais je crois quand même qu'il vaudrait mieux que Miranda soit au courant.

Adrian avala une gorgée de bière, tout en s'émerveillant du rôle qu'il assumait. La morale n'avait pourtant jamais été son fort. Mince, il ne lui restait plus qu'à devenir directeur de conscience !

— Formidable ! railla Greg. Voilà que tu me fais un sermon ! Dois-je te rappeler que ta femme est partie parce que tu picolais et que tu sautais toutes les barmaids de Battersea ?

— Tu n'es pas obligé de suivre mes conseils, rétorqua Adrian, vexé.

— Heureusement, répliqua Greg en hélant le barman. Ne t'inquiète pas pour moi, Adrian. Je contrôle parfaitement la situation. Parler à Miranda de Chloé et du reste ne la rendrait pas heureuse. Elle se tracasserait pour rien.

— Peut-être bien, fit Adrian, que le sujet n'intéressait plus.

— Je déteste qu'on me harcèle, reprit Greg. Tu connais les femmes. Ce que Miranda ignore ne peut pas lui faire de mal... Pas vrai ? ajouta-t-il en tapant sur l'épaule de son ami.

Celui-ci alluma une cigarette.

— Ouais.

Le dimanche suivant, Miranda s'égosillait dans la baignoire, tout en se demandant jusqu'à quel âge fêter son anniversaire vous mettait en transe. De combien de temps disposait-elle avant que la nouveauté s'émousse, que l'ennui s'installe et qu'elle réponde aux gens : « Bof ! Non, je n'ai rien prévu. C'est un jour comme un autre » ?

— Vingt-quatre ans aujourd'hui, vingt-quatre ans aujourd'hui, chantonnait-elle en tournant le robinet d'eau chaude avec ses orteils.

Le jet brûlant prit pour cible son canard en plastique jaune affublé de lunettes RayBan.

— Si tu continues à chanter, je t'enferme à clé ! cria Beverly depuis le couloir.

— Tu es en avance ! lança Miranda en se redressant. Fenn est là aussi ?

Son patron avait proposé de les emmener au restaurant en voiture, mais il était à peine 11 heures.

— Non, il dépose Leila à l'aéroport.

Leila était le mannequin avec lequel Fenn sortait ces derniers temps.

— Je suis arrivée de bonne heure, pour que tu puisses porter mon cadeau d'anniversaire, expliqua Beverly.

Un cadeau qu'on pouvait porter ! L'euphorie de Miranda monta d'un cran.

— C'est une paire de faux seins ?

— Je ne te le dirai pas. Tu le découvriras quand tu descendras.

« Moi aussi, j'ai une surprise pour toi », songea Miranda, soudain moins enthousiaste.

Elle se rallongea dans la baignoire et rassembla tout son courage pour l'épreuve qui l'attendait.

C'était le bon moment, non ?

Comme on se cramponne à une bouée de sauvetage, elle se répéta : « C'est mon anniversaire. On n'a pas le droit d'être méchant avec quelqu'un qui fête son anniversaire. » Et Beverly ne lui gâcherait sûrement pas cette journée exceptionnelle.

Plongeant la tête sous l'eau, Miranda laissa échapper un filet de bulles et commença à compter.

Si elle réussissait à tenir trente secondes sans respirer, Beverly lui pardonnerait.

Si elle n'y arrivait pas, eh bien, elle se noierait. Ce qui mettrait fin au problème, somme toute.

Florence resta discrètement dans la cuisine, pendant que Miranda entraînait Beverly dans le jardin qui s'étendait derrière la maison.

— J'ai laissé ton cadeau à l'intérieur, protesta Beverly en trébuchant sur ses talons hauts.

« Tant mieux, ça t'évitera de t'en servir pour m'assommer », pensa Miranda.

— Il faut d'abord que je te dise quelque chose, déclara- t-elle. Tu vas me détester.

— Pourquoi ? s'inquiéta son amie. Si ton baladeur a bousillé ma cassette de Céline Dion...

— Non, ce n'est pas ça, coupa Miranda.

Heureusement que personne ne pouvait les entendre ! Emprunter une cassette de Céline Dion... Quelle honte !

— Bon, c'est quoi, alors ? demanda Beverly.

— Greg...

— Greg qui ?

Ô Seigneur...

— Greg Malone. Tu te souviens ? Le type que tu as rencontré à la soirée d'Elizabeth Turnbull et dont tu n'as pas arrêté de parler depuis ?

— Ah, oui, fit Beverly. Ce Greg-là. Eh bien, que lui arrive-t-il ?

Miranda se sentit rougir.

— Euh... c'est avec lui que je sors.

Sous le regard incrédule de Beverly, le teint de Miranda vira à l'aubergine.

— Tu veux dire que…

— Oui ! C'est lui… Je t'en supplie, pardonne-moi !

— Alors ? demanda Florence quand Miranda revint dans la cuisine. Elle t'a poursuivie avec une bêche en te traitant de tous les noms ?

— Oui, répondit la jeune fille en regardant avec envie les canapés au saumon fumé et au fromage. Enfin, pas le truc avec la bêche, mais elle m'a effectivement traitée d'idiote.

— C'est tout ? Tiens, sers-toi. Je les ai préparés pour toi.

— D'idiote, de cruche, d'abrutie, précisa Miranda, la bouche pleine de saumon. Elle ne comprenait pas pourquoi j'avais si peur de lui en parler.

— Tu t'es torturée pour rien, alors, conclut Florence en posant le plateau sur ses genoux. Qu'est-ce que je t'avais dit ? Tiens, on sonne. C'est peut-être Greg.

— Sûrement pas. Je ne le vois que ce soir.

Elle avait décidé de ne pas le convier au déjeuner, afin d'éviter de blesser Beverly.

— Tu as raison, dit Florence, qui s'était approchée de la fenêtre pour regarder dehors. C'est ton beau garçon de patron. Dommage qu'il ait les cheveux longs. Tu es sûre qu'il n'est pas gay ?

Miranda faillit s'étrangler avec son canapé.

— Bien sûr que non ! Fenn va de top model en top model.

— Dans ce cas, pourquoi ne l'as-tu jamais dragué ? s'écria Florence, les yeux brillants de malice. Un homme riche et séduisant, tu pourrais tomber plus mal.

Miranda trouva l'idée comique. Jamais elle n'aurait eu l'idée de s'amouracher de Fenn. Il était son employeur, et elle une apprentie qu'il considérait – de façon tout à fait injuste, d'ailleurs – comme un cas désespéré. Et puis, comment fantasmer sur quelqu'un qui ne cessait de vous houspiller?

— Je vous l'ai dit, il ne s'intéresse qu'aux mannequins. Si je mesurais un mètre quatre-vingts et que je pesais moins de quarante-cinq kilos, j'aurais peut-être une chance. En ce moment, il sort avec Leila Monzani.

— Et s'il ne sortait pas avec elle? insista Florence en roulant son fauteuil dans l'entrée.

« Et elle prétend qu'elle ne joue pas les entremetteuses! » commenta Miranda en son for intérieur.

— S'il ne sortait pas avec elle, je continuerais à voir Greg, affirma-t-elle haut et fort.

29

En rentrant, Chloé tomba sur une petite réception impromptue avec canapés et champagne. Les invités étaient Beverly et Fenn Lomax, qu'elle reconnut sans l'avoir jamais rencontré.

— Bois un verre. Un seul, c'est sans danger, dit Miranda en lui tendant une coupe. Regarde! Super, non? C'est Beverly qui me l'a offert.

Elle écarta les bras pour lui montrer son teeshirt, arrosant au passage le salon de champagne.

Chloé admira l'étroit vêtement d'un noir transparent, sur lequel des papillons en satin rouge signalaient les emplacements stratégiques. La silhouette mince de la jeune fille lui fit envie.

— C'est tout à fait ton style, approuva-t-elle.

— Frivole et un peu provocant, commenta Florence.

Miranda leva joyeusement son verre.

— Je préfère sexy et exotique.

Florence alluma la télévision et se mit à zapper, à la recherche de prévisions météorologiques.

— Je t'assure que tu devrais prendre une veste. On a annoncé des orages pour l'après-midi.

— Attendez, c'est Miles ! cria Miranda.

Tout le monde se tourna vers le poste. Le célèbre coureur était interviewé peu avant le départ du Grand Prix du Canada.

— Il est merveilleux... soupira la jeune fille. Bien que je ne m'intéresse pas vraiment à lui, ajouta-t-elle aussitôt.

— Pas vraiment, répéta Beverly avec un sourire ironique.

— Alors, bonne chance, Miles, pour la course de cet après-midi, de la part de vos millions d'admirateurs britanniques ! acheva le journaliste d'un ton exagérément jovial.

— Oh, zut, fit Beverly en tapotant le bras de Miranda. Toi qui croyais être la seule !

— Et soyez prudent...

— Essayez de ne pas vous tuer, supplia Miranda. Quand je pense à ce qu'a dit Daisy Schofield, la semaine dernière, j'ai envie de vomir.

— Une vraie garce, approuva Beverly, comme le journaliste concluait son interview.

— Je peux continuer à chercher la météo ? demanda Florence. Si la pluie fait rétrécir tes papillons, tu passeras la nuit au poste.

— Le plus horripilant, c'est qu'elle m'a donné un gros pourboire, poursuivit Miranda. Un billet de dix livres. J'aurais voulu lui jeter à la figure !

En entendant la jeune fille parler d'argent, Chloé se rappela que le cadeau acheté le matin même pour Miranda était toujours dans son sac.

Ce n'était pas grand-chose, vu ses moyens limités, mais elle espérait que ce cadre pour photo lui ferait plaisir.

Où donc avait-elle posé son sac ? Ah ! Là-bas, sur l'appui de la fenêtre.

— Vous cherchez quelque chose ? demanda Fenn en la voyant se lever.

Un seul coup d'œil à l'extérieur lui coupa le souffle. Au deuxième, elle faillit perdre connaissance.

Greg sortait de sa voiture.

« Ne t'évanouis pas, s'exhorta Chloé. Rassieds-toi et réfléchis calmement. »

Mais il était là, non ? Et lorsque votre ex-mari arrivait à l'improviste avec un énorme bouquet de roses à la main, cela ne pouvait signifier qu'une seule chose...

« Il me faut du temps, plus de temps », pensa Chloé, vaguement consciente du regard de Fenn Lomax tandis qu'elle reculait, les mains vides, vers son siège. Elle avait du mal à y croire. Greg se serait débrouillé pour la retrouver, en interrogeant Bruce et Verity, et il serait venu quémander son pardon ? Cela signifiait-il qu'il s'était ravisé pour le bébé ?

Bouleversée, Chloé ne parvenait plus à réfléchir et à marcher en même temps. À chaque pas, elle avait l'impression de s'enfoncer dans des marécages.

— Vous vous sentez bien ? s'inquiéta Fenn.

Il s'écarta brusquement pour éviter Beverly. La jeune femme était connue pour allumer des incendies, or elle était en train de se faufiler devant lui, un verre plein dans une main et une cigarette dans l'autre.

« Est-ce que je me sens bien ? » se demanda Chloé, en plein brouillard.

Au même instant, des étincelles jaillirent du bout incandescent de la cigarette, à quelques millimètres des rideaux de Florence. Beverly, qui regardait par la fenêtre, ne s'en aperçut pas.

— Devine qui est là ? dit-elle à Miranda.

— Qui ? fit la jeune fille, la bouche pleine.

— Greg, espèce d'idiote ! Heureusement que tu t'es confessée... Il n'a qu'à nous accompagner, maintenant que je suis au courant. N'est-ce pas, Fenn ? Greg peut venir déjeuner avec nous ?

La pièce se mit à tourner autour de Chloé. Cela ne lui étant arrivé qu'une fois, sur la grande roue de la fête foraine, elle ne comprit pas ce qui se passait.

Fenn se précipita pour la rattraper et l'allonger sur le canapé.

— Chloé ? s'écria Florence. Qu'y a-t-il ?

— Ne bougez pas et respirez lentement, conseilla Fenn. C'est le bébé ? Vous voulez que j'appelle une ambulance ?

« Oh mon Dieu, pas de fausse couche, par pitié, pria Miranda en se hâtant d'avaler son canapé au saumon. Pas le jour de mon anniversaire. Et que ce ne soit pas ma faute, à cause de la coupe de champagne que je lui ai mise dans la main. »

La bouche enfin vide, elle observait avec horreur la scène qui se déroulait devant elle. Le visage livide, Chloé se cramponnait à la main de Fenn. Celui-ci, un genou au sol, prenait son pouls, tout en échangeant avec Florence un regard grave.

On sonna à la porte. Un frémissement parcourut Chloé.

— J'appelle une ambulance, décida Florence en tendant la main vers le téléphone.

— Non, fit Chloé d'une voix rauque.

— Où avez-vous mal ? demanda Fenn.

— Nulle part.

Elle repoussa sa main et s'assit, les yeux fixés sur Miranda.

— Je suis vraiment désolée. C'est ton ami, là, dehors ?

La sonnette retentit à nouveau.

Abasourdie, Miranda bafouilla :

— Qui ? Greg ? Bien sûr que c'est mon ami !

— Ah ! Passez-moi ce verre, s'il vous plaît, dit Chloé à l'adresse de Fenn.

Elle le remercia d'un hochement de tête.

— Ça va, reprit-elle, je n'ai pas besoin d'une ambulance. Seulement d'un verre. Tu ferais bien d'en prendre un aussi, Miranda. Écoute, je suis la femme de Greg.

Tous les yeux se posèrent sur Miranda, qui semblait clouée sur place. Elle s'ébroua, puis jeta à Chloé un regard sévère. On n'avait pas idée de tirer ainsi des conclusions hâtives et d'effrayer tout le monde !

— Ne dis pas d'idiotie, voyons. C'est une coïncidence, protesta-t-elle. Mon Greg à moi n'est pas marié.

Mais Chloé n'émit aucun soupir de soulagement.

— Il s'appelle bien Greg Malone ?

— Oh, non... gémit Beverly.

À son tour, Miranda s'effondra.

30

Étant la seule personne à peu près disponible, Florence alla ouvrir.

Greg se tenait sur le seuil, un gros bouquet de

fleurs dans une main, la ficelle d'un ballon gonflé à l'hélium souhaitant « Bon anniversaire » dans l'autre.

Florence lui adressa le même sourire qu'à son premier mari, le jour où elle avait découvert qu'il avait passé la nuit avec la femme de son commandant.

— Bonjour, dit Greg. Je...

— Elle n'est pas là, répondit Florence, comme on le lui avait demandé.

Plus exactement, Miranda avait enfoui son visage dans ses mains en bredouillant :

— Ne le laissez pas entrer, faites-le partir, je ne peux pas le voir maintenant !

— Pas de problème, dit Greg. Je me doutais qu'elle ne serait pas là. Je voulais seulement lui déposer ces fleurs pour qu'elle les trouve en rentrant de son déjeuner... Vous savez comment sont les filles avec les fleurs, ajouta-t-il avec un petit sourire complice.

— Tout à fait, fit Florence en s'emparant du ballon et du bouquet. Je dirai à Miranda que vous êtes passé.

— Et que je viendrai la chercher à 18 heures. D'accord ?

— D'accord.

Le sourire de Greg s'estompa.

— Tout va bien, Florence ? J'ai fait quelque chose qui vous a déplu ?

Florence eut très envie de lui répondre avec franchise. Les mots s'accumulaient en elle, prêts à jaillir de sa bouche. Oh, que n'aurait-elle pas donné pour lui dire ce qu'elle pensait !

Mais ce n'était pas à elle de le faire, c'était à Miranda. Et celle-ci avait besoin de mettre un peu d'ordre dans sa tête. Sa dernière consigne avait été :

— Débarrassez-moi de lui, c'est tout... Ne lui racontez rien.

Florence réprima donc les insultes qui lui venaient aux lèvres.

— Non, fit-elle en reculant son fauteuil pour refermer la porte. Tout va bien.

— C'est incroyable, c'est tout simplement incroyable, gémissait Miranda.

Elle vida sa coupe de champagne d'un trait, ferma les yeux, les rouvrit et regarda de nouveau. Hélas, Chloé regardant dans la même direction, il ne pouvait y avoir d'erreur.

C'était bel et bien Greg qui remontait dans sa voiture.

Son Greg.

Et celui de Chloé.

Si on lui avait dit que l'homme de ses rêves assassinait des chiots durant ses loisirs, elle ne se serait pas sentie plus mal.

— Ordure, siffla Beverly, qui se tenait derrière elles. Je ne sais pas laquelle de vous deux je dois plaindre le plus.

Chloé se retourna, stupéfaite.

— Tu n'as pas à me plaindre !

— Moi non plus, grommela Miranda en repoussant la main compatissante de Beverly.

Elle tremblait, et ses cheveux se dressaient sur sa tête.

— Mais tu dois être bouleversée, s'étonna Beverly.

— Bouleversée ? Je ne suis pas bouleversée ! cria Miranda. Je suis folle furieuse ! C'est un sale menteur, un lâche, un tricheur, et je suis bien contente de le découvrir maintenant, avant... avant que... Seigneur, comment a-t-il pu faire ça ?

Elle mourait d'envie de démolir le mur à coups de pied, de briser une ou deux bibliothèques, d'arracher les rideaux de Florence. Elle était bouleversée, bien sûr, mais les larmes attendraient leur tour.

Elle inspira profondément. Dans l'immédiat, c'était la colère qui dominait. Au point qu'elle risquait d'exploser.

— Tu ne nous avais pas dit que ton mari s'appelait Greg !

— Toi non plus, tu ne m'avais pas dit que ton ami s'appelait Greg ! Oh, zut ! s'exclama Chloé en portant la main à sa bouche. C'est à cause de toi qu'il m'a quittée ?

Miranda sentit son estomac se contracter. Une telle idée lui était insupportable.

— Quand t'a-t-il quittée ? s'enquit-elle précipitamment. Beverly, quand donc a eu lieu la réception où nous avons rencontré Adrian et Greg ?

— Tu as aussi rencontré Adrian ?

— C'était à un cocktail organisé au profit d'une œuvre, bredouilla Miranda. Florence m'avait donné une invitation. Daisy Schofield devait venir, mais elle s'est décommandée au dernier moment.

Chloé hocha la tête.

— Bruce aussi avait une invitation. Il me l'a passée parce qu'il n'était pas libre. Je me suis demandé plusieurs fois ce qu'elle était devenue.

Beverly feuilletait l'agenda dont elle ne se séparait jamais, au cas où quelqu'un lui aurait soudain fixé rendez-vous.

— Le 23 avril, dit-elle enfin.

— L'anniversaire de mariage de Bruce, acquiesça Florence.

— Je voulais qu'on aille ensemble à cette réception, intervint Chloé. Sauf que Greg était déjà parti.

« Lorsque son mari avait fait la connaissance de Miranda, il vivait chez Adrian depuis plusieurs semaines », songea- t-elle avec soulagement.

— Du coup, il y a emmené son ami Adrian et a rencontré Miranda, conclut Florence avec une expression écœurée. Ça colle. La prochaine fois qu'Elizabeth Turnbull essaie de me vendre des billets pour un gala de charité, je lui coupe le cou.

— La prochaine fois que je vois Greg, renchérit Miranda, ce n'est pas le cou que je lui coupe.

Chloé gloussa.

Miranda et Beverly échangèrent un regard et éclatèrent de rire.

— Quelqu'un veut un autre verre ? demanda Fenn d'un ton résigné.

— Je suis désolée, c'est un truc de filles, s'excusa Florence. Ce genre de blague n'est pas destiné aux oreilles mâles trop sensibles.

Treize années de coiffure avaient plus ou moins insensibilisé les oreilles de Fenn. Il pensait avoir tout entendu. S'offenser à présent aurait été ridicule. Il fut touché, cependant, par le tact de Florence.

— Je vais appeler le restaurant pour leur signaler que nous aurons du retard. Ensuite, si ça vous dit, je vous couperai les cheveux.

Miranda, toujours survoltée, s'était mise à fumer comme un pompier. Par respect pour les rideaux de Florence et pour le futur bébé de Chloé, tout le monde avait émigré dans le jardin clos qu'inondait le soleil.

Florence passa ses doigts déformés par l'arthrite dans ses cheveux hirsutes. D'ordinaire, Miranda la coiffait mais, ce matin-là, elle avait exécuté cette tâche toute seule.

— Ce ne doit pas être beau à voir, dit-elle avec une grimace. Ça vous arrive souvent, d'accoster les gens dans la rue pour leur proposer vos services ?

— Nous ne sommes pas dans la rue, répliqua Fenn. Et comme j'ai arrêté de fumer il y a six mois, je préfère ne pas rester sans rien faire.

— D'après ce que m'a raconté Miranda, vous avez beaucoup de petites amies pour vous occuper.

— D'après ce que m'a raconté Miranda, rétorqua Fenn, vous pensiez que j'étais homosexuel.

Absolument pas gênée, Florence pouffa de rire.

— Je suis une vieille femme. De mon temps, les coiffeurs l'étaient tous.

— Eh bien, je ne le suis pas. Et quand j'en aurai fini avec vos cheveux, vous ne vous traiterez plus de vieille femme, ajouta-t-il en la regardant ôter de sa tignasse un nombre d'épingles impressionnant. Ça y est ? Vous êtes prête ?

— Pourquoi pas ? fit Florence, que Miranda pressait depuis des mois de s'offrir une bonne coupe. Si vous êtes sûr d'avoir le temps.

À l'image de Beverly, qui ne se séparait jamais de son agenda, Fenn n'allait nulle part sans ses ciseaux. Avant de commencer, il jeta un coup d'œil aux trois jeunes femmes. Elles étaient serrées les unes contre les autres de l'autre côté de la table de jardin, telles des sorcières en train de comploter.

— Oui, ça ira, dit-il.

— Rendez-moi d'abord un service, s'il vous plaît.

— Lequel ?

D'un hochement de tête, Florence désigna Miranda et la bouteille aux trois quarts vide qu'elle pressait sur sa poitrine.

— Confisquez-lui ce champagne, répondit-elle. À ce rythme, elle va finir sa journée d'anniversaire couchée sur le dos... Même si c'était ce qu'elle avait prévu, je doute qu'elle en retire le même plaisir.

31

— Bonsoir, Florence. Miranda est là ?

La vieille dame répondit avec enjouement :

— Je regrette. Miranda ne peut pas venir au téléphone. Elle gît inconsciente dans le jardin.

— Mince alors ! s'écria Danny Delancey, plutôt épaté. Que s'est-il passé ?

— On lui a fait une mauvaise surprise, et elle a descendu deux bouteilles de champagne.

— Ça va aller ?

— Oui, oui. Son amie Beverly l'enduit de crème solaire. Quant à Fenn, il a appelé le restaurant pour qu'on nous livre le déjeuner ici. Vous devriez nous rejoindre. Je suis sûre que Miranda serait heureuse de vous voir... Pauvre chérie, ça n'aura pas été son plus joyeux anniversaire !

— Je n'y comprends rien. Vous avez l'air plutôt contente.

Personne n'aimant qu'on lui serine : « Je te l'avais bien dit », il lui faudrait s'entraîner à cacher sa satisfaction avant le réveil de Miranda, songea Florence, qui s'apprêta à éclairer la lanterne de Danny.

— Monsieur Parfait... Il semble qu'il ne soit pas aussi fantastique que ça.

— Vraiment ?

— Je sais. C'est fabuleux, non ?

Tant pis pour la diplomatie. Danny était de son côté, c'était une certitude.

— Il se trouve que c'est plutôt monsieur Catastrophe, acheva-t-elle.

Aïe aïe aïe !

Miranda essaya de soulever les paupières.

Seigneur, que s'était-il passé ?

Lorsqu'elle eut réussi à se redresser, elle constata avec stupeur qu'elle était affalée sur une chaise longue. Au même instant, Danny Delancey apparut à ses côtés, un tube d'aspirine et un verre de jus d'orange à la main.

— J'ai vu que tu ouvrais les yeux et je me suis dit que tu allais peut-être avoir besoin de ça.

— Je ne comprends pas, gémit Miranda en se protégeant les yeux du soleil. Qu'est-ce que tu fiches ici ?

Un marteau-piqueur lui vrillait le crâne et, phénomène mystérieux, elle avait un goût ignoble dans la bouche.

— La dernière chose dont je me souviens, c'est que j'étais assise à cette table, là-bas, et que Florence avait les cheveux longs. La minute suivante, je me retrouve dans une chaise longue, couverte de crème et la langue collée au palais.

— Et un mouchoir noué autour de la tête, précisa gentiment Danny.

— Oh mon Dieu, fit-elle en l'arrachant.

— Sans parler du mégot niché entre tes seins, ajouta-t-il.

Super ! Baissant les yeux, Miranda cueillit le petit cylindre orange. Devait-elle rire ou se fâcher ? Elle lança un regard soupçonneux à Danny.

— C'est toi qui l'as mis là ?

— Non. D'après Florence, tu as fumé onze cigarettes en soixante-quinze minutes.

Voilà qui expliquait ce goût diabolique. On ne l'y reprendrait plus, du moins pas à ce rythme.

— Et, à un moment, deux en même temps.

— Bon, d'accord, fit-elle en agitant faiblement le bras pour réclamer une trêve. C'est mon anniversaire. Tu es censé être gentil avec moi.

— Mais je suis gentil ! protesta Danny, sincèrement indigné.

Miranda avala deux cachets d'aspirine, qu'elle fit descendre à l'aide du jus d'orange.

— Qu'est-ce que tu fiches ici ? répéta-t-elle enfin. Je ne t'avais pas dit que c'était mon anniversaire.

— Je sais. Je t'ai appelée pour fixer un rendez-vous pour le tournage au salon de coiffure, et Florence m'a mis au courant, expliqua Danny en s'asseyant dans l'herbe, à côté de la chaise longue. Elle m'a prévenu aussi... au sujet de Greg.

Ô Seigneur, Greg...

— Ça ne m'étonne pas, remarqua Miranda.

Elle serra les dents. « Dire à Florence de ne plus profiter de mes comas éthyliques pour raconter à tout le monde les hauts et les bas de ma vie privée », nota-t-elle mentalement.

— Je suis désolé, fit Danny sobrement.

Miranda ferma les yeux, assaillie par d'horribles souvenirs. Elle retrouvait la mémoire et commençait à se demander si elle n'aurait pas préféré devenir amnésique.

— C'est ce qui s'appelle mordre la poussière, commenta-t-elle d'une voix crispée. Ça mériterait de figurer parmi les sports olympiques.

— Quoi ? Prendre une cuite, fumer un million de clopes et s'endormir avec un mouchoir sur la tête ?

Miranda eut un petit sourire.

— Non. Se tromper. Se fourrer perpétuellement le doigt dans l'œil. Dans ce sport, je suis la championne.

— Voyons, ce n'est pas...
— Vrai ? Bien sûr que si, gémit Miranda. J'étais convaincue que tu étais marié et tu ne l'étais pas. Ensuite, je n'ai pas pensé une seconde que Greg pouvait avoir une femme. Or non seulement il en a une, mais en plus elle est enceinte ! Tu parles d'une fille maligne !
Ne sachant que répondre, Danny se leva.
— Viens te joindre aux autres. Attrape mes mains, je vais te tirer.
Il empoigna ses bras et la mit debout. Miranda se laissa faire avec un gémissement étouffé.
— Quelle heure est-il ?
— 16 heures.
— Déjà ? Seigneur, Greg passe me chercher à 18 heures !
Les jambes molles, elle s'accrocha à lui tandis qu'il la guidait à travers la pelouse parsemée de pâquerettes.
— Annule, suggéra-t-il.
— Pas question ! Je veux lui dire ce que je pense de lui. Il ne s'en tirera pas comme ça.
Florence sourit avec ravissement.
— Chérie, te voilà enfin de retour parmi les vivants, dit-elle en tapotant le bras de Miranda. Tu te sens mieux ?
— Oh, oui, je tiens la forme ! répondit la jeune fille en s'écroulant dans un fauteuil en fer forgé. Il me reste deux heures pour méditer ma vengeance. Si ma tête ne me faisait pas aussi mal, je rafraîchirais mes notions de kung-fu.
— Nous avons réfléchi à la meilleure façon de vous venger, déclara Danny en s'asseyant. Chloé aimerait que tu la laisses ouvrir la porte.
— Comme dans un film d'horreur dont j'ai oublié le nom, précisa celle-ci. Je dirais : « Miranda ?

Miranda comment ? Je regrette, il n'y a personne de ce nom ici. C'est ma maison. »

— *Hantise* ! s'écria Florence en tapant des mains. Charles Boyer et Ingrid Bergman. Un film excellent.

— Qui vous a coupé les cheveux ? demanda soudain Miranda.

— Chérie, quelle question ! Toi, bien sûr, juste avant de tomber dans les pommes.

— Quoi ? C'est moi, vraiment ?

Florence rugit de rire.

— Alors que tu étais dans le trente-sixième dessous ? Tu me prends pour une folle ? C'est Fenn qui s'en est chargé.

Miranda se souvint vaguement d'avoir vu son patron manier ses ciseaux. Elle avait dû s'évanouir avant la fin.

— Ça vous va très bien.

Florence se rengorgea.

— Mais nous ne sommes pas sûrs que Greg se croira atteint de démence, reprit Chloé. Aussi Danny a-t-il eu une autre idée...

— Écoutez, vous ne trouvez pas que vous exagérez un peu ?

Un silence étonné se fit, et toutes les têtes se tournèrent vers Beverly.

— Ne me regardez pas comme ça, protesta-t-elle. Je pense seulement que ce n'est pas très honnête. Vous vous liguez contre lui parce qu'il n'a pas dit à Miranda qu'il était marié, mais elle m'a bien caché qu'elle sortait avec lui, non ?

Miranda écarquilla les yeux. Beverly était-elle en train de prendre la défense de ce fumier ?

— C'est parce que je ne voulais pas te faire de peine !

— Peut-être que lui aussi ne voulait pas te faire de peine.

— Il m'a demandé d'emménager chez lui. Tu ne crois pas que c'était le moment de courir le risque de me faire de la peine ?

— Ne crie pas ! Je disais seulement que tu l'aimais beaucoup. Jusqu'à ce matin, tu étais prête à vivre avec lui !

— Et ?

— À mon avis, tu devrais lui laisser une dernière chance de te mettre au courant, c'est tout. Il est peut-être en train de rassembler tout son courage pour se lancer.

— Dommage que ce ne soit pas du haut d'un immeuble de vingt étages, murmura Danny.

32

La dernière fois que Miranda avait joué la comédie, c'était à l'école, dans le rôle d'un animal fabuleux dont elle incarnait l'arrière-train, tandis qu'une camarade faisait la partie avant. Ce jour-là, elle avait marché sur sa queue et basculé de la scène aux pieds des spectateurs hilares.

À présent, elle découvrait que jouer à être normale était bien plus difficile que prétendre n'être qu'une croupe et deux pattes arrière.

— Je n'en reviens pas ! Tout s'est très bien passé. Que c'est bête ! J'aurais dû le lui dire dès le début. Beverly est intelligente, elle a parfaitement compris...

— Tant mieux, répondit Greg. Mais tu as à peine mangé...

— Pardon, fit Miranda en picorant sans entrain son crabe farci. Finalement, dans la vie, la franchise, il n'y a que ça de vrai. Toutes ces cachotteries pour rien ! Pourquoi ne lui ai-je pas tout avoué plus tôt ?

Greg lui ôta gentiment la fourchette des mains.

— Si tu n'as pas faim, laisse. Ça ne me vexera pas. Je suis très content que tu aies réglé ton problème avec Beverly, mais est-ce qu'on pourrait parler d'autre chose, maintenant ? De nous, par exemple ?

Le regard ardent, il étreignit les doigts de Miranda.

Elle avait l'impression de se retrouver dans le film *Les Femmes de Stepford*, lorsque l'héroïne découvrait que toutes les autres femmes étaient des robots. Elle était là, avec Greg, mais il n'était plus son Greg. C'était le mari de Chloé, l'homme qui l'avait abandonnée dès qu'elle lui avait annoncé qu'elle était enceinte.

— Nous ?

— Je veux vivre avec toi. Dis-moi quand tu vas t'installer chez moi.

En dépit de tout, Miranda sentit sa gorge se serrer. En apparence, c'était le même Greg. Un beau garçon, amoureux d'elle. Non, ce n'était pas agréable d'apprendre que l'homme de votre vie, celui qui avait enfin surgi du néant, n'était qu'un sale tricheur.

— Il faut qu'il y ait entre nous une confiance absolue, décréta-t-elle. Aucun secret. S'il en existe, mettons cartes sur table tout de suite.

Greg sourit. Malgré son teint pâle, il la trouvait plus belle que jamais. Ses grands yeux noirs brillaient d'émotion. Sa robe la moulait comme une seconde peau, et il émanait d'elle un parfum enivrant.

Et elle était sienne, entièrement sienne.

Pas question qu'il lui parle de Chloé.

—Je n'ai qu'un secret, et il ne peut s'exprimer, dit-il. C'est combien je t'aime. Les mots sont incapables de décrire ce que j'éprouve.

Touché par les larmes qui luisaient dans ses yeux, il lui prit les doigts et les porta à ses lèvres. De sa main libre, il sortit de sa poche un petit écrin.

—C'est pour moi ? bredouilla-t-elle.

—Non, c'est pour la serveuse, là-bas, celle qui a une perruque orange.

Miranda lutta gauchement avec le couvercle, paniquée. « Oh mon Dieu, ça, ce n'était pas prévu... Je vous en prie, faites que ce soit des boucles d'oreilles. »

Le couvercle céda.

Ce n'étaient pas des boucles d'oreilles.

C'était une bague.

Cinq minuscules brillants et une pierre verte imitant l'émeraude scintillaient, enchâssés dans une horrible monture en plaqué or.

Catastrophe !

—Si elle est trop grande, ne t'inquiète pas, dit Greg. Je la ferai modifier.

En réalité, elle était sûrement trop grande, vu qu'il l'avait achetée pour quelqu'un d'autre. Sous prétexte qu'elle n'allait pas avec son alliance, Chloé avait cessé de la porter au bout de deux mois de mariage. Il l'avait retrouvée au fond de la boîte où il gardait ses boutons de manchette, délaissée comme un jouet mis au rebut par un enfant gâté. Une bonne bague comme ça, ç'aurait été dommage de ne pas s'en servir, avait-il pensé. Contrairement à Chloé, Miranda apprécierait son goût.

Et où était le mal ? Être économe n'était pas un défaut.

—Je ne sais que dire. C'est... stupéfiant, fit Miranda.

Le lecteur de CD était posé sur le rebord de la fenêtre de la cuisine, et Frank Sinatra donnait la sérénade au petit groupe bruyant rassemblé sous l'arbre. L'orage n'ayant finalement pas éclaté, l'air nocturne était lourd de chaleur et d'humidité.

— Je ne m'attendais pas à vous trouver encore là, dit Miranda. Aucun de vous n'a de maison où rentrer ?

Elle faillit trébucher sur un tas de bouteilles vides.

— Chérie, c'est ton anniversaire ! s'écria Florence d'une voix surexcitée.

Visiblement, la vieille dame avait elle aussi abusé du champagne. D'un geste impérieux, elle ordonna à Fenn et à Chloé de faire une place pour Miranda.

— Nous sommes sur des charbons ardents ! Raconte-nous vite comment ça s'est passé. Enfin, vu qu'il n'est que 22 heures et que tu es déjà de retour, je crois que je devine un peu…

— Je lui ai fourni un million d'occasions d'avouer, et il n'en a saisi aucune.

— Alors, il n'y a plus de doute, commenta Beverly. Quel fumier, ce type !

— J'aurais pu te le dire il y a des semaines, remarqua Chloé, d'un ton plus amusé qu'attristé.

— Est-ce qu'il sait que tu sais ? demanda Danny, les yeux mi-clos pour se protéger de la fumée des bougies.

Pour qui se prenait-il ? Le grand patron des Services secrets ?

Miranda s'inclina.

— Non, chef. J'ai suivi vos instructions à la lettre, chef. Motus et bouche cousue, chef.

— Eh bien, ça, c'est une première, murmura Fenn.

— Ça ne l'a pas étonné que tu ne veuilles pas aller chez lui ? demanda Beverly.

— J'ai dit que je ne me sentais pas bien. Je lui ai promis que nous nous verrions demain, quand ma gueule de bois serait passée.

Miranda attrapa un verre à moitié plein de vin blanc et avala une gorgée, à titre d'essai. Correct. Elle était peut-être prête à recommencer.

— Ah... *Strangers in the night*, soupira Florence, comme les notes familières leur parvenaient de la fenêtre de la cuisine. Je dansais sur cet air au *Café de Paris*... da da da da da... Dis donc, reprit-elle en pointant sa cigarette sur Miranda, tu ne nous as pas encore montré ce qu'il t'a offert pour ton anniversaire.

— Je crois que j'ai deviné, intervint Fenn, qui avait remarqué l'éclat des brillants avant tout le monde.

« Seigneur, on a beau savoir qu'un type est une ordure, ça n'empêche pas les regrets », songea Miranda, tandis qu'elle agitait les doigts.

Florence et Beverly s'emparèrent en même temps de sa main.

— Aïe ! Doucement.

— C'est une bague de fiançailles ! s'exclama Beverly.

— Elle est minuscule ! jubila Florence.

L'estomac de Miranda se noua. Des sentiments contradictoires se livraient bataille en elle. Même si Greg était un menteur et un tricheur, elle trouvait cruel de se moquer d'une bague de fiançailles. Bon, d'accord, elle n'avait pas dû coûter une fortune, mais c'était l'intention qui comptait, non ? Greg s'était donné le mal d'aller chez un bijoutier et de choisir ce modèle-là parce qu'il pensait qu'il lui plairait...

De l'autre côté de la table, quelqu'un s'éclaircit la gorge. Miranda leva les yeux.

— En fait, c'est ma bague de fiançailles, déclara Chloé.

À minuit, Fenn se leva.

— Beverly, tu es prête ? Je vais te raccompagner.

— Je fais un petit tour aux toilettes et je te rejoins, répondit-elle en se lançant bravement dans la traversée de la pelouse, juchée sur ses talons hauts.

Danny et Miranda, absorbés dans leur conversation, remarquèrent à peine son départ.

— On vous laisse, intervint Chloé. Pour moi aussi, l'heure du coucher a sonné depuis longtemps, ajouta-t-elle à l'intention de Fenn.

Ils attendirent Beverly devant la porte d'entrée.

— Dites à Miranda qu'elle n'est pas obligée de venir travailler avant 10 heures.

— J'aimerais bien que mon patron me dise des choses aussi gentilles, fit Chloé.

— Je ne suis pas toujours gentil. Il m'arrive même d'être terrifiant.

— Je sais. Miranda m'en a parlé.

— Mais je ne suis pas non plus un ogre. Elle a eu une sale journée.

— Oui, c'est sûr.

Chloé ouvrit la porte. Dans la lumière orangée du réverbère, ses cheveux prirent une teinte chaude et dorée.

— Vous aussi, ajouta timidement Fenn. Vous vous sentez bien ?

Des bruits d'eau au premier étage annoncèrent le retour de Beverly.

— Oui. Mieux que je ne l'aurais cru, pour être honnête. Cela m'aide de constater que je ne suis pas la seule que Greg traite aussi mal. Pauvre Miranda...

Sa réaction surprit Fenn. Elle plaignait plus Miranda qu'elle-même. Après les jérémiades de ses clientes égocentriques, la générosité de Chloé était comme une bouffée d'air frais.

— Je suis prête, lança Beverly, dont les hauts talons claquaient dans l'escalier. Au revoir, Chloé.

Elle l'embrassa au passage.

Fenn l'imita.

— Au revoir. Prenez soin de vous.

Le sourire de Chloé creusa des fossettes dans ses joues.

— Ne vous inquiétez pas pour moi. Je vais bien, vous savez. En plus, je détestais cette bague de fiançailles.

Fenn rit doucement.

— D'accord. À bientôt.

— Entendu, répondit-elle, avec un sourire malicieux qui fit réapparaître les fossettes. On se reverra au mariage.

33

Le lundi matin, une voix clairement audible s'élevait au-dessus du brouhaha qui régnait dans le salon de coiffure. Eleanor Slater, un ancien député doté d'un ego démesuré, veillait à ce que chacun soit conscient de sa présence. Les dernières élections l'ayant privée de son siège, elle s'était lancée dans une nouvelle carrière de journaliste à la radio. On la redoutait pour ses interviews, qui mêlaient habilement cruauté et flatterie. Rien ne l'arrêtait. Elle excellait à provoquer les gens, à les faire rougir sur une question personnelle ou délicate, pour railler ensuite leur pruderie.

Miranda, qui l'avait en horreur, attendait qu'Eleanor ait fini de claironner ses instructions dans son dictaphone.

— ... et confirme l'interview de Terry pour demain matin. S'il est pressé, je la ferai dans sa voiture, entre deux rendez-vous.

Laissant la cassette tourner, l'ex-député adressa un sourire coquin à l'image de Fenn dans le miroir.

— Ce ne serait pas notre premier tête-à-tête, mais n'en parlez pas à sa raseuse de femme... Est-ce que je peux t'aider, ma petite ? ajouta-t-elle à l'adresse de Miranda. Tu voulais me dire quelque chose ou bien tu as oublié ce que tu étais censée faire ?

Quelle vieille vache condescendante !

— Thé ou café ? proposa Miranda.

— Thé, trancha Eleanor. N'importe quoi, du moment que c'est à base de plantes.

La strychnine était une plante, non ? se demanda Miranda.

— Oh, et j'ai aussi besoin de protections, pour cet après-midi, reprit Eleanor en sortant un billet de dix livres de son sac. Passe à la pharmacie, s'il te plaît, et achète-moi un paquet de tu sais quoi. Enfin, deux paquets, c'est plus prudent.

Sa voix, entraînée aux diatribes de la Chambre des communes, s'entendait parfaitement, malgré la douzaine de séchoirs environnants. Miranda comprit qu'elle cherchait à l'embarrasser.

— Quel parfum ? demanda-t-elle.

Cela allait lui valoir un renvoi immédiat. Tant pis.

Lorsqu'elle osa enfin lever les yeux vers la glace,

Fenn se concentrait sur la nuque d'Eleanor en s'efforçant de retenir un fou rire.

Quand Miranda revint de la pharmacie, Eleanor avait recouvré son aplomb. Elle ouvrit l'un des deux paquets, en sortit deux préservatifs et les glissa dans la poche arrière du jean violet de Miranda.

— Tiens, ma petite. Sois prudente, sois heureuse !

Miranda reconnut le slogan lancé par le gouvernement lors de la dernière campagne de prévention contre le sida.

Heureuse ? Qu'est-ce que ce mot voulait dire ?

De toute façon, puisqu'elle avait décidé de rester célibataire, elle ne risquait plus rien.

Soudain, la porte d'entrée s'ouvrit sur Danny Delancey et Tony Vale, qui portait sa caméra sur l'épaule.

Eleanor les remarqua aussitôt.

— Où que j'aille, les caméras me poursuivent, glapit-elle, enchantée.

Faisant pivoter son fauteuil, elle jeta un regard soupçonneux à Danny.

— Je ne me rappelle pas vous avoir donné de rendez-vous, déclara-t-elle en le menaçant du doigt. Pour quelle chaîne travaillez-vous ? Qui vous a dit que j'étais là ?

— Personne. Nous ne sommes pas ici pour vous.

Rien que pour cela, et malgré sa migraine, Miranda l'aurait embrassé.

L'expression vexée de l'ancien député provoqua quelques ricanements dans le salon.

— Ils tournent un documentaire sur Miranda, expliqua Fenn à sa cliente abasourdie.

Le tournage prit moins d'une heure. Ensuite, Tony Vale chargea le matériel dans un taxi et regagna le studio, tandis que Danny emmenait Miranda au café du coin de la rue. La jeune fille commanda un chocolat chaud.

— Tu es sûre de vouloir le faire ?

Une couche épaisse de crème fouettée et un nuage de poudre chocolatée couronnaient la tasse de Miranda. Y plonger les lèvres sans se barbouiller lui parut délicat.

— Oui.

D'un doigt peu assuré, elle préleva un peu de crème mais, à mi-chemin de sa bouche, la goutte glissa et retomba dans la tasse, éclaboussant la soucoupe.

— Je peux m'occuper de l'organisation, dit Danny, mais il faut que tu sois vraiment sûre de toi.

— Je le suis.

Miranda en avait assez d'être traitée comme une grande blessée. Ses gestes étaient maladroits, certes, mais c'était dû à la gueule de bois, pas au chagrin.

— On en a assez discuté hier soir, non ? Fenn est d'accord. Chloé aussi. Et ça ne coûtera rien, puisque tu vendras...

Elle s'interrompit et, les sourcils froncés, trempa de nouveau le doigt dans la montagne de crème.

— Que se passe-t-il ? demanda-t-il.

— Il y a quelque chose que je ne comprends pas. Qu'est-ce que ça va te rapporter, à toi ?

Danny tripota son portefeuille posé sur la table. Comment répondre à cette question ? Plus exactement, comment y répondre sans se dévoiler ?

— Rien, dit-il enfin. Sinon que je trouve que ce type a besoin d'une bonne leçon. Vous méritez mieux, Chloé et toi.

— Chloé te plaît ? demanda brusquement Miranda, que cette question tracassait depuis plusieurs jours. Je veux dire, tu es amoureux d'elle ?

Danny retint un éclat de rire.
— Non. Bien sûr que non.
Question suivante, supplia-t-il intérieurement.
Au lieu de quoi, Miranda poussa un cri : une goutte de crème fraîche venait de s'écraser sur son tee-shirt.
— Zut alors !
Les yeux baissés sur la tache, elle sortit un mouchoir en papier de sa poche, ce qui en fit jaillir quelque chose d'autre. Un petit carré argenté atterrit aux pieds d'un homme plongé dans la lecture du *Times*.
Danny se pencha pour le ramasser, tandis que Miranda frottait énergiquement son tee-shirt.
— Oh, non, ça ne s'en va pas ! Heureusement qu'il y a des tee-shirts propres au salon.
— Euh... tu as laissé tomber ça.
Miranda releva les yeux et se mordit la lèvre. L'expression faussement désinvolte de Danny était à mourir de rire.
— Oh, merci. J'en ai toujours un sur moi, au cas où. Après tout, on ne sait jamais qui peut surgir tout à coup.
Troublé, Danny scruta son regard.
— Tu plaisantes ?
— Bien sûr que je plaisante. Ah, il ne faut pas grand-chose pour te choquer !
Avec un sourire espiègle, elle glissa l'objet en question dans le portefeuille de Danny.
— Si tu tiens à le savoir, c'est Eleanor Slater qui me l'a donné. Maintenant, c'est à toi.
— Pourquoi ?
Danny regarda son portefeuille avec horreur. Ce cadeau d'Eleanor Slater était le moyen le plus efficace de le pousser à la chasteté.

— Autant que tu le gardes, dit Miranda. Vu la façon dont ma vie est en train de tourner, je n'en aurai pas besoin avant quelques décennies.

Comme ils se levaient de table, l'attention de Miranda fut attirée par une photographie de Miles Harper dans le supplément sportif du *Times*.

— Dans la vie, il n'arrive que ce qui doit arriver. Il y a toujours quelque chose de bien à en tirer, disait Danny, sans doute à titre de consolation.

Le journal se replia, et Miles Harper disparut.

— En voilà une bêtise ! s'écria Miranda. Si je me faisais renverser par un bus, quel bien en tirerais-je ?

— D'accord, ma remarque était stupide, admit Danny en souriant. J'essayais seulement de te remonter le moral.

— Eh bien, n'essaie plus. Ce n'est pas ton fort.

L'homme qui lisait le *Times* tourna une page, et la photographie de Miles Harper réapparut.

— Qu'est-ce que tu regardes ?

— Rien.

Trop tard. Danny avait suivi son regard.

— Miles Harper ? Il s'est bien débrouillé, hier.

Absorbée par les événements de sa vie privée, Miranda avait oublié le Grand Prix du Canada.

— Il a fini à quelle place ?

— Deuxième.

— Deuxième ! C'est sensationnel !

Ses yeux s'écarquillèrent de ravissement. Si Miles avait fini deuxième, il se retrouvait à sept points seulement derrière le champion actuel !

— Et voilà, fit Danny. Je savais bien que j'arriverais à te remonter le moral.

34

— J'ai les oreillons, maugréa Miranda dans le combiné. Je ressemble à une souris boulimique.

— Les oreillons ! s'exclama Greg, horrifié. Je ne les ai jamais eus.

« Je le sais bien, crétin, ricana silencieusement Miranda. Sinon pourquoi me serais-je inventé cette maladie ? »

— Ça m'énerve, soupira-t-elle. Je ne vais pas pouvoir te voir de toute la semaine...

— Plus que ça, coupa Greg, inquiet pour certaines parties de son anatomie.

Ne disait-on pas que les oreillons risquaient de faire enfler les testicules comme des ballons de football ?

Miranda s'empressa de le rassurer.

— Non, six jours suffisent. Le médecin me l'a confirmé. Tant mieux, d'ailleurs, sinon j'aurais manqué le mariage de l'année

— Un mariage ? Qui se marie ?

— Oh, c'est formidable ! s'écria Miranda d'un ton euphorique. Tu ne devineras jamais !

— Pas ton amie Beverly, quand même ? Ne me dis pas qu'elle a fini par coincer un innocent !

— Non, fit Miranda d'un ton peiné. Oh, Greg, ne parle pas comme ça alors que nous venons tout juste de nous fiancer ! Tu as l'air tellement opposé au mariage.

— Seulement quand il s'agit de promettre amour et fidélité à Beverly. Alors, qui est-ce ?

— Fenn et Leila. Dimanche prochain, au *Salinger*, à Kensington. Tu te rends compte ? Ils ne se connaissent que depuis un mois, mais ils ne veulent pas attendre plus longtemps. N'est-ce pas l'histoire la plus romantique que tu aies jamais entendue ?

— Ton patron épouse Leila Monzani ? fit Greg, émerveillé. Où se déroule la cérémonie ?

— Dans l'hôtel même ! Et tu devrais voir la liste des invités ! s'exclama Miranda. Des célébrités qui viennent du monde entier...

— Et tu es invitée, dit Greg en s'efforçant de ne pas paraître jaloux.

Que n'aurait-il pas donné pour aller à ce mariage, pour se retrouver au coude à coude avec des stars du rock, des acteurs, des top models... enfin, à condition de grandir de quelques centimètres, vu la taille des mannequins !

Allongée sur son lit, Miranda plaqua sa main sur le combiné et murmura à l'intention de Chloé :

— Il en crève de jalousie.

Chloé articula silencieusement :

— Daisy.

— Et bien sûr, il y aura aussi Daisy Schofield, ajouta Miranda à haute voix.

Avec délices, elle imagina la tête de Greg, à l'autre bout de la ligne.

— Daisy Schofield, répéta-t-il, incapable de cacher sa déception.

C'était par trop injuste !

Miranda fit une pause.

— Comme ça, tu pourras la voir de près, déclara-t-elle enfin.

— Quoi ?

— Tu es invité aussi !

— Vraiment ? Oh, c'est... c'est sympa.

Il avait beau prendre un ton détaché, il jubilait, Miranda l'aurait juré. Pauvre abruti !

— Alors, n'oublie pas, hein ? Note-le dans ton agenda. Midi, dimanche prochain. Fais-toi beau...

Oh, ajouta-t-elle, comme si l'idée lui venait tout à coup, n'en parle à personne. C'est top secret. Fenn et Leila veulent se marier dans l'intimité, sans paparazzi.

— Oui, je comprends, affirma Greg, de sa voix d'homme digne de confiance. Je ne bavarderai pas. Euh... qui sera le témoin du marié ?

Miranda feignit de réfléchir un instant.

— Je ne me souviens pas très bien... Mick, je crois.

Mick ?

Mick !

— Mick Jagger ? demanda Greg, très impressionné.

— Oui, ou un autre Mick, je ne sais pas, répondit Miranda avec insouciance. C'est important ?

Seigneur, oui !

— Je vais m'acheter un nouveau costume, dit Greg.

— Un nouveau costume ? répéta Miranda avec une grimace à l'adresse de Chloé. Ça, c'est une idée. Écoute, je suis désolée d'insister, mais Fenn nous a rebattu les oreilles avec ça. Tu n'en parleras à personne, n'est-ce pas ?

Chloé, folle de curiosité, s'approcha du combiné.

— Je serai muet comme une tombe, entendit-elle. Chérie, tu peux me faire confiance.

Une fois le téléphone raccroché, Miranda bondit de son lit et se mit à farfouiller dans un bol en porcelaine bleue posé sur sa table de nuit.

— Qu'y a-t-il ? demanda Chloé, assise en tailleur sur le tapis.

Un petit cochon en cuivre s'envola en l'air.

— Il a dit qu'il serait muet comme une tombe, répondit Miranda en ricanant. Tu vois ? Ça existe quand même, les cochons volants.

L'animal atterrit à côté de Chloé avec un petit bruit étouffé. Elle le prit et caressa son groin retroussé.

— Où l'as-tu trouvé ? Il est super !

L'air modeste, Miranda acquiesça. Son cochon était affreux, bigleux et doté d'une patte plus courte que les autres, mais elle l'adorait.

— C'est moi qui l'ai fabriqué, il y a des années, au lycée, raconta-t-elle. Je m'étais inscrite au cours de ferronnerie parce que j'étais amoureuse d'un certain Denzil. Il disait que les filles qui faisaient de la ferronnerie étaient de chouettes nanas.

— Et tu as fini par sortir avec lui ? C'était ton premier petit ami ?

— Oui. Et ça a complètement changé la vie de Denzil. Il lui a suffi d'un rendez-vous avec moi pour découvrir qu'il préférait les garçons. Pour couronner le tout, il s'est fait renvoyer l'année suivante pour avoir séduit le professeur de ferronnerie... Qu'ajouter d'autre ? reprit-elle avec un haussement d'épaules. C'est l'histoire de ma vie. Je n'ai jamais eu de chance avec les hommes.

— Crois-moi, tu n'es pas la seule, répliqua Chloé en se redressant.

Elle souleva son pull vert et attrapa un coussin.

— Qu'est-ce que tu fabriques ?

— Dimanche prochain, il faut que je sois très, très grosse.

Après avoir glissé le coussin sous son pull, elle s'examina dans la glace.

— Je ne sais pas, fit Miranda d'un ton sceptique.

— C'est trop ?

— Tu as l'air enceinte de quinze mois.

Le plus étrange, c'était que cela lui allait bien. Mais quand on avait des cheveux blonds, un teint sans défaut et des yeux bleus comme la mer, on pouvait faire à peu près n'importe quoi, y compris se fourrer un coussin de la taille d'un canapé sur le ventre.

Chloé se trouvait affreuse, bien sûr, mais quoi de plus normal, pour une femme qui prenait du poids ? En outre, le départ de Greg lui avait ôté toute confiance en elle.

— C'est mieux, approuva Miranda, lorsqu'une chemise roulée en boule eut remplacé le coussin. Quoique ces pointes de col qui dépassent ne soient guère convaincantes. On dirait que tu vas donner le jour à un être aux oreilles pointues. Un petit cochon ?

Chloé retira la chemise et la remit sur la pile de linge à repasser.

— J'ai hâte d'être à dimanche prochain. J'espère que Greg s'achètera un costume hors de prix... Tout se passera bien, n'est-ce pas ?

— Bien sûr, fit Miranda, qui jubilait d'avance. Sauf si Greg attrape les oreillons d'ici là.

— Allô ? Je suis bien chez la reine des danseuses ?

Florence était en train de s'échiner sur les mots croisés du *Telegraph*. Au son de la voix de Tom Barrett, son visage s'éclaira.

— Tom, espèce de vieux coquin ! Tu m'appelles pour m'annoncer la date de ton mariage ? Attends, tu vas d'abord m'aider, je n'arrive pas à terminer ces fichus mots croisés. Je te lis une définition...

— Écoute plutôt celle-ci : « Vieil homme abandonné par une gamine à peine nubile... »

— Oh, Tom, non ! s'exclama Florence. Ne me dis pas que Maria t'a plaqué !

Sa consternation le fit rire.

— En fait, nous nous sommes plaqués mutuellement. Maria est une fille charmante, très séduisante, mais j'ai fini par m'ennuyer avec elle. Elle n'aimait qu'une chose, regarder les séries télévisées. Son anglais teinté d'accent australien me hérissait le poil. Oh, je me suis bien amusé tant que ça a duré, mais ce n'était pas de l'amour. Elle est partie la semaine dernière. Tu ne peux pas savoir comme je me sens soulagé !

Florence se rasséréna. Tom ne semblait pas avoir le cœur brisé.

— Elle est retournée en Thaïlande ?

— Mon Dieu, non ! Elle s'est installée chez le voisin d'en face, répondit Tom en rugissant de rire. C'est très pratique. Elle m'apporte tous les soirs un repas chaud et, si j'ai mal au dos, elle me masse.

— Tu ne trouves pas que vous en faites un peu trop, question rapports de bon voisinage ?

— Il n'y a aucune rancœur entre nous, déclara Tom d'un ton enjoué. Ça n'a pas marché, c'est tout. Et rassure-toi, je ne passe pas mon temps à me tourner les pouces. Je joue au golf et j'ai rejoint une troupe de théâtre. Très amusant.

Louisa et lui avaient toujours aimé jouer en amateurs, se rappela Florence. Le théâtre avait été leur grande passion, mais Tom y avait renoncé après la mort de sa femme.

— Je n'ai pas oublié la représentation de *My fair lady* que vous aviez donnée à Malte, dit-elle, tandis qu'une idée germait dans sa tête. Tu étais un excellent professeur Higgins.

— Et Louisa une excellente Eliza, ajouta Tom d'une voix émue. Mais il y a une autre chose que je n'ai pas oubliée au sujet de ce spectacle... Tu t'étais endormie, acheva-t-il d'un ton sévère.

— Tout ça, c'est du passé, répliqua Florence. Que fais-tu dimanche prochain ?

— Je n'ai encore rien prévu. Pourquoi ?

— Eh bien, nous montons une pièce.

Tel un nabab du cinéma, Florence alluma une cigarette et souffla un rond de fumée. Dommage qu'elle n'ait pas eu de cigare sous la main, songea-t-elle.

— Tu serais parfait pour le rôle que j'ai en tête, poursuivit-elle entre deux bouffées. Et je promets de ne pas m'endormir, cette fois.

35

— Tu as été invité au mariage de Leila Monzani ? s'écria Adrian, abasourdi.

— Chut, murmura Greg, bien que le pub fût presque désert.

Il tenta vainement de réprimer un sourire de satisfaction. Garder la nouvelle secrète était au-dessus de ses forces. Évidemment, il n'allait pas la répandre dans toute la ville. Mais Adrian était son meilleur ami. À quoi bon avoir un ami si on ne pouvait lui confier ce genre de chose ?

Adrian émit un sifflement admiratif.

— Tu te hisses dans les hautes sphères de la société, espèce de veinard. Qui sera là ?

L'air triomphant, Greg énuméra les noms que lui avait communiqués Miranda.

— Mince alors ! Tu vas te retrouver dans *Hello !*

— Ça m'étonnerait. Il n'y aura pas de journalistes.

— Tu veux dire que personne n'est au courant ? s'exclama Adrian. Ça pourrait te valoir une belle récompense ! Les tabloïds sont généreux pour ce genre d'information. Sais-tu pour qui travaille Bill Baxter en ce moment ? Un scoop comme celui-ci, c'est tout à fait son truc.

Bill Baxter était un camarade de lycée avec lequel ils prenaient un verre de temps à autre. Greg fronça les sourcils.

— Ils refusent qu'il y ait des paparazzi.

— Voyons ! Un seul photographe, ce n'est pas terrible. Appelle Bill.

— Non. Si je faisais ça, Miranda serait folle furieuse, dit tristement Greg en se balançant sur sa chaise.

— Parfois, je ne te comprends vraiment pas ! Bill ne révélera pas ses sources, et Miranda n'a aucun moyen de savoir que tu le connais. Tu ne risques rien. Pense à l'argent que tu gagnerais...

Ils commandèrent un autre verre, et Adrian s'employa à persuader son ami.

— Elle m'interrogerait. Il faudrait que je lui mente.

— Oh, mais pour ça, tu es plutôt doué, non ? ricana Adrian.

Greg esquissa un sourire rusé. Il n'avoua pas à son ami que le numéro de téléphone de Bill Baxter se trouvait déjà dans son portefeuille. Il avait songé à l'appeler dès que Miranda avait insisté – de façon plutôt insultante, d'ailleurs – pour qu'il garde le secret. Mais, de cette façon, il avait la conscience tranquille. C'était l'idée d'Adrian, pas la sienne.

D'ailleurs, comme son ami ne cessait de le lui répéter, personne ne saurait jamais rien.

Mille livres pour un simple coup de fil.

Franchement, qui aurait pu résister à ça ?

Le dimanche matin, Miranda l'appela.

— Chéri, il vaut mieux qu'on se retrouve là-bas, dit-elle d'une voix un peu essoufflée. On a besoin de moi pour coiffer les demoiselles d'honneur. Tu peux venir tout seul, n'est-ce pas ?

Le *Salinger* était l'un des hôtels les plus sélects de Londres. N'y entrait pas qui voulait.

— Du moment qu'on ne me refoule pas à l'entrée, répondit Greg, un peu inquiet.

Les célébrités dont on reconnaissait immédiatement les visages n'auraient aucun problème, mais lui ne pourrait même pas montrer de carton d'invitation. Bill non plus, d'ailleurs.

— Ne t'inquiète pas. Les types de la sécurité te demanderont le mot de passe, expliqua Miranda. Tu leur diras que tu es venu voir monsieur O'Poil.

— O'Poil, répéta Greg en ricanant.

— Ensuite, tu devras chanter *Voici la mariée*.

— Quoi ?

— C'est un mot de passe en deux parties, précisa Miranda. Tu n'es pas obligé de le chanter en entier, seulement le début. Après, tu seras autorisé à passer.

— Mon Dieu ! soupira Greg, dont les talents de chanteur laissaient à désirer.

— Je t'ai manqué ?

— Énormément. Tu es sûre d'être guérie ?

— Tout à fait. Mon visage est redevenu normal, affirma Miranda d'une voix guillerette. Ne t'inquiète pas.

Greg sourit. Il avait réellement souffert de ne pas la voir.

— Qu'est-ce que tu portes ?

— Un soutien-gorge, une culotte, un tee-shirt gris...

— Au mariage, je voulais dire.

— Oh, une nouvelle robe. Elle te plaira ! Bon, il faut que je me dépêche. Ça va être la bousculade. À tout à l'heure au *Salinger*, d'accord ?

—Midi. Je ne serai pas en retard.
—T'as pas intérêt !
—Je t'aime, déclara Greg.
Il y eut un silence, puis Miranda répondit :
—Moi aussi, je t'aime.

—Quand les types de la sécurité t'arrêteront, tu leur diras que tu es venu voir monsieur O'Poil, expliqua Greg d'un air important.
—Compris.
—Ensuite, il faudra que tu chantes le début de *Voici la mariée*.
—C'est une blague ?
—Non.
—Je ne peux pas juste le fredonner ?
—Non !
—Foutues célébrités, grommela Bill.

—Le voilà ! s'écria Chloé, qui maintenait le rideau écarté pour observer la rue. Je vous présente Bill Baxter, un type charmant. Pendant qu'il dansait avec moi, le jour de mon mariage, il a essayé de dégrafer mon soutien-gorge et m'a proposé de passer un petit moment avec lui sur la banquette arrière de sa voiture.

Miranda jeta un coup d'œil par-dessus l'épaule de Chloé. Bill s'apprêtait à payer le taxi. Il sortit son portefeuille de sa poche intérieure, ce qui découvrit momentanément l'appareil photo caché sous sa veste. Comme il commençait à monter les marches, un autre taxi s'arrêta le long du trottoir.
—Comment savais-tu que Greg allait le prévenir ?
—Je connais Greg, répondit sèchement Chloé.

À l'instant où la portière du deuxième taxi s'ouvrait, Miranda sentit sa vue se brouiller. Une brève seconde, elle fut submergée par le chagrin. Dire qu'elle avait cru au bonheur éternel ! Comment avait-elle pu se tromper à ce point ?

« Ne t'apitoie pas sur ton sort, songea-t-elle. C'est trop tard. Sois courageuse, sois forte et souris comme une mariée... »

— Nouveau costume, constata Chloé avec satisfaction. Espérons qu'il a coûté une fortune.

Elle inspira profondément, réajusta le rembourrage qui gonflait son uniforme et poussa Miranda vers les portes de la salle de bal.

— Au boulot !

Greg avait à peine fait trois pas qu'un homme l'interceptait. Lunettes de soleil et costume mal coupé... Visiblement, c'était un membre du service de sécurité.

— Que puis-je pour vous, monsieur ?

— Je suis venu voir monsieur O'Poil.

Impassible, l'homme attendit.

— Euh... voici venir la mariée... entonna Greg d'une voix tremblante, toute... vêtue de blan... anc...

Le mot « blanc » sonna tout à fait faux, mais l'homme aux lunettes de soleil ne se permit pas de sourire.

— Traversez le vestibule, montez l'escalier et tournez à droite. La salle de bal sera juste devant vous.

Le complet noir du vigile était décidément trop étroit pour lui. Tout en redressant les épaules, Greg se demanda si ce pauvre type savait quel plaisir on éprouvait à porter un costume à mille livres.

Il vérifia ses boutons de manchette, puis jeta un coup d'œil à sa montre. 11 h 55.

C'était le moment.

Dès que Greg eut disparu, Tony Vale ôta ses lunettes de soleil. Après avoir éteint la caméra cachée dans le bouquet de fleurs disposé à côté de lui, il se rua dans l'escalier. Il ne voulait surtout pas manquer la suite de l'histoire.

Tel un futur père rongé d'anxiété, Fenn Lomax marchait de long en large devant les portes fermées de la salle de bal.

— Bonjour. Je suis Greg Malone, le fiancé de Miranda. Félicitations.

Greg tendit une main moite d'excitation, tout en se demandant combien Fenn avait payé son costume.

— Je suis content de faire enfin votre connaissance, déclara Fenn en lui serrant la main. C'est à moi de vous féliciter.

— Tout le monde est là ? s'enquit Greg en désignant les portes.

— Oui. Sauf la mariée, bien sûr. Eh bien, allons-y.

Durant les premières secondes, tandis que les lourdes portes se refermaient derrière lui et que Fenn l'entraînait dans l'allée centrale, Greg se dit qu'il avait dû se tromper de pièce.

Impossible, songea-t-il aussitôt. Fenn était là, n'est-ce pas ? Mais alors, où étaient passées les célébrités ?

Ni Kylie Minogue ni Daisy Schofield n'étaient là. Aucune star de la scène ou de l'écran... Pas de Mick non plus.

Bizarrement, Fenn ne semblait pas s'en inquiéter. Lorsque Greg reconnut Leila Monzani, assise au deuxième rang, il n'en crut pas ses yeux. Avec sa robe rose vif et ses Doc Marten's, elle n'avait pas du tout l'allure d'une mariée.

Et là-bas, dans le fauteuil roulant, n'était-ce pas cette vieille sorcière de Florence ?

Son ahurissement monta d'un cran. Balayant l'assemblée du regard, il repéra Beverly sous un chapeau grand comme une table de cuisine, puis Bill, qui avait l'air aussi stupéfait que lui, et Daniel Delancey dans le fond de la pièce. La douzaine d'autres invités lui était parfaitement inconnue.

Seigneur, où était donc Miranda ?

— Par ici, s'il vous plaît, dit le pasteur en faisant signe à Greg et à Fenn d'approcher.

— Ça ne vous ennuie pas ? murmura Fenn.

En plein brouillard, Greg secoua la tête. Le Mick, quel qu'il soit, avait manifestement laissé tomber Fenn, qui avait besoin d'un témoin. Bon sang, à quoi pensait Leila Monzani ? Se marier en Doc Marten's !

Il sursauta. *La Marche nuptiale* jaillissait de haut-parleurs invisibles. Soudain, il entendit les portes s'ouvrir et se retourna.

Miranda, vêtue d'une grande robe blanche, se tenait sur le seuil.

Ses yeux noirs brillaient sous le voile. Avec un grand sourire, elle remonta l'allée.

La musique s'arrêta.

Les bras tendus en avant, Miranda se jeta sur lui en criant :

— Surprise !

Un ruisseau glacial parcourut les veines de Greg. Des rires et des applaudissements retentirent autour d'eux. Il sentit son cœur battre comme un tambour dans sa poitrine. Un cauchemar !

— Je ne... je ne comprends pas, bredouilla-t-il, au bord de l'asphyxie.

Il comprenait fort bien, hélas, mais essayait désespérément de gagner du temps.

— Je t'aime, tu m'aimes, dit Miranda, les joues rouges de plaisir. C'est ce que nous voulons tous les deux, alors pourquoi attendre ? Oh, chéri, nous allons nous marier... aujourd'hui ! Ici, maintenant !

Greg ne parvenait pas à la regarder en face. Mais où qu'il posât les yeux, il tombait sur quelque chose d'épouvantable... Le sourire bienveillant du pasteur... Daniel Delancey filmant la scène... Fenn Lomax sortant deux alliances de sa poche...

Existait-il une expérience plus atroce que celle-ci ?

— Chéri, tu trembles comme une feuille ! s'écria Miranda en prenant ses mains dans les siennes. Ne t'inquiète pas, j'ai pensé à tout... Je t'ai piqué ton acte de naissance la semaine dernière, ajouta-t-elle triomphalement.

Le pire, c'était qu'il l'aurait volontiers épousée. Mais quelle sanction encourait un bigame ? Il avait beau aimer Miranda, passer des années en prison ne le tentait pas du tout.

— Un peu de silence, s'il vous plaît, demanda le pasteur en levant les mains pour calmer l'assistance. Si vous êtes prêt, commençons, dit-il à l'adresse de Greg.

La bouche de Greg s'ouvrit et se referma comme celle d'un poisson. Aucun mot n'en sortit. Il eut la brève tentation de feindre un évanouissement.

— Vous êtes d'accord, j'imagine, pour que la cérémonie commence ? insista le pasteur en haussant ses sourcils broussailleux.

Greg le fixa avec horreur.

— Chéri ? fit Miranda. Réponds quelque chose. Tu ne vas pas me laisser tomber, quand même ?

Seigneur, comment une chose pareille avait-elle pu se produire ? Comment avouer la vérité ?

La lèvre inférieure de Miranda se mit à frémir.

— Greg ? Qu'y a-t-il ? Tu ne veux pas m'épouser ?

Elle ne le lui pardonnerait jamais. Jamais.

— Eh bien, Greg ? lança la voix sonore de Florence. Allons-y. Plus vite ce mariage sera célébré, plus vite nous pourrons prendre un verre.

Un verre ? Il aurait donné tout ce qu'il possédait pour un verre bien tassé... ou plutôt, pour que la foudre transperce le plafond et tombe sur Florence, cette vieille buse qui se mêlait de ce qui ne la regardait pas.

Ou pour que la foudre le terrasse, lui, se dit-il, au comble du désespoir.

Il pointa un index tremblant vers Daniel Delancey, qui continuait à filmer.

— Arrêtez, coassa-t-il. S'il vous plaît.

— Pourquoi ? protesta Danny d'un ton surpris. C'est le plus beau jour de la vie de Miranda.

— Je commence à en douter, intervint la jeune fille, qui ne souriait plus. Est-ce que c'est vraiment le plus beau jour de ma vie, Greg ?

Soudain, toutes les têtes se tournèrent vers les doubles portes, qui s'ouvraient à nouveau. Avide d'une diversion, n'importe laquelle, Greg les imita.

Une serveuse, vêtue d'une robe noire et d'un tablier blanc, franchissait le seuil à reculons. Maintenant un plateau chargé de verres contre son ventre énorme, elle pivota sur elle-même et examina l'assemblée.

— Oh, pardon ! Je croyais que vous aviez fini. On m'avait dit que...

Apercevant Greg, elle s'interrompit.

Pétrifié, celui-ci l'observait fixement.

— Que se passe-t-il ici ? demanda Chloé, dont le regard allait du pasteur à Miranda et de Miranda à Greg. Voyons, vous ne pouvez pas épouser cet homme.

Les jambes de Greg furent prises de tremblements incoercibles. Désormais, son seul espoir fut de ne pas mouiller son pantalon.

Les yeux de Miranda s'écarquillèrent comme des soucoupes.

— Et pourquoi, s'il vous plaît ? s'exclama-t-elle d'un ton indigné.

Chloé posa prudemment son plateau sur une table et lissa son tablier sur son ventre. Seigneur, se demanda Greg avec horreur, comment avait-elle pu grossir aussi vite ?

— Parce que je suis sa femme, répondit-elle calmement.

36

— Qu'est-ce que c'est que cette histoire de fous ? s'écria Bill, après que Greg fut sorti en courant sous les rugissements de rire.

Il donna un coup de coude à la grande fille à côté de lui.

— Hein ? Qu'est-ce qui se passe ?

Beverly, hilare, s'essuya les yeux avec un mouchoir.

— C'est vous, le journaliste, rétorqua-t-elle. Vous ne devinez pas ?

Chloé, la femme de Greg, étreignait la prétendue jeune mariée. La vieille bonne femme au fauteuil roulant, affublée du col du pasteur, encourageait celui-ci, qui essayait de déboucher une bouteille de champagne. Comme sa voisine se levait pour les rejoindre, Bill la suivit.

Avec un cri de joie, Miranda jeta son bouquet à Beverly, qui s'en empara sans réfléchir. Puis, horrifiée, elle le lâcha d'un geste dégoûté.

— Ce n'est pas juste, gémit-elle. Tu ne t'es pas mariée ! Tu m'as sûrement porté malheur pour un millier d'années.

— Je suis presque mariée, répliqua Miranda. Pendant quelques secondes, j'ai bien cru qu'il allait le faire.

Son bonnet de serveuse posé de guingois sur sa tête, Chloé salua Bill Baxter avec enjouement.

— Salut, Bill. Je suis désolée pour ton scoop. J'espère que tu n'as pas payé Greg d'avance.

Bill sourit. Il avait toujours eu un faible pour Chloé. Maintenant qu'il la savait aussi farceuse, elle lui plaisait encore plus.

— Tu as monté cette histoire de toutes pièces ?

— C'est un travail de groupe.

— Un sacré travail, renchérit-il.

— Ça en valait le coup, dit-elle en riant.

Admiratif, Bill secoua la tête. Greg ne se remettrait jamais de cette humiliation en public.

— S'il avait donné le feu vert pour que la cérémonie commence, qu'aurais-tu fait ?

— J'attendais le moment crucial pour apparaître.

Tom Barrett, le faux pasteur, leur tendit deux coupes de champagne.

— C'est dommage qu'il se soit dégonflé, d'ailleurs. Moi aussi, j'attendais ce moment avec impatience.

Il s'éclaircit la gorge et entonna d'une voix solennelle :

— Si quelqu'un connaît une raison s'opposant à l'union de cet homme et de cette femme par le sacrement du mariage, qu'il le dise maintenant…

Il marqua une pause, et Chloé feignit de pousser les portes en tenant un plateau.

— C'est là que j'aurais fait irruption.

— Il est merveilleux en ecclésiastique, non ? intervint Florence. De plus, ajouta-t-elle en tirant sur la manche noire de la soutane, cette tenue te va très bien, Tom. J'ai toujours eu un faible pour les hommes en uniforme.

Bill se demanda quelle serait la réaction de son patron lorsqu'il reviendrait au bureau sans le reportage promis. Tant pis ! Il vida sa coupe de champagne. Quelques verres gratuits, ça ne se refusait pas.

— Qui va payer l'addition de cette petite fête ? s'enquit-il, en tendant sa coupe pour qu'on la lui remplisse.

— Greg, répondit Miranda. Enfin, malgré lui.

— C'est-à-dire ?

Elle lui montra Danny, qui rangeait sa caméra dans son étui.

— Nous avons tout filmé. Il doit y avoir une nouvelle émission à la télévision, cet automne. Ça s'appelle *Douce vengeance*. Les gens envoient des cassettes vidéo qu'ils ont faites eux-mêmes et reçoivent cinq mille livres en échange…

— Je sais, j'en ai entendu parler. C'est formidable ! s'écria Bill en éclatant de rire. J'espère que vous n'avez pas oublié d'ôter le bouchon de l'objectif, ajouta-t-il à l'adresse de Danny.

Les invités se rendirent dans le jardin situé derrière l'hôtel. Sous les yeux choqués et incrédules d'un couple âgé, Miranda s'arrêta en haut des marches et se débarrassa de sa robe de mariée. Vêtue d'un tee-shirt jaune et d'une minijupe mauve, elle rejoignit Bill, qui pataugeait dans le bassin.

Fenn scruta le jardin pour repérer Chloé. La jeune femme était assise sur un banc et dévorait une assiette de beignets de poulet.

— Vous aussi, vous vous êtes changée ? dit-il en s'installant à côté d'elle. Pas en public, en tout cas.

L'uniforme de serveuse avait été remplacé par une longue robe en coton couleur cannelle. Les cheveux blonds de Chloé étaient dénoués et tombaient en cascade sur ses épaules.

— Ça les aurait achevés, répondit-elle en montrant du menton le couple âgé, toujours cloué sur place.

Elle n'avait exposé son corps peu séduisant qu'aux murs aveugles des toilettes.

— Jolie couleur, fit Fenn. Elle vous va bien.

C'était une vieille robe. Touchée par le compliment, Chloé tenta de cacher les raccommodages.

— Je ne peux pas m'empêcher de manger, dit-elle en examinant tristement son ventre. C'est effrayant d'avoir l'appétit d'un pilier de rugby et la forme d'un ballon.

Fenn, lui, ne trouvait pas cela effrayant. Après des années passées en compagnie de mannequins aux régimes plus stricts les uns que les autres, il appréciait de voir une fille manger avec appétit. Il aimait l'enthousiasme avec lequel Chloé engloutissait les morceaux de poulet et se léchait les doigts. C'était comme ça qu'on devait manger, après tout. Avec plaisir.

La semaine précédente, il avait coupé les cheveux d'une gamine de seize ans aux genoux cagneux, qui fumait cigarette sur cigarette. Elle lui avait été envoyée par une agence de mannequins impitoyable sur le chapitre de la minceur. La voyant lire avec soin le petit texte écrit sur son paquet de cigarettes, il avait déclaré :

— C'est dangereux pour la santé.

— Oh, ça, je m'en fiche, avait répondu la fille. Je vérifiais juste qu'il n'y avait pas de calories.

— Voici Leila, annonça Chloé. La pauvre ! Elle a l'air d'être en plein décalage horaire.

En son for intérieur, Fenn estima que Leila, avec sa robe fluorescente, présentait de fortes ressemblances avec la Panthère Rose. Quant au décalage horaire... impossible de trancher. Les yeux mi-clos et l'expression ahurie faisaient partie de l'allure que tous les mannequins croyaient devoir afficher. C'était la mode de l'année. Il avait taquiné Leila à ce sujet, mais n'avait pas réussi à lui arracher un sourire. Elle avait beau être très belle, songea Fenn avec regret, le sens de l'humour n'était pas son point fort.

Il lui avait demandé de l'accompagner ce jour-là car, la jeune femme voyageant beaucoup, ils se voyaient peu.

Et cela n'allait pas s'arranger, conclut-il tristement, en comprenant qu'une énième relation superficielle était sur le point de mordre la poussière. Pourquoi diable s'obstinait-il à sortir avec ce genre de filles ?

Mais il savait très bien pourquoi.

Tout simplement, hélas, parce qu'elles fréquentaient le même monde que lui.

— Salut, fit Leila en se lovant entre Fenn et l'accoudoir du banc. On rentre ?

Fenn débarrassa Chloé de son assiette vide.

— J'allais lui chercher une part de gâteau à la framboise. Tu en veux aussi ?

— Non, merci, répondit Leila, l'air outré. Le mariage est fini, non ? Pourquoi on ne part pas ?

— On fait la fête.

— Je ne connais personne.

— Tu connais Miranda. Va danser avec elle dans le bassin.

« S'il te plaît, supplia-t-il en silence, éclate de rire et envoie promener tes chaussures. »

L'expression morne du beau visage de Leila frappa Chloé.

— Pour quoi faire ?

— Ça pourrait t'amuser.

Leila le regarda comme s'il était devenu fou.

— Mais je me mouillerais !

Le *Salinger* était réputé pour ses thés dansants du dimanche après-midi. À l'intérieur, un orchestre jouait des airs calmes des années 1920 et 1930, et des couples élégamment vêtus sillonnaient avec majesté le parquet ciré. Dans le jardin, Miranda dansait, avec moins de dignité, dans les bras de Tom Barrett.

— Nous faisons sursauter quelques sourcils, dit-il en désignant les fenêtres. En ce moment même, il y a des monocles qui jaillissent de leur logement.

— C'est parce que je suis habillée comme une prostituée, et vous comme un homme d'Église.

— Ma chère, tous les messieurs m'envient.

Valsant de tout son cœur, Miranda s'écria :

— Tom, vous êtes charmant ! Pourquoi est-ce que je ne peux pas rencontrer quelqu'un comme vous, mais avec quarante ans de moins ?

Tom éclata de rire.

— Pardon, marmonna Miranda. Je crois avoir répondu à ma question : je suis un désastre ambulant.

Dans sa confusion, elle recula au lieu d'avancer.

— Sans parler de mes talents de valseuse, ajouta-t-elle avec une grimace.

— Ne dites pas ça, gronda Tom. Vous n'êtes pas un désastre.
— Si.
— D'une franchise rafraîchissante, peut-être. Je ne sais pas de qui vous tenez ça, dit-il en jetant un regard amusé à Florence.
— Pauvre Florence ! J'ai honte de virevolter comme ça, alors qu'elle est coincée dans son fauteuil.
— Je ne donnerais pas cher de votre peau si elle vous entendait l'appeler « pauvre Florence ». Chère vieille Flo, c'était quelqu'un, autrefois.
— Elle l'est toujours, répliqua Miranda. Et je ne donnerais pas cher de votre peau si elle vous entendait la traiter de « chère vieille Flo » !
Il prit l'air pensif.
— Elle ne peut pas du tout se tenir debout ?
— Si, avec de l'aide.
Ils échangèrent un sourire.
— Chiche, fit Miranda.
— Pari tenu.
Florence vit avec inquiétude Tom s'approcher d'elle.
— Tu ne pars pas déjà ?
— Non. Je suis venu te demander de m'accorder la prochaine danse.
— Sûrement pas ! rétorqua Florence. Pas question que tu me lances de droite à gauche dans ce fauteuil comme un gamin ligoté dans un caddie de supermarché... Nous aurions l'air ridicules.
— Pas dans ton fauteuil. Tu peux tenir debout, Miranda me l'a dit. Et si je suis capable de porter un sac de clubs du début à la fin d'un parcours de golf, je suis sûr d'arriver à te soutenir.
— En voilà une jolie façon de présenter les choses, marmonna Florence. Ça me donne l'impression d'être un sac de navets.
Tom sourit.

— Avec des navets, ça doit être plus tranquille. Ils ne discutent pas, eux.

— Eh bien, va danser avec des navets.

Une musique entraînante s'échappa des portes-fenêtres. Agacée, Florence reconnut l'un de ses airs favoris.

— Je préférerais danser avec toi, dit Tom. De beaucoup.

— Il y a longtemps que je ne danse plus la tarentelle, protesta Florence d'un ton agressif. Je suis incapable de tournoyer.

— Tu peux traîner les pieds ?

— Oh, ça, oui.

Tom s'inclina et empoigna Florence par la taille.

— Alors, ça ira.

— Tu danses ? demanda Bill.

— Pourquoi pas ? fit Chloé en se levant. Mais si tu essaies de dégrafer mon soutien-gorge, je serai obligée de te tuer.

— Tu es enceinte, dit-il en souriant. J'ai quelques scrupules, tu sais.

— Tu as bien changé, alors.

En voyant Florence et Tom danser ensemble, Miranda s'effondra.

Elle était assise sur le rebord du bassin et battait joyeusement des pieds dans l'eau, quand une boule de la taille du rocher de Gibraltar se forma soudain dans sa gorge.

Les pieds de Tom glissaient doucement au même rythme que ceux de Florence. Il lui murmurait quelque chose qui la faisait rire. Avec sa nouvelle coupe de cheveux, son chapeau planté avec désinvolture sur la tête et sa robe en soie violette parsemée d'orchidées rouges, la vieille dame était superbe. Et elle semblait si heureuse que Miranda eut envie de pleurer.

La seconde suivante, elle s'aperçut avec horreur qu'elle pleurait bel et bien. Des larmes brûlantes coulaient sur ses joues et elle ne parvenait pas à les arrêter.

Son surplis immaculé flottant au vent, Tom Barrett dansait avec Beverly. Chloé avait cédé à l'insistance de Tony Vale et tournoyait dans ses bras. Son cavalier portait toujours son costume étriqué et ses lunettes de soleil, mais il avait ajouté à sa panoplie le chapeau orné de fleurs de Florence.

— Elle n'est pas à l'intérieur, déclara Danny. Je ne l'ai trouvée nulle part.

Fenn fronça les sourcils.

— Elle ne serait pas partie sans nous le dire, quand même. Et son sac est toujours là.

Leila, qui allumait une énième cigarette, annonça paisiblement :

— Quand je suis allée aux toilettes, tout à l'heure, il y avait quelqu'un qui pleurait dans une cabine.

— C'était Miranda ? s'écria Fenn.

— Comment le saurais-je ? Je n'ai pu voir que ses pieds. Des ongles verts avec des reflets pourpres... Complètement démodé, ajouta-t-elle dans une bouffée de fumée.

— C'étaient les orteils complètement démodés de Miranda ! répliqua Fenn, furieux. Pourquoi tu ne nous l'as pas dit ?

Leila eut l'air sidérée.

— On ne m'a rien demandé.

37

Heureusement que le couvercle des toilettes était rabattu. Sinon, en entendant les coups sur la porte, Miranda serait tombée dans la cuvette – sans toutefois lâcher la bouteille quasiment vide qu'elle pressait sur sa poitrine.

— Miranda, je sais que tu es là. Ouvre la porte.

C'était la voix de Danny. Et il parlait d'un ton autoritaire.

« Et flûte ! Il pouvait bien faire son adjudant, elle n'avait pas peur de lui, songea-t-elle en renversant la tête en arrière pour boire les dernières gouttes de vin tiède. Elle n'ouvrirait pas la porte. »

— Miranda !

— Danny ! répondit-elle en l'imitant.

— En tout cas, tu es vivante, dit-il avec un soulagement audible. Soulève le loquet. On s'inquiétait.

— Inutile de vous inquiéter pour moi.

Elle secoua la tête avec tant d'énergie qu'elle faillit basculer. Ce couvercle glissant était terriblement dangereux ! Elle aurait pu intenter un procès à l'hôtel rien que pour ça. Reprenant l'équilibre, elle jeta un regard noir à la porte.

— De toute façon, tu n'as pas le droit d'être là. Ce sont les toilettes pour dames. Tu es un homme.

— C'est sans doute la chose la plus gentille que tu m'aies jamais dite, répliqua Danny d'une voix amusée. Allons, ouvre cette porte. Sois mignonne.

— Mon Dieu, grommela Miranda, pourquoi m'embête-t-on tout le temps ? Non, je n'ouvrirai pas.

— Très bien.

Deux minutes plus tard, elle le vit sauter pardessus la cloison qui séparait les deux cabines.

— Pour qui tu te prends ? s'écria-t-elle, indignée. Superman ?

— Tu n'en as pas marre des séances de beuverie ?

Miranda tenta de bondir sur ses pieds, mais vingt minutes en tailleur avaient ankylosé ses genoux et ses chevilles. Elle dut se rattraper aux bras de Danny, comme, un peu plus tôt, Florence à ceux de Tom.

— Aïe, mes pieds...

Elle se sentit soulevée, balancée et reposée brutalement. La douleur avait cessé, mais des fourmis lui picotaient encore la plante des pieds.

Elle ouvrit prudemment les yeux et poussa un cri. Danny était assis sur le siège des toilettes, et elle sur ses genoux. Les bras autour de sa taille, il la maintenait solidement. Cette proximité inhabituelle permit à Miranda de humer son après-rasage et, surtout, de découvrir qu'il avait vraiment de jolies oreilles.

Du moins, celle qu'elle voyait. Mais l'autre ne devait pas être mal non plus, se dit-elle avec un petit gloussement.

— Qu'y a-t-il ? demanda Danny.

Mieux valait ne pas lui répondre. Il la croirait folle.

— J'ai l'impression d'être le pantin d'un ventriloque.

Danny agita les doigts.

— Regarde, sans les mains.

Il essayait de la faire rire, d'être gentil, alors qu'elle le préférait autoritaire. Comment voulez-vous vous énerver contre quelqu'un qui cherche à vous consoler ?

Durant quelques secondes atroces, elle eut peur de fondre à nouveau en larmes.

Remarquant son expression, Danny l'étreignit brièvement.

— Non, fit Miranda.

— Pleure, si tu en as envie. Il n'y a pas de honte à ça.

— Arrête. Ne sois pas gentil avec moi, supplia-t-elle, les yeux brûlants.

Il l'étreignit encore. Des tressaillements irrépressibles secouèrent les épaules de Miranda. Oh, quelle humiliation ! La vie était trop injuste.

— Tu ne pourrais pas dire quelque chose de méchant ? D'ironique ? Flanque-moi une gifle et ordonne-moi de me conduire en adulte.

En guise de réponse, Danny caressa ses cheveux hérissés. Son regard était grave. Pour la première fois, il ne la taquinait pas.

— Crétin, marmonna Miranda. Tu ne m'aides pas du tout.

Une fois commencé, le processus se révéla impossible à arrêter.

En silence, Danny lui caressa le dos, sans tenter d'interrompre ses sanglots.

Miranda eut l'impression de pleurer des heures mais, lorsque les derniers hoquets annoncèrent la fin de la crise de larmes, elle regarda sa montre et découvrit que ça n'avait pas duré si longtemps que ça. Moins de dix minutes.

Il lui avait cependant fallu un rouleau entier de papier hygiénique pour se moucher et s'essuyer la figure. Pas mal, en dix minutes.

— Ça va mieux ? demanda Danny.

Miranda hocha la tête en se mouchant une fois de plus.

— Et maintenant, je suis censée te remercier ?

— Ne te donne pas ce mal. Je suis content d'avoir servi à quelque chose.

Miranda oscilla sur les genoux de Danny. Elle se sentait au bord du vertige et éprouvait un vide étrange, comme si les larmes avaient évacué ses émotions trop longtemps retenues.

— J'ai une sale tête, non ? demanda-t-elle en se frottant le visage.

— Tu pourrais avoir meilleure mine.

— Zut, mon sac est resté dans le jardin.

Danny la fit se lever et déverrouilla la porte.

— Attends-moi ici. Je te le rapporte.

— Appelle un taxi, s'il te plaît. Il vaut mieux que je rentre tout de suite.

— Je vais te ramener.

— Excuse-moi auprès de tout le monde. Ne leur dis pas que j'ai pleuré, ajouta-t-elle avant qu'il ne s'éloigne.

— Je leur dirai que tu es ronde comme une barrique. Encore une fois.

Trouvant l'explication beaucoup moins humiliante que la vérité, Miranda acquiesça.

— Merci.

Bruce se gara près de la maison de sa mère. Il ne tenait pas particulièrement à lui rendre visite, mais comme il devait aller le lendemain à Bristol, il lui fallait déposer les clés du magasin afin que Chloé puisse ouvrir aux heures habituelles.

Personne ne répondit à son coup de sonnette. La maison était déserte. Il écrivit un mot pour Chloé et le jeta avec les clés dans la boîte aux lettres.

Il s'apprêtait à démarrer lorsqu'une BMW se glissa dans une place qu'il avait jugée trop petite, juste devant la maison. Agacé de voir ses talents de conducteur surpassés, il attendit un moment. Il désirait s'assurer qu'il ne s'agissait pas d'une femme, ce qui aurait ajouté à sa frustration.

Non. C'était le gigolo de sa mère, Orlando.

Son premier réflexe fut de se recroqueviller. Il n'avait aucune envie que Florence l'oblige à rentrer dans la maison. Assister à une autre séance de mamours entre elle et Orlando, non, merci !

Mais ce n'était pas Florence, réalisa-t-il quand un coude bronzé, le coude d'une jeune femme, apparut à la fenêtre ouverte du côté passager.

Bruce se redressa. Voilà qui était intéressant. Franchement, il n'aurait pas cru que Chloé serait assez culottée pour...

Puis le coude bougea et le bras sortit tout entier, trop mince pour être celui de Chloé. Les yeux exorbités, Bruce aperçut un assortiment vaguement familier de bracelets en argent, puis une mèche de cheveux bleus.

Ce n'était pas Chloé, mais l'autre... Comment s'appelait-elle, déjà ?

Ah, oui ! Miranda.

Quelque chose d'étrange s'était produit durant le trajet du retour. À mesure que Danny conduisait, il devenait plus séduisant.

Cela ne se limitait plus aux oreilles. À chaque coup d'œil – quand il ne la regardait pas, bien sûr – Miranda découvrait un autre trait intéressant. Un nez droit, des cils d'une longueur parfaitement indécente, des boucles qui effleuraient le col...

Le phénomène était plus qu'étrange, se dit Miranda. Il était ahurissant. Comme lorsqu'on ressort un vieux pull fripé de sa commode et qu'on constate que c'est celui dont on a toujours rêvé, d'un rose délicieux et cent pour cent cachemire.

Danny brisa ces charmantes rêveries.

— Nous y voilà.

— Tu as été très gentil. Vraiment très gentil.

— Je sais. Toi, tu es vraiment très ivre. Quand as-tu mangé quelque chose pour la dernière fois ?

Elle haussa les épaules.

— Mardi ? Je ne m'en souviens plus.

— Il faut que tu te nourrisses... Qu'y a-t-il ?

— Comment ça, qu'y a-t-il ?

— Pourquoi me regardes-tu comme ça ?

— Parce que, répliqua Miranda, dont le coude glissa brutalement du rebord de la fenêtre. Et toi, pourquoi as-tu cet air ?

— Quel air ?

— Eh bien, beau et sexy et tout ça, quoi.

La bouche de Danny esquissa justement une petite moue très sexy.

— Tu vois ? s'exclama Miranda. Voilà que tu le fais encore.

— Bon, écoute-moi, tu es...

— Je peux t'embrasser ?

Ça, ça le désorientait complètement ! Une étincelle s'alluma dans ses yeux sombres. Très sexy.

— Miranda...

Même sa façon de prononcer son prénom était sexy.

— Ou bien embrasse-moi, toi, si tu veux être celui qui domine.

— Je ne crois pas que ce soit une bonne idée.

Miranda ne prêta pas attention à ses objections. Il la contemplait avec regret, pas avec répugnance. Les regrets, ça ne comptait pas.

— J'en ai envie, déclara-t-elle en agrippant ses bras, des bras splendides, très sexy. Si tu ne veux pas commencer, c'est moi qui le ferai.

Danny ne répondit pas.

Alors, elle l'embrassa.

Bruce, qui aimait que sa voiture soit impeccable, s'était souvent énervé contre Verity, qui avait la mauvaise habitude de laisser des vêtements traîner sur la banquette arrière. Ce jour-là, cependant, il fut bien content de trouver un vieil anorak et se promit de ne plus s'emporter contre sa femme. Du moins, plus à ce sujet.

Miranda commença par rater sa cible. Perdant l'équilibre, elle buta contre la mâchoire un peu rugueuse de Danny. Sans se décourager, elle se redressa et repartit à l'assaut. Cette fois-ci, sa bouche atterrit sur celle de Danny. Soulagée, elle ferma les yeux. Bingo, elle avait réussi ! C'était bien mieux que d'être enfermés ensemble dans les toilettes, non ?

Même si son partenaire ne semblait pas se donner à fond.

Elle s'écarta brièvement et décréta :

— Sept sur dix. Peut mieux faire.

38

Du coin de l'œil, Danny aperçut un homme vêtu d'un anorak se diriger vers la boîte aux lettres plantée au bout de la rue. Malgré la chaleur de ce dimanche après-midi, il avait tiré la capuche sur sa tête. Sans doute l'un de ces écolos que l'atmosphère polluée de la ville effrayait, songea-t-il.

Danny ne l'observa pas plus longtemps. Il avait autre chose en tête. Par exemple, au bout de combien de temps pourrait-il repousser Miranda sans l'offenser ?

— C'est tout ce dont tu es capable ? disait-elle à présent, en agitant l'index à la manière d'une institutrice déçue par la médiocrité d'un devoir. Eh bien, tu es nul en baisers.

Danny ne put résister à une telle provocation. Il la prit dans ses bras et lui donna ce qu'elle voulait. Une minute plus tard, elle soupirait et frétillait contre lui.

Il s'écarta brusquement.

— Hou là là, fit Miranda, hors d'haleine. C'était mieux.

Danny accueillit le compliment avec un hochement de tête.

— Merci.

— Je t'aime.

— Miranda, tais-toi.

— Mais je t'aime !

— Mais non, voyons.

Bon sang, elle ne comprenait donc pas combien cette scène lui était pénible ?

— La maison est vide, dit-elle en tripotant la chemise de Danny, encore humide de ses larmes. On y va ?

— Pourquoi ?

Miranda roula des yeux. Comment pouvait-on être aussi stupide ?

— Pour se mettre au lit !

Non, non, supplia Danny en son for intérieur.

— Pourquoi ?

— Eh bien, pour faire l'amour, par exemple, répondit-elle en lui envoyant une bourrade coquine. Ensuite, on dor-mirait, puis on mangerait quelque chose et on recommencerait. Qu'est-ce que tu en penses ?

— Qu'est-il arrivé à ce vœu de chasteté dont tu me parlais l'autre jour ?

— J'ai complètement changé d'avis à ce sujet. C'était idiot.

Il fit non de la tête. Elle le regarda fixement.

— Allons, viens ! insista-t-elle. C'est une excellente idée. Pourquoi se priverait-on ? Arrête de secouer la tête et dis-moi pourquoi tu ne veux pas.

— Parce que tu as trop bu et que, demain, tu le regretterais amèrement, répondit-il en articulant exagérément.

— Je ne le regretterai pas, promis, gémit-elle.

— Si.

— Tu es nul au lit ? C'est ça ?

Se rappelant le brillant résultat obtenu quelques instants plus tôt à force de provocation, elle reprit :

— Pourquoi est-ce que je le regretterais, Danny ? Parce que tu ne sais pas mieux faire l'amour qu'embrasser ?

Zut, il souriait. Ça ne marchait pas.

— C'est possible, répondit-il.

— Mais je veux coucher avec toi ! cria-t-elle en tapant sur le volant.

— C'est faux. Pas avec moi, dit Danny qui, du coin de l'œil, vit l'homme à l'anorak revenir sur ses pas. En ce moment, n'importe qui ferait l'affaire. Tu essaies seulement de punir Greg de t'avoir trahie. Et de te prouver que tu l'as déjà oublié.

Aïe !

— Et alors ? Ça ne suffit pas comme motif ?

— Chérie, c'est un motif épouvantable.

— Tu n'es pas drôle, grommela-t-elle en se cramponnant à lui.

L'homme à l'anorak longeait la voiture. Au même instant, l'estomac vide de Miranda gargouilla bruyamment.

— Viens. Je vais te préparer un sandwich au bacon, déclara Danny en ouvrant la portière.

— Embrasse-moi encore une fois. Je suis très malheureuse.

Il obéit, ce qui lui donna l'occasion d'admirer avec quelle maîtrise, quasi surhumaine, il parvenait à se contrôler.

— On pourrait emporter nos sandwichs au lit, suggéra Miranda.

— Si je t'accompagne, c'est parce que j'ai peur que tu mettes le feu à la cuisine. Dès que tu auras fini de manger, je partirai.

De retour dans sa voiture, Bruce reprit sa surveillance. Les deux jeunes gens ne tardèrent pas à rentrer dans la maison vide. La tête de Miranda reposait sur l'épaule d'Orlando, qui la tenait par la taille. Pas besoin d'être Einstein pour deviner ce qui allait suivre.

Dommage qu'il n'ait pas eu de caméra sous la main. Mais le récit de ce qu'il avait vu et entendu suffirait sans doute à convaincre Florence de la félonie de son gigolo.

Bruce sourit. Tout s'arrangeait, en partie grâce à cette petite garce de Miranda.

Sans compter que celle-ci, en faisant le boulot de Chloé, lui avait permis d'économiser cinq mille livres.

Deux heures plus tard, la réception au *Salinger* touchait à sa fin.

— Fenn, fichons le camp d'ici, gémit Leila, qui mourait d'ennui.

— Et vous, y a-t-il une chance pour que vous vous décidiez à vous marier ? demanda Bill en les rejoignant.

— Aucune chance, répondit Fenn. Chloé, je te dépose ?

Surprise, Chloé leva les yeux de sa glace à la vanille.

— Non, ce n'est pas la peine. Je vais prendre le bus.

— Ne fais pas l'idiote. Viens avec nous.

— Si elle monte dans la voiture, tu m'interdiras de fumer, intervint Leila, l'air exaspéré.

— Exact, répliqua Fenn. Alors, je te propose autre chose : je raccompagne Chloé et tu prends le bus.

— J'en ai assez ! cria Leila. Tout ça parce qu'elle est enceinte ! Tu te soucies plus d'elle et de son stupide bébé que de moi.

La voyant brandir un verre, Bill sortit son appareil photo. Le vin jaillit, mais Fenn s'écarta juste à temps pour éviter d'être inondé. Bill y gagna néanmoins un cliché sensationnel.

— Bravo, dit-il en dressant le pouce à l'adresse de Fenn.

— Mon Dieu, murmura Chloé, je suis désolée. J'ai honte.

— Il ne faut pas, répondit Fenn, tandis que Leila s'éloignait à grands pas furieux. Pour moi, cette journée a été une réussite totale.

— Mais tu dois être triste, protesta Chloé.

Fenn démarra. Par égard pour sa passagère, il se retint d'enfoncer l'accélérateur.

— Est-ce que j'ai l'air triste ?

— Non, mais... Oh mon Dieu, il y a une tache de vin sur ta chemise !

La honte la submergea de nouveau. Elle était responsable de cet esclandre. Et les chemises de Fenn coûtaient sans doute plus cher qu'un week-end à Ibiza.

— Regarde là-dedans, dit Fenn en désignant la boîte à gants. Leila y a sûrement laissé une bouteille de Perrier.

En effet, constata Chloé, ainsi qu'un paquet de Kleenex. Fenn se gara devant un arrêt de bus, et elle entreprit de frotter sa chemise avec un mouchoir imprégné d'eau tiède. Elle y mit tant d'énergie que des documents tombèrent de la boîte à gants ouverte.

— La voiture est prise de soubresauts, observa-t-il en riant. Les gens vont se demander ce que nous faisons.

— Quand ils verront mes formes, ils comprendront que je suis incapable de faire quoi que ce soit. Ça ne marche pas, à propos.

— Tant pis. Ce n'est qu'une chemise.

Chloé examina l'étiquette à l'intérieur du col.

— Une chemise de chez Turnbull et Asser. Tu devrais la laisser tremper dans l'eau froide, puis... Oh, non ! Regarde tes papiers...

Se penchant avec difficulté, elle ramassa la liasse de documents et l'essuya, remarquant au passage qu'il s'agissait d'annonces immobilières aux prix exorbitants. La plupart de ces locations étaient situées à Hampstead.

— Le bail de mon appartement n'est pas renouvelé, expliqua Fenn. Il faut que je trouve autre chose.

— Hampstead, c'est merveilleux, dit Chloé.

Elle retint un cri d'admiration : une photographie montrait une villa en stuc blanc, entourée d'un vaste jardin où scintillait le carré bleu d'une piscine. Ce n'était pas le genre de maison qu'elle avait l'habitude de visiter.

— Celle-là, je la vois demain, après le travail, dit Fenn.

Chloé ouvrit la bouche et la referma aussitôt. Elle avait failli lui proposer de l'accompagner, au cas où il aurait eu besoin de l'avis de quelqu'un d'autre... Quelle prétention ! Pourquoi diable Fenn aurait-il voulu lui demander son opinion ?

Et puis, l'agent immobilier les prendrait pour un couple et cela créerait une situation embarrassante.

— Qu'y a-t-il ? fit-il en la regardant fixement.

— Rien, dit-elle en rougissant.

Il y eut un bref silence, puis Fenn reprit :

— Si tu es libre, pourquoi ne viendrais-tu pas avec moi ?

Quelle horreur ! Il avait deviné ses pensées et se sentait obligé de l'inviter. Par pure gentillesse.

— Non, merci, répondit-elle d'un ton brusque. Demain soir, je ne peux pas.

— Te voilà enfin ! dit Bruce lorsque Florence décrocha le téléphone, à 22 heures. Où diable étais-tu ?

— J'étais allée danser.

— Ah ah ah... Excellent ! s'écria-t-il, du ton condescendant qu'elle exécrait. Pas avec ton gigolo, en tout cas.

— Il s'appelle Orlando, répliqua sèchement Florence. Et ce n'est pas un gigolo. Pourquoi téléphones-tu, Bruce ? Si tu veux parler à Chloé, elle est couchée.

— Je suis passé chez toi, cet après-midi...

— Je sais. Chloé a trouvé les clés du magasin dans la boîte aux lettres.

— Maman, vas-tu cesser de m'interrompre ? C'est important. Ton très cher Orlando se moque de toi.

Un long silence suivit cette déclaration.

— Explique-toi, demanda enfin Florence.

— Orlando et Miranda. Je les ai vus devant chez toi, tout à l'heure. Dans les bras l'un de l'autre.

— Orlando et Miranda ? Ma Miranda ? Dans les bras l'un de l'autre ? C'est incroyable !

Florence semblait sincèrement stupéfaite.

— Et quand je dis « dans les bras l'un de l'autre », je n'exagère pas, reprit Bruce d'un ton moralisateur. Il ne s'agissait pas d'un petit baiser sur la joue. Non, c'était du sérieux. Et ensuite, je regrette de te le dire, maman, ils ont disparu tous les deux à l'intérieur.

— Et ensuite, ils ont disparu tous les deux à l'intérieur de la maison ? répéta Florence, afin que Tom Barrett, assis à côté d'elle, profite de la conversation. Pour faire l'amour, tu crois ?

Tom, toujours en tenue d'ecclésiastique, émit un claquement de langue désapprobateur et servit à Florence un deuxième verre de whisky.

— Je le crains, fit Bruce.

— Mais c'est fantastique ! s'écria Florence, incapable de contenir sa joie.

— Quoi ?

— Merci d'avoir appelé, mon chéri ! Tu as embelli ma journée.

Bruce bafouillait encore lorsqu'elle lui raccrocha au nez.

— Tu te rends compte ? Quel coquin, ce Danny ! Dire qu'il m'a raconté que Miranda était ivre et qu'il devait la ramener ! s'exclama Florence en tapant des mains. Et pendant ce temps-là... En tout cas, ça tombe rudement bien !

39

Miranda reprit difficilement contact avec la réalité. Sa montre indiquait 7 heures, mais était-ce le matin ou le soir ? Elle avait dormi, d'accord, mais combien de temps ? La réponse arriva quelques instants plus tard sous la forme de Chloé, un plateau sur les bras. Miranda l'examina, en quête d'indices.

— Salut. C'est le…

— Petit déjeuner.

Ah…

— Seulement du thé et des toasts. Je ne savais pas si tu avais faim.

Miranda ne le savait pas non plus. Il était trop tôt pour le dire.

— Tu as dormi quinze heures, signala Chloé en déposant le plateau sur le lit.

Seigneur ! Miranda tourna légèrement la tête de droite à gauche et découvrit avec surprise qu'elle souffrait à peine. À croire que la gueule de bois avait eu le temps de se développer, puis de se dissiper durant son sommeil.

Excellente nouvelle !

Avec entrain, elle se redressa et but une gorgée de thé. Il était exactement comme elle l'aimait, fort et sucré…

Bizarrement, Chloé restait plantée à son chevet, le visage contracté par une forte envie de rire.

— Pourquoi me regardes-tu comme ça ? s'étonna Miranda.

— Florence… euh… voudrait te parler.

— Elle est déjà levée ?

— C'est elle qui m'a demandé de te réveiller.

— Pourquoi ? fit Miranda, un peu inquiète. Elle est malade ?

Mais elle réalisa aussitôt que si la vieille dame avait été malade, Chloé n'aurait pas ricané ainsi.

— Je crois qu'elle meurt...

Quoi ?

— ... de curiosité.

Après une seconde pause, les mots jaillirent en se bousculant.

— Elle désire connaître tous les détails croustillants vous concernant, Danny et toi.

— Quoi ? Danny et moi ? Quels détails croustillants ?

— Eh bien, qui a pris l'initiative ? Combien de fois avez-vous... Et, surtout, s'il est aussi bon amant que beau garçon.

Miranda en laissa tomber son toast. Jusqu'à cet instant, son cerveau avait eu pitié d'elle et lui avait épargné les souvenirs horribles des événements de la veille.

Tout lui revint brutalement, avec une précision écœurante.

— Mon Dieu, non !

Elle se renversa sur son oreiller et tira la couette sur sa tête, ce qui fit basculer le plateau sur le côté. Chloé le rattrapa juste à temps.

— Tu n'as pas à avoir honte. Danny est formidable, nous l'aimons tous beaucoup.

— Oooooh !

— Voyons, Miranda, que t'arrive-t-il ? C'est une bonne nouvelle. Tu n'as pas à te reprocher d'avoir couché avec Danny.

« Grands dieux, songea Chloé, voilà que je me mets à parler comme Florence ! »

— Je n'ai pas couché avec lui, murmura Miranda.

Comble de l'horreur, la gueule de bois se réveillait. Mais la douleur qui lui enserrait les tempes n'était rien en comparaison de la souffrance que lui causait l'humiliation. Quand on était sur le point de se faire déchiqueter par un troupeau de lions, on ne s'inquiétait pas des piqûres de moustique.

— Tu n'as pas... fit Chloé, l'air déçu. Ah, bon... Mais alors, pourquoi es-tu bouleversée ?

Miranda ferma les yeux. Elle n'aurait pas eu honte d'avoir couché avec Danny Delancey. Enfin, à peine.

De même, avoir élégamment repoussé ses avances n'aurait rien eu de gênant.

« Le problème, c'est que je n'ai fait ni l'un ni l'autre, se dit Miranda. Il ne me reste plus que la troisième carte à retourner. Et voilà ! Je me suis jetée à son cou, je l'ai forcé à m'embrasser et je l'ai supplié – oui, supplié – de coucher avec moi... et il a refusé.

« C'est très gentil à toi de me le proposer, ma vieille, mais non, merci. Vraiment. »

Miranda frémit.

« Oh mon Dieu, quel cauchemar ! Pourquoi suis-je une telle andouille ? »

Elle n'eut pas le choix. Il lui fallut bien raconter la vérité. Florence, fidèle à elle-même, la trouva d'un comique hilarant.

— Ce n'est pas grave, ma chérie. Tu auras plus de chance la prochaine fois.

La prochaine fois ! pensa Miranda, au fond du gouffre. Si jamais il y avait une prochaine fois, il ne lui resterait plus qu'à s'exiler. Et dans un pays très, très lointain.

— En tout cas, tu as quand même obtenu un baiser, poursuivit Florence, les yeux brillants de malice. Dis-nous au moins comment c'était. Délicieux, infect, sans intérêt ?

— Convenable, répondit Miranda, qui se demandait ce qu'elle avait fait pour mériter une telle torture.

— Mmm... on dirait que tu parles d'un restaurant.

— J'ai mal à la tête, marmonna Miranda.

Florence partit d'un immense éclat de rire.

— Pauvre chérie, c'est ce que Danny t'a répondu hier ?

— Veux-tu que je t'apporte deux aspirines ? proposa Chloé avec compassion.

— La boîte entière, plutôt, gémit Miranda.

Oh Seigneur, était-il possible de se sentir plus mal ?

Le téléphone sonna au moment où elle s'apprêtait à partir.

— C'est pour toi ! cria Florence.

— Qui est-ce ?

— Aucune idée. Il a la voix de Jeremy Paxman.

Depuis peu, Florence regardait systématiquement l'émission de Jeremy Paxman, sa nouvelle idole.

— Demande-lui ce qu'il met pour dormir. Un pyjama ? Un caleçon ? C'est difficile de fantasmer quand on ne sait rien.

Miranda, qui n'était pas d'humeur à supporter les radotages surréalistes de Florence, lui arracha le téléphone des mains.

— Miranda Carlisle ? Je suis content de vous avoir, aboya Jeremy Paxman de sa voix sarcastique. Je m'y prends un peu tard, j'en ai conscience, mais j'aimerais vous inviter à mon émission de ce soir. Et, bien que cela n'ait aucun rapport, dites-moi qui a posé cette question ridicule sur ma tenue de nuit. En tout cas, la réponse est ni l'un ni l'autre. D'ailleurs...

Miranda raccrocha.

Deux secondes plus tard, le téléphone sonna de nouveau.

— Ne sois pas fâchée, protesta une voix familière. J'essayais seulement d'égayer ta journée.

— Je n'ai vraiment pas envie de te parler.

— Je t'ai bien eue, non ? insista Danny.

— Non.

Si, bien sûr. L'espace d'un instant, ce débit de mitraillette lui avait fait croire que Jeremy Paxman avait réellement besoin d'une apprentie coiffeuse pour animer son show.

Une nouvelle preuve de sa sottise.

Elle envisageait de plus en plus sérieusement de passer le reste de sa vie sur une île déserte.

— Il faut que je m'en aille, dit-elle en consultant sa montre. Je vais arriver en retard au travail.

— Mon Dieu, elle va arriver en retard au travail, quelle horreur ! glousa-t-il.

— Qu'est-ce que tu veux ? s'écria Miranda, exaspérée. Des excuses ?

— Bien sûr que non, répliqua Danny, sans cesser de rire. Mais tu peux me remercier, si l'envie t'en prend. Pour m'être comporté en gentleman.

Des vagues brûlantes de honte envahirent Miranda. Elle se figea, incapable de prononcer un mot.

— Et ne crois pas que c'était facile, poursuivit Danny. J'ai été tenté, je l'admets. Pour un homme en bonne santé, repousser une telle proposition, c'est plutôt...

— D'accord, coupa-t-elle. Merci, merci et merci encore de ne pas avoir couché avec moi. Je t'en suis infiniment reconnaissante !

— Calme-toi. Inutile de crier, protesta-t-il d'un ton offensé. Je me suis conduit en être responsable. Tu étais bouleversée à cause de Greg et tu avais beaucoup bu. On fait souvent des bêtises quand on est ivre...

« À qui le dis-tu ! » riposta Miranda intérieurement.

— ... et je ne voulais pas qu'en te réveillant à côté de moi, tu penses : « Oh, non ! » Dans le pire des cas, bien sûr. Les choses auraient pu être différentes. Par exemple, tu aurais pu être enchantée et pas du tout gênée. Tu aurais pu te dire : « C'était fabuleux. Pourquoi n'avons-nous pas fait ça des mois plus tôt ? »

Il y eut un accent étrange dans sa voix, mais Miranda ne chercha pas à le déchiffrer. Son cerveau ne cessait d'évoquer les images hideuses de ses propres gestes. Elle se revoyait, se jetant sur lui, le couvrant de baisers maladroits, s'efforçant de déboutonner sa chemise, criant : « Je veux coucher avec toi ! »

Le film passait et repassait devant ses yeux, telle une cassette vidéo en folie.

— Bon, il faut vraiment que j'aille travailler, déclara- t-elle. Mais tu as raison. Ç'aurait été un désastre, la plus grande erreur de ma vie. Rien que l'idée me fait frissonner. Je devais être complètement bourrée.

Cette rebuffade parut prendre Danny au dépourvu.

— Euh... bon, n'y pensons plus. Tout est oublié. Que dirais-tu de dîner avec moi ce soir, pour fêter le fait que nous n'avons pas couché ensemble et que nous restons amis ?

— Non, merci.

Elle se sentait incapable d'affronter un repas en tête- à-tête avec Danny. Elle ne croyait pas une seconde au « tout est oublié ». Désormais, chacune de leurs conversations serait un champ de mines. Il ne résisterait pas au plaisir de la taquiner, et cela lui rappellerait – comme si elle en avait eu besoin – son incommensurable sottise.

— S'il te plaît, insista-t-il.

— Je n'en ai pas envie.

— Je comptais t'apporter la cassette de ton faux mariage. Tu ne veux pas la voir ?

— Je vais travailler. Et je ne veux pas te voir, ni toi ni ta vidéo ! Je veux juste qu'on me laisse tranquille ! ajouta- t-elle d'une voix presque hystérique.

Feindre l'enjouement faisait partie du métier, qu'on en ait envie ou non. Pour Miranda, ce fut une longue journée éprouvante.

Avant de partir, elle se rappela que Chloé lui avait confié un paquet mystérieux pour Fenn.

— C'est ta chemise ! s'écria-t-elle, étonnée.

Il s'agissait effectivement de la chemise de Fenn, lavée, repassée et pliée aussi soigneusement que si elle sortait du magasin.

— Chloé a insisté pour la nettoyer, expliqua Fenn, en passant le doigt à l'endroit où le tissu avait été taché. Leila m'avait bombardé de bordeaux.

Abasourdie, Miranda examina son patron. Il mesurait environ un mètre quatre-vingt-dix et avait de larges épaules.

— Si tu as laissé ta chemise chez nous, qu'as-tu porté pour rentrer chez toi ?

— La seule chose que j'ai pu enfiler.

Les commissures de ses lèvres frémirent au souvenir de la réaction de ses voisins lorsqu'il était revenu chez lui, vêtu du tee-shirt de Chloé.

Ce frémissement éclaira Miranda.

— Le truc jaune avec un texte en rose ?

— Peut-être bien.

Miranda applaudit. L'image était merveilleuse : Fenn Lomax sortant de sa Lotus noire, dans un tee-shirt pastel proclamant : « Je ne suis pas grosse, je suis enceinte. »

La maison qui dominait Hampstead Heath était une vraie splendeur. Tout était parfait, depuis les deux araucarias qui ornaient le jardin de devant jusqu'à l'immense cuisine en marbre de Toscane.

L'agent immobilier ne cessait de vanter les qualités de la demeure. Fenn, incapable de signaler le moindre défaut, se contentait d'acquiescer.

— Beaucoup de gens s'y intéressent, comme vous pouvez l'imaginer, dit l'homme alors qu'ils s'en allaient. Souhaitez-vous faire une offre ?

« Je suis en train de commettre la plus grande erreur de ma vie, songea Fenn. Qu'est-ce qui m'arrive ? »

— Non, merci, répondit-il à haute voix.

40

Fenn s'installa dans son nouvel appartement trois semaines plus tard. Dès le lendemain, il ramena chez elle son apprentie comblée de joie.

Il venait de lui apprendre qu'il pourrait en faire autant matin et soir, puisqu'il était obligé de passer devant chez elle pour se rendre au salon.

— C'est formidable ! Plus de métro bondé et huit livres par semaine d'économisées. Je vais devenir riche !

C'était toujours ça de gagné, se dit Fenn. Miranda n'arriverait plus en retard au travail et économiserait huit livres par semaine. Lui, en revanche, se retrouvait dans un appartement ridiculement cher de Holland Park, sans piscine ni jardin, décoré dans l'horrible style branché des années 1960. Les voisins, peu amicaux, traitaient en intrus le coiffeur aux cheveux longs qui avait osé s'introduire dans leur résidence. À moins qu'ils ne se méfient d'un homme capable de supporter une moquette à rayures noires et blanches, des plafonds recouverts de miroirs et des murs tapissés de cuir.

À leur place, lui aussi se serait méfié, songea Fenn.

— Je croyais que tu avais jeté ton dévolu sur Hampstead, dit Miranda en lui proposant un bonbon. Pourquoi as-tu choisi Holland Park, finalement ?

Les raisons pour lesquelles il avait signé le bail étaient tout bonnement inavouables.

— Uniquement pour te servir de taxi et t'éviter d'arriver en retard, prétendit-il. Cela nous épargnera tes excuses loufoques.

Sans être vraie, l'explication n'était pas très éloignée de la vérité. Fenn tourna dans Tredegar Gardens et se gara devant la maison de Florence.

— Tu fais semblant d'être un vieux grincheux mais, en fait, tu as du cœur.

Jonglant avec ses lunettes de soleil, sa canette de Coca-Cola, son trousseau de clés et son sac de bonbons, elle s'efforçait de rassembler ses affaires.

— Comment va Florence ? demanda-t-il d'une voix désinvolte.

— Très bien ! Les gens n'arrêtent pas de la complimenter sur sa coupe de cheveux.

— Je ne l'ai pas vue depuis le mariage, remarqua-t-il d'un ton hésitant.

— C'est vrai, fit Miranda, qui tentait de démêler le cordon de ses lunettes du trousseau de clés. Zut, qu'est-ce que j'ai fabriqué ?

« Peu importe, pensa Fenn. Demande-toi plutôt comment tu as fait pour ne pas saisir une allusion aussi énorme. »

— Je suis content qu'elle aille bien, dit-il sans grand espoir.

Victoire ! Miranda glissa le cordon autour de son cou et brandit triomphalement ses clés.

— Merci de m'avoir déposée, tu es super. Je t'aurais volontiers proposé d'entrer prendre un verre, Florence aurait adoré te voir, mais je sais que tu as hâte de regagner ton nouvel appartement.

Fenn poussa un soupir. Enfin !

— Oui, répondit-il avec un haussement d'épaules. Mais l'appartement ne va pas se sauver. Je ne suis pas à vingt minutes près.

Étendue sur une chaise longue, Chloé profitait des derniers rayons du soleil lorsqu'un insecte lui chatouilla le nez. Elle le chassa sans ouvrir les yeux.

Quand il revint à l'assaut, elle souleva les paupières et découvrit Miranda, debout devant elle.

— Bzzz bzzz, fit celle-ci en agitant un brin d'herbe. Réveille-toi. Nous avons une visite.

— Qui ça ?

— Mon nouveau chauffeur.

— Qui ?

Chloé se redressa et sentit les bretelles de son bikini s'incruster dans ses épaules. Ce maillot de bain datait de l'année précédente, et il n'avait pas été prévu pour des formes aussi abondantes. À présent, ses seins débordaient du soutien-gorge comme des boules de crème glacée plantées vaille que vaille dans de trop petits cornets. Quant au slip, il s'étirait à la limite de ses possibilités, et Chloé bénissait l'invention du lycra, ainsi que la sécurité qu'offrait le jardin clos de Florence.

— Mon nouveau chauffeur personnel, annonça Miranda avec satisfaction. M. Fenn Lomax.

— Quoi ? Oh mon Dieu !

— Pas de panique. Je suis sûre qu'il a déjà vu des femmes en maillot.

« Certes, pensa Chloé, mais elles pesaient deux fois moins lourd que moi. »

— Va me chercher mon sarong ! s'écria-t-elle.

Puis, se rappelant qu'il était transparent, elle reprit :

— Non, apporte-moi des serviettes. Des tas de serviettes !

— Ne joue pas les effarouchées, tu es très bien... D'ailleurs, c'est trop tard. Le voilà.

Fenn poussait le fauteuil de Florence sur la rampe inclinée. Chloé se recroquevilla et envisagea un instant de se cacher sous la chaise longue. Son visage s'embrasa.

Miranda gloussa.

— Calme-toi, ou je vais finir par croire que tu es amoureuse de Fenn.

— Des serviettes, supplia Chloé en lui jetant un regard furieux.

Supposition ridicule. Elle n'était absolument pas amoureuse de Fenn. Mais elle ne voulait pas qu'il la voie ainsi.

De l'autre côté de la pelouse, Fenn perçut le chuchotement affolé et en devina immédiatement la cause.

— Une seconde, s'il vous plaît, dit-il en plantant là Florence.

Il rentra dans le salon et en ressortit aussitôt avec le sarong vert émeraude qu'il avait repéré en arrivant, posé sur le dossier d'une chaise.

Le tact de Fenn toucha Chloé, qui enroula hâtivement le vêtement autour d'elle. C'était mieux que rien, mais elle aurait préféré un drap de bain. Ou une couette de grande taille. Ou, encore mieux, un sac de couchage avec une fermeture Éclair tirée jusqu'au menton.

— Fenn a emménagé dans son nouvel appartement, expliqua Florence en distribuant des bouteilles de bière. À Holland Park.

— La maison de Hampstead ne te plaisait pas ? demanda Chloé.

Fenn haussa les épaules. En dehors du quartier, tout dans cette maison était parfait.

— Si, mais quelqu'un s'est décidé avant moi.

— Dommage, non ? Du coup, il a pris l'appartement et, désormais, je n'aurai plus à aller au travail en métro, claironna Miranda en esquissant un pas de danse. Mon patron m'emmènera en voiture matin et soir.

Florence tapota le bras de Fenn.

— Si tu veux mon avis, tu aurais dû choisir un autre quartier. Le matin, elle chante.

Fenn commençait à se demander s'il n'avait pas commis une grosse erreur.

— Dans ma voiture, elle ne chantera pas.

— En tout cas, c'est bien, nous te verrons plus souvent, reprit joyeusement Florence.

Peut-être pas une si grosse erreur, finalement.

« Du moment qu'il ne me voit pas trop dénudée », ajouta mentalement Chloé, qui s'efforçait de tirer le sarong par-dessus ses seins.

— Comment est l'appartement ? s'enquit Florence.

— Affreux. On dirait une maison close. Chaque fois que j'ouvre un placard, j'ai peur de tomber sur une fille.

— Si tu veux, je peux t'aider à le décorer, intervint Miranda avec enthousiasme. J'ai très bon goût et beaucoup d'idées. J'aurais dû être architecte d'intérieur.

— Formidable ! Confier le choix de mon papier peint à une fille aux cheveux bleus, quelle excellente idée ! riposta Fenn. Viens à mon secours, Chloé, s'il te plaît. Je ne sais pas comment refuser sa proposition sans la vexer.

— Mais je serais très bonne ! protesta Miranda. Originale, imaginative, efficace !

— Non, non, non, répondit Fenn.

— Il va embaucher un décorateur professionnel, supposa Chloé pour apaiser son amie.

— Non plus, dit Fenn. Ce genre de type est trop excentrique pour moi.

Puisqu'il devenait évident qu'elle ne serait pas autorisée à donner son avis, Miranda se désintéressa de la conversation.

— Je meurs de faim. Quelqu'un veut un sandwich ?

Dès qu'elle eut disparu dans la cuisine, Fenn s'assit et demanda :

— Comment se comporte-t-elle avec vous ?

— Vive et enjouée à l'extérieur, muette à l'intérieur, répondit Florence en lâchant un rond de fumée.

— Comme au travail, dit Fenn.

— Elle reste ici tous les soirs et se couche de bonne heure, déclara Chloé.

— Alors qu'elle devrait sortir et s'amuser, ajouta Florence. Seul un autre petit ami pourrait lui faire oublier l'ancien.

— À propos, pourquoi Danny ne lui a-t-il pas montré la cassette vidéo du mariage ? demanda Fenn. J'ai interrogé Miranda, et elle affirme qu'elle ne l'a pas vue.

— Elle n'a pas voulu, expliqua Chloé. Il l'a apportée, mais elle est partie aussitôt, prétextant une course urgente. Florence et moi, nous l'avons regardée. C'est désopilant.

— La question est la suivante : qu'est-ce que Miranda ne voulait pas voir ? La cassette ou Danny Delancey ? remarqua Florence d'un ton malicieux.

Fenn avait fini sa bière. Il consulta sa montre.

— Il faut que je m'en aille. Plus vite j'aurai vidé mes cartons, plus vite je pourrai arracher cette moquette zébrée, ces miroirs et ces murs en cuir... Et toi, fit-il en se tournant vers Chloé, tu sais assortir les couleurs ? J'ai passé le week-end plongé dans des échantillons. Un deuxième avis ne me serait pas inutile. Du moment que ce n'est pas celui de Miranda.

— Je ne suis pas une experte, protesta Chloé, surprise.

— Je te l'ai dit, je ne veux pas d'expert. Un professionnel m'imposerait des plafonds magenta, des murs marbrés de turquoise et des rideaux à fanfreluches. J'aimerais quelque chose de simple, de classique. Bref, quelque chose qui ne me donne pas de migraines.

Rassurée, Chloé opina du chef.

— La simplicité, je peux sans doute y arriver. Si tu...

— Voilà les sandwichs ! s'écria Miranda.

Elle posa deux plats sur la table.

— Bacon avec sauce barbecue ou poulet avec mayonnaise, fromage, oignons, plus une lichette de ketchup. Mangez-les avant qu'ils ne ramollissent.

— Et elle se demande pourquoi je refuse qu'elle décore mon appartement ! s'exclama Fenn en se levant. Bon, je passe te prendre à 8 heures précises demain matin.

La bouche pleine, Miranda hocha la tête, tout en s'étonnant d'être la seule à manger. Décidément, certaines personnes n'avaient pas le goût du risque.

— Et toi ? reprit Fenn en regardant Chloé. Vers 18 heures demain soir, ça te va ?

— Très bien.

Que se passait-il ? s'inquiéta Miranda. Des rendez-vous secrets fixés dans son dos ?

— C'est de la discrimination, protesta-t-elle. Pourquoi a-t-elle droit à « vers 18 heures », alors que moi, je dois être prête à 8 heures précises ?

— Parce que Chloé me rend service. Dans ton cas, c'est l'inverse.

Dans un éclair de lucidité, Miranda comprit quel était le service rendu par Chloé.

— Oh, comme c'est méchant ! gémit-elle. Tu lui as proposé de t'aider à décorer ton nouvel appartement.

— On pourrait le faire toutes les deux, suggéra Chloé.

— Non, répliqua Fenn. C'est mon appartement, et je demande à qui je veux.

— Mais...

— Je t'en prie, Miranda, pas de pleurnicheries... Écoute, je sais que tu t'ennuies en ce moment et que tu cherches à t'amuser coûte que coûte, ajouta-t-il d'un ton radouci. Je désire seulement que ce ne soit pas au détriment de mon appartement.

Les épaules de Miranda s'affaissèrent. Il avait raison, bien sûr. Leurs goûts étaient totalement différents. Autant demander à Margaret Thatcher d'évoluer sur un podium dans une robe de Vivienne Westwood.

Tristement, Miranda prit un autre sandwich. Déjà ramolli, comme sa vie.

S'amuser, avait dit Fenn ? Vu la façon dont les choses tournaient, il paraissait impossible qu'elle s'amuse à nouveau.

41

Entendre dénigrer l'idée du siècle était extrêmement déprimant.

— Miranda, tu ne peux pas faire ça, répliqua Fenn, après qu'elle lui eut expliqué son projet.

— Pourquoi pas ? C'est du recyclage ! Les écologistes m'approuveraient, protesta Miranda en désignant le sol de son balai. Tu coupes les cheveux, je les balaie et ils passent à la poubelle… C'est du gaspillage ! Il s'agit de toisons célèbres, Fenn. Les gens paieraient cher pour obtenir des cheveux de leurs idoles. On pourrait en faire de petites tresses, les mettre sous plexiglas et les vendre comme bijoux… Imagine que tu sois un fan de Hugh Grant. Tu ne serais pas content d'avoir un pendentif contenant un petit morceau de ton héros ?

À bout de souffle, elle se tut.

— Et Corinne pourrait garder les rognures d'ongles de pied, renchérit Fenn.

— Tu plaisantes ?

— Et n'oublions pas l'épilation. Les poils, ça se vend très bien, ces temps-ci.

— C'est la meilleure idée que j'aie jamais eue, gémit-elle, et tu te moques de moi. Tu n'as donc pas envie de devenir riche ?

La porte du salon s'ouvrit derrière eux. Fenn, qui était déjà riche, regarda par-dessus l'épaule de Miranda.

— Miranda, crois-moi, voler les ongles d'autrui n'est pas la bonne façon de...

— Tu déformes tout, grommela la jeune fille, qui lui aurait volontiers décoché un coup de poing. Je ne parlais que des cheveux. Voler les ongles de pied, c'était ton idée, pas la mienne.

Un silence ahuri accueillit ses paroles. Seigneur, elle avait peut-être parlé un peu fort...

— J'adore entendre une partie d'une conversation et essayer d'en deviner le sujet, fit une voix amusée.

Pas seulement amusée, d'ailleurs, mais aussi familière. Miranda sentit ses cheveux se hérisser sur sa nuque. Bouche bée, elle pivota sur elle-même et se retrouva nez à nez avec Miles Harper.

Vêtu d'un polo et d'un jean noirs, il lui parut si beau qu'elle en eut le souffle coupé.

À elle de dire quelque chose, à présent... Par exemple : « Bonjour, comment allez-vous ? » et non un truc épouvantable comme : « Oh, Miles, pourquoi perdez-vous votre temps avec cette idiote de Daisy Schofield, alors que vous pourriez m'avoir, moi ? »

Miranda revint brutalement sur terre.

Daisy Schofield.

Voilà pourquoi Miles Harper était entré dans le salon.

Sa langue se dénoua miraculeusement.

— Elle n'est pas là.

— Qui ?

— Daisy.

Était-ce honnête d'avoir de tels yeux verts ?

— Je sais qu'elle n'est pas là, dit Miles en souriant. Puisqu'elle est à Sydney.

— Ah, bon... Euh... vous voulez un rendez-vous ? bredouilla Miranda.

— Pour voir Daisy à Sydney ? Non, merci, répondit Miles, qui s'amusait de plus en plus. Je peux vous l'emprunter un instant ? demanda-t-il à Fenn.

— Prenez garde à vos ongles, conseilla celui-ci.

Miles entraîna Miranda à l'écart. Une fois hors de portée des oreilles indiscrètes, il déclara :

— C'est vous que je suis venu voir.

Miranda sentit ses genoux flageoler. Elle s'adossa à un fauteuil, oubliant qu'il s'agissait d'un siège pivotant. Grâce à ses réflexes légendaires, Miles la rattrapa avant qu'elle ne s'effondre.

— Il fallait bien que je vienne, reprit-il, puisque vous ne m'avez jamais contacté. Il m'avait pourtant semblé que nous avions des affinités... Mais vous avez été cruelle, vous m'avez jeté comme un vieux melon, vous m'avez brisé en deux...

— Comme un melon ? suggéra Miranda, qui préférait le mode blagueur.

— Pourquoi n'ai-je pu cesser de penser à vous ?

— Un bon partenaire de water-melon, c'est difficile à trouver.

— Si vous croyez que je plaisante, vous vous trompez.

Si, il plaisantait, il plaisantait, il plaisantait !

Oh, zut, il ne plaisantait pas ?

— Tout le monde nous regarde, bafouilla Miranda.

— Et alors ?

— Ils se demandent ce qui se passe.

— Moi aussi. Je vous ai invitée et vous avez refusé. On ne m'avait encore jamais repoussé.

— Vous ne m'avez pas invitée. Vous avez chargé votre ami de le faire, rectifia Miranda.

— C'est parce que je suis très timide.

Sentant le bras de Miles l'enlacer, Miranda sursauta.

— Ce n'est pas une façon timide de se comporter... Hé ! Ça non plus ! protesta-t-elle comme il la pressait contre lui.

— J'ai travaillé dur pour surmonter ma timidité. Ma thérapeute trouve que je fais de gros progrès.

— À mon avis, elle a raison.

— Mais je dois persévérer. Il me faut de l'entraînement. Beaucoup d'entraînement.

Sa bouche se rapprochait dangereusement de la sienne. Comment se débattre lorsqu'on se liquéfiait ? À en croire les petits cris étouffés des clients, tout le salon était en train de les contempler avec des yeux ahuris.

À moins que ce ne fussent ses propres cris. Oh, non !

— Vous ne pouvez pas m'embrasser ici !

— Si. C'est la prochaine étape de ma guérison, souffla-t-il contre sa joue. Vous voulez que je guérisse, non ?

— Mais c'est très gênant pour moi !

— Oh ? Dans ce cas, il faut que vous consultiez ma thérapeute.

Le baiser n'eut pas lieu. Dans un brouillard, Miranda se sentit propulsée en arrière. Un grognement de déception jaillit du salon lorsque Miles Harper la poussa dans la buanderie et referma la porte d'un coup de pied.

Pour un homme timide, il se révélait plutôt autoritaire.

Tout aussi captivée que la clientèle, mais avec une tonne de jalousie en plus, Beverly se précipita vers Fenn, qui coupait les cheveux d'une nouvelle cliente.

— Tu ne vas pas intervenir ?

Sa cliente ayant fait pivoter son fauteuil pour regarder avidement la porte derrière laquelle Miles et Miranda avaient disparu, il attendait, les ciseaux en l'air.

— Surtout pas ! s'exclama vivement la femme. C'est la chose la plus romantique que j'aie jamais vue.

— Mais... il la ridiculise !

— Laissons-les se débrouiller, dit Fenn en remettant le fauteuil face à la glace. Miranda a été malheureuse, ces dernières semaines. Si quelques minutes avec Miles Harper dans la buanderie peuvent lui remonter le moral, je n'ai rien contre.

— Comme je suis contente d'avoir changé de coiffeur ! s'exclama la nouvelle venue. Chez Nicky Clarke, on ne vous offre que du café.

— Notre unique objectif est de faire plaisir à nos clients.

— Écoutez, dit Miranda en se dégageant, je suis très flattée. Ce genre de chose m'arrive très rarement le mardi matin. Mais je n'ai pas envie que vous m'embrassiez.

Elle mentait, bien sûr, mais elle ne voulait pas avoir l'air d'une fille facile.

Miles Harper sourit.

— Bon, d'accord. Il faut que je m'en aille, de toute façon. À quelle heure finissez-vous votre travail ?

— 18 heures. Pourquoi ?

— Je viendrai vous chercher.

Quelque chose d'étrange arrivait aux lèvres de Miranda. Elles s'échauffaient, frémissaient, réclamaient le baiser qu'elle leur avait refusé. Seigneur, ses lèvres se comportaient en groupies enamourées !

— À moins que vous ne soyez prise, encore une fois, fit Miles en haussant les sourcils.

— Eh bien…

— Vous devez faire la tambouille de votre petit ami ?

— Non, mais…

— Bien, dit-il en reculant d'un pas.

Il lui décocha un clin d'œil complice, comme s'il avait deviné ce que ses lèvres exigeaient.

Miranda ouvrit la bouche, mais aucun son n'en sortit.

— Merci, fit Miles en ramenant une Miranda ahurie auprès de Fenn. Je suis content d'avoir pu éclaircir notre malentendu.

— À votre service, répondit Fenn.

À 18 h 10, les cheveux de Miranda étaient secs.

— Tu es folle, dit Beverly. Que va penser Miles Harper quand il te verra avec cette tête ?

— Ce n'est pas pour lui, c'est pour demain, répliqua Miranda en examinant le résultat dans le miroir. De toute façon, il ne viendra pas. Regarde l'heure qu'il est.

Des nœuds serrés lui ligotaient l'estomac. Difficile de garder une attitude désinvolte lorsque chaque battement de cœur lui rappelait qu'une autre seconde s'était écoulée et qu'il n'était toujours pas là.

— Mais s'il vient, il ne pourra jamais t'emmener dans un endroit chic coiffée comme ça !

La conduite de Miranda scandalisait Beverly. Quand un homme vous invitait, vous étiez tenue de tout faire pour améliorer votre aspect. Lorsque cela lui arrivait, elle-même consacrait des heures à peaufiner son maquillage.

— Il ne m'emmènera nulle part, tout simplement parce qu'il ne viendra pas, rétorqua Miranda, qui regrettait d'avoir parlé de son rendez-vous à son amie. D'ailleurs, même s'il débarque maintenant, il ne me trouvera pas. Je rentre chez moi.

Beverly sortit derrière elle.

— C'est sans doute mieux comme ça. À mon avis, tu aurais perdu ton temps avec ce type.

— Tu essaies de me remonter le moral ?

— Allons, ne fais pas semblant de ne pas comprendre. Tout ce qu'il cherche, c'est une petite aventure pour patienter jusqu'au retour de Daisy Schofield.

— Merci.

— Mais c'est vrai !

Miranda avait beau le savoir, elle n'était pas d'humeur à l'entendre. Elle n'était qu'une pauvre fille inconnue, alors que Miles Harper était un héros national. Leur histoire durerait quelques jours, quelques semaines, pas plus. Et tout finirait dans les larmes, parce que, entre-temps, elle serait tombée amoureuse de lui.

— En tout cas, demain, tu vas bien t'amuser, dit Beverly comme le bus arrivait.

Le bus s'arrêta. Beverly sauta sur la plate-forme d'un bond gracieux, salué par un coup de klaxon derrière elle. Flattée, elle se retourna en souriant.

— Où est Miranda ? cria Miles Harper en passant la tête par la fenêtre de sa voiture.

Le sourire de Beverly s'effaça. Tandis que le bus redémarrait, elle désigna son amie, debout sur le trottoir.

— Seigneur ! s'exclama Miles en ouvrant la portière du passager. Je ne vous avais pas reconnue. Qu'avez-vous fait à vos cheveux ?

42

Et voilà. Les pires craintes de Beverly se réalisaient : le béguin de Miranda devenait aussi incontrôlable qu'un char lancé à toute allure, et elle n'avait jamais été aussi heureuse de sa vie

Certes, elle savait que cela ne durerait pas, mais elle voulait profiter pleinement de ces moments passés avec Miles – comme lorsqu'on mange une glace en savourant chaque coup de langue, parce qu'on a décidé de commencer un régime draconien dès le lendemain matin.

« Peu importait ce qu'en penserait Beverly, songea Miranda. Bien sûr, elle se préparait de longues nuits d'insomnie et de larmes, mais en attendant, ce qu'elle vivait était formidablc. »

Et dire qu'ils avaient failli se manquer ! Si Miles était arrivé trente secondes plus tard, elle disparaissait dans la station de métro et rien ne se serait produit.

— Je dois avouer que je n'aurais jamais espéré dormir avec toi dès notre premier rendez-vous, murmura-t-il.

— Je ne dors pas.

— Tu n'as pas froid ? On pourrait attacher nos deux sacs de couchage par leurs fermetures Éclair...

— Alors, non seulement on ne dormirait pas, mais on finirait la nuit au poste.

Miles prit l'air consterné.

— Juste pour une toute petite fornication en plein air ? Si quelqu'un mérite de se faire embarquer par les flics, c'est plutôt ce type qui n'arrête pas de chanter *My way*.

Miranda étouffa un éclat de rire.

— Il était déjà là l'année dernière. Et je te signale que nous ne sommes pas en plein air, mais sous une tente.

— Je ne l'ai encore jamais fait sous une tente. Si l'on excepte celle d'une réception de mariage... Et toi, combien de fois l'as-tu fait sous une tente ?

— Des milliers.

Miles soupira.

— C'est pas juste. Tu es tellement expérimentée, et moi si innocent !

— Si tu veux, quand Daisy rentrera d'Australie, je te prêterai ma tente.

Encore un soupir lugubre, suivi du bruit d'une fermeture Éclair qu'on descendait furtivement.

— Il est 2 heures du matin, protesta Miranda. Remonte-la.

— Tu es dure, murmura Miles. En fait, c'est seulement pour...

— Chut. Les gens de la tente voisine vont t'entendre... Dors, ajouta-t-elle avec un petit sourire satisfait.

Lorsqu'elle se réveilla, le lendemain matin, le sac de couchage à côté d'elle était vide. Dehors, des rires et des cris retentissaient. Quelques minutes plus tard, la porte de la tente s'ouvrit, et Miles apparut, en short rouge, képi de légionnaire et lunettes sombres de motocycliste.

— Salut, beauté. Le petit déjeuner est servi.

Il lui fourra dans les mains un cornet de glace en train de fondre et une canette de jus d'orange, puis posa un paquet chaud sur ses genoux.

Surprise, elle défit l'emballage.

— Où donc as-tu déniché des sandwichs au bacon ?

— Il y a un type avec un barbecue sur le trottoir qui les vend cinq livres pièce.

— Tu as payé dix livres pour deux sandwichs ? s'exclama Miranda.

— Non, il y avait la queue, répondit Miles en ôtant son déguisement. Je les ai achetés pour cinquante livres au gamin qui était en tête.

— Je suis végétarienne... Non, je plaisante ! s'écria-t-elle, comme il reprenait les sandwichs et les jetait dehors.

Trop tard. De joyeux aboiements signalèrent que leur repas avait trouvé preneur.

— Cinquante livres ! gémit Miranda.

— Rien que pour voir ta tête, ça en valait le coup, dit Miles en l'embrassant. D'ailleurs, je savais que tu n'étais pas végétarienne. Maintenant, termine ton petit déjeuner avant que ça fonde.

Le soleil de ce début de matinée tapait déjà sur la tente. Miranda se hâta de manger la glace qui dégoulinait sur ses jambes nues, tandis qu'un labrador couleur chocolat haletait à l'entrée de la tente, espérant sans doute qu'on allait lui jeter un autre sandwich.

— Si tu n'aimes pas faire la queue, dit Miranda en se léchant les doigts avec délices, ça ne doit pas te plaire d'être là.

— Pour entrer à Wimbledon, je suis prêt à tout, mentit-il. Et puis, j'adore être enfermé dans une tente de la taille et de la température d'un micro-ondes, dormir sur un trottoir dur comme du roc, avec pour seule compagnie une fille aux cheveux verts et rouges qui ne me laisse même pas attacher mon sac de couchage au sien de peur que nous ne fassions l'amour par inadvertance ! Et, pour couronner le tout, elle ronfle comme un train...

— Non, j'ai vraiment ronflé ?

Mortifiée, Miranda plaqua les mains sur ses yeux.

— Ah... j'ai réussi à t'embarrasser ! s'esclaffa-t-il. Eh bien, non, cette virée ne me déplaît pas. Au contraire.

Elle se garda bien de lui avouer que, si elle lui avait interdit de réunir les deux sacs de couchage, c'était par peur de ne pouvoir résister à la tentation.

Le petit déjeuner fini, Miles remit son déguisement. Puis, aidé de Miranda, il entreprit de démonter la tente.

— Jamais Daisy ne ferait ça, murmura Miles lorsque tout fut rangé.

— Elle ne sait pas ce qu'elle manque, commenta Miranda, qui le faisait tous les ans.

Il passa la main dans ses cheveux verts et rouges.

— Ça part au lavage ?

Frémissant sous la caresse, Miranda hocha la tête.

— Je suppose que Daisy ne ferait pas ça non plus.

— Oh, si ! À condition que ce soit pour la couverture de *Vogue*.

Négligemment, il lui prit la main et examina ses ongles verts et rouges.

— Tu te donneras autant de mal quand tu viendras me voir courir ?

Les couleurs de son écurie étant l'orange et l'ocre, Miranda s'imagina chamarrée comme une mandarine, trépignant dans le stand et encourageant Miles de ses hurlements tandis qu'il fonçait sur la piste. Puis une autre vision la frappa : Daisy Schofield, dans une robe très courte, se jetant dans les bras de Miles sur le podium du vainqueur, sans oublier d'adresser un sourire éclatant aux photographes.

— C'est dans plusieurs semaines, dit Miranda d'un ton résolument désinvolte. D'ici là, tu en auras eu marre de t'encanailler.

Miles baissa ses lunettes de soleil pour la regarder dans les yeux.

— Peut-être que non.

Oh là là, ce n'était pas facile de garder ses esprits sous ce regard vert émeraude.

— Bon, d'accord, répondit-elle. Peut-être que j'en aurai eu marre de toi, alors.

— Tu crois que c'est ce que je fais ? M'encanailler pour rigoler un moment ?

— Écoute, je ne m'attends pas à...

— Chut, fit-il en posant un doigt sur les lèvres de Miranda. Je ne veux plus rien entendre. Tu es trop pessimiste. On ne sait jamais, je suis peut-être un type beaucoup plus sympa que tu ne le penses.

— Dans ce cas, tu n'as rien à craindre, rétorqua Miranda avec regret. Je ne tombe amoureuse que de types pas sympa du tout.

— Je sais que tu t'ennuies, dit Miles, quelques heures plus tard. Partons.

Il attrapa la main de Miranda. Sans le regarder, elle le pinça.

— Six partout, annonça l'arbitre. Jeu décisif. Mesdames et messieurs, un peu de silence, s'il vous plaît.

Sur le court central, l'atmosphère était électrique. Un jeune Britannique inconnu du public jouait le match de sa vie contre le numéro un mondial. Après avoir gagné deux sets à un, la victoire était à sa portée. Les ongles de Miranda étaient rongés jusqu'au sang.

— Je t'aime, je veux t'épouser, murmura Miles. Je veux que tu sois la mère de mes enfants.

— Chut !

Au bout de dix minutes d'une tension insupportable, le numéro un envoya la balle dans le filet. Un immense rugissement monta des gradins et couvrit l'énoncé du score final. Des larmes de joie coulèrent sur les joues du jeune Britannique.

— Quelle chochotte ! grommela Miles. Moi, on ne risque pas de me voir pleurer quand je gagnerai le championnat du monde.

Miranda se jeta dans ses bras.

— C'était formidable ! cria-t-elle. Tu n'as pas trouvé qu'il était extraordinaire ? C'était tellement... tellement...

— Presque aussi fascinant que de t'observer, dit-il en souriant. Pendant un moment, j'ai cru que tu allais tomber de ton siège à force de te trémousser.

— Ne te moque pas de moi. Je m'emballe facilement... Regarde comme il est gentil ! Il signe des autographes pour les ramasseurs de balles...

— Chaque fois qu'il frappait la balle, tu te mettais à crier.

— ... et il continue à pleurer.

— C'est parce qu'il sait qu'il va se faire sortir au prochain match.

— Bon sang, le prochain match ! Contre qui joue-t-il ?

Elle fouilla fébrilement dans son sac pour retrouver le programme.

— Zut, le grand Russe.

— Il aura besoin de tout notre soutien, déclara Miles en lui décochant une bourrade. Il va falloir que tu dormes encore une fois avec moi

Miranda poussa un soupir.

— Impossible.

— Bien sûr que si ! Je m'occupe des billets.

— Non, j'ai utilisé tous mes jours de congé. D'ailleurs, on ne peut pas acheter des billets comme ça. Ou bien on s'inscrit cent ans à l'avance et on est tiré au sort, ou bien on plante sa tente sur Church Road, expliqua-t-elle gentiment.

— Ou bien on devient pilote de course et on glisse à l'un de ses sponsors qu'on aimerait bien avoir deux places pour la demi-finale messieurs.

Miranda l'examina longuement.

— Tu veux dire... qu'on n'était pas obligés d'attendre toute la nuit ?

Miles haussa les épaules.

— Bien sûr qu'on n'était pas obligés. Mais tu n'as pas arrêté de répéter que ça faisait partie du plaisir, lui rappela-t-il. Tu as dit aussi qu'après une nuit à la dure, on appréciait encore plus le tennis et que les gens qui ne plantaient pas leur tente devant l'entrée ne savaient pas ce qu'ils... Aïe !

Puisque le premier coup de poing l'avait fait rire, Miranda lui en assena un deuxième.

— J'ai dit ça uniquement parce que j'ai toujours été obligée de dormir sur le trottoir, protesta-t-elle. Ça s'appelle tirer le meilleur parti d'une situation. Parce que – vlan ! – je n'avais pas – vlan ! – le choix.

— Tu aurais dû me le dire, balbutia Miles en s'étouffant de rire.

Miranda secoua la tête. Un tel manque d'intuition était typiquement masculin.

— Tu aurais dû le deviner.

— Mais tu avais raison, c'était plus drôle.

— Parce que toi, tu avais le choix, répliqua-t-elle.

Miles acquiesça, puis il l'enlaça et l'embrassa sur la joue.

— Je suis un triple idiot. Pardon. Laisse-moi prendre des billets pour la demi-finale.

— Je ne peux toujours pas, répondit fièrement Miranda. Le boulot.

— Alors, pour la finale, suggéra Miles. Moi, je ne pourrai pas y assister, mais tu n'auras qu'à amener un ami.

« Bien sûr qu'il ne pourrait pas y assister, songea Miranda. Dimanche, Daisy serait rentrée. » Elle eut l'impression d'être une enfant qu'on gave de bonbons afin qu'elle laisse les grandes personnes s'amuser en paix.

— Dimanche, j'ai déjà quelque chose de prévu.

— Voilà ce que je te propose : tu annules tes rendez-vous, et moi les miens.

Ça, c'était une idée fantastique.

— Je doute que Daisy soit d'accord.

— Qu'est-ce que Daisy vient faire là-dedans ? Dimanche, je cours à Silverstone.

Il était 20 heures lorsqu'ils arrivèrent à Tredegar Gardens. Miranda, qui s'attendait à un petit baiser d'adieu sur la joue et à un vague « on se rappelle », vit avec surprise Miles sauter du taxi et sortir son portefeuille.

— C'est vous, Miles Harper ? demanda le chauffeur, qui les avait entendus parler du grand prix du dimanche suivant.

— J'aurais bien voulu, répondit Miles gaiement, j'aurais bien aimé avoir son argent.

— Sans compter les filles, fit l'homme, un peu déçu.

— Oh, ça, je ne sais pas. Je ne me débrouille pas mal non plus, déclara Miles en jetant un coup d'œil à sa compagne.

Miranda avait conscience d'être sale et hirsute, mais le regard désapprobateur du chauffeur lui parut déplacé.

— C'était à cause de tes cheveux, expliqua Miles lorsque la voiture s'éloigna.

— Pourquoi ne lui as-tu pas dit de t'attendre pour rentrer chez toi ?

— Parce que je n'en ai pas encore marre de toi, répliqua-t-il en hissant sur son épaule le sac contenant la tente et les sacs de couchage.

— C'est moi qui pourrais en avoir marre de toi, répliqua-t-elle d'un ton de défi.

— Je ne crois pas.

43

La maison était déserte. Typique, pensa Miranda, dépitée. Florence et Chloé avaient disparu, alors qu'elle mourait d'envie de frimer devant elles.

— Jolie maison, fit Miles en examinant le salon un peu bohème de Florence.

Miranda tapota le dossier du canapé.

— Allume la télévision, si tu veux. Je vais prendre une douche.

— Comment est ta chambre ? demanda-t-il sans s'asseoir.

Aïe !

— En désordre, très en désordre. Ici, c'est bien mieux.

— Allons, ne fais pas ta mijaurée. J'aime bien les chambres en désordre. On s'y sent une âme d'explorateur.

Sur ces mots, il se dirigea vers l'escalier. Miranda le suivit en courant.

— Alors, je te conseille de mettre ton chapeau d'Indiana Jones. Et défense de farfouiller.

Un sourire moqueur aux lèvres, Miles s'effaça pour la laisser ouvrir la porte.

— Même pas dans le tiroir des petites culottes ?

— Surtout pas dans celui-là.

— C'est là que tu ranges tes vieilles lettres d'amour ?

— Pas du tout. C'est là que je range mes culottes.

Et certaines d'entre elles avaient un âge plus que respectable. L'idée que Miles Harper risquait de tomber sur des sous-vêtements arborant les portraits des chanteurs préférés de son adolescence ne l'enchantait guère. Si elle voulait profiter de sa douche, elle ferait mieux d'emporter le tiroir dans la salle de bains.

— Je ne fouillerai pas dans ta commode, promit Miles. Ta collection de CD, je peux ?

En fait, pas vraiment. Ses idoles y figuraient aussi. Miranda regretta soudain de ne pas avoir meilleur goût en matière de musique.

— Vas-y, fit-elle avec un haussement d'épaules.

Grâce à Dieu, elle avait rendu la cassette de Céline Dion à Beverly.

Quand elle sortit de la salle de bains, un quart d'heure plus tard, les cheveux d'une couleur quasi normale et le corps moulé dans une robe jaune crocus, Miles inspectait le contenu du bol bleu posé sur la table de nuit.

Bon, ça aurait pu être pire. Par exemple, elle aurait pu le retrouver allongé tout nu sur le lit… Non, non, défense de se laisser aller à de pareilles pensées !

— Je l'adore, déclara Miles.

Se ressaisissant, Miranda regarda ce qu'il tenait.

— C'est mon cochon porte-bonheur.

— Comment sais-tu qu'il porte bonheur ?

— Je l'ai fourré dans mon soutien-gorge avant l'épreuve de maths du bac.

Il eut l'air impressionné.

— Et tu l'as réussie ?

— Non, je l'ai complètement ratée.

Miles secoua la tête, perplexe.

— Alors, pourquoi est-ce un porte-bonheur ?

— Du coup, mon prof de maths m'a recommandé de renoncer à une carrière dans la physique nucléaire et de tenter ma chance dans la coiffure.

Miles éclata de rire.

— Et ce cochon a passé deux heures dans ton soutien-gorge ? Quel veinard ! Est-ce que je peux te l'emprunter pour ma course de dimanche prochain ?

— Comme porte-bonheur ?

Miranda hésita.

— Il ne va pas abîmer ta combinaison ignifugée ?

— Bon, tant pis. Je vois bien que tu n'as pas envie de me le prêter, dit Miles en remettant l'animal dans le bol.

Miranda tenait beaucoup à son cochon en cuivre, mais...

— Non, non, prends-le ! s'écria-t-elle. Mais ne m'en veux pas si tu ne gagnes pas. Ça pourrait être sa façon de te recommander de devenir plombier.

— Où est-ce qu'on va ? demanda Miranda, tandis que leur taxi se faufilait dans les petites rues de Putney.

— Rejoindre Johnnie et lui prêter main-forte. Il est avec une fille, ajouta Miles en baissant la voix. S'il se met à parler de signes du zodiaque, ça veut dire qu'elle est épouvantable et qu'il faut absolument qu'on le tire de là.

Miranda fronça les sourcils.

— Si elle est épouvantable, pourquoi l'a-t-il invitée ?

— En fait, il ne la connaît pas. Il s'agit d'un rendez-vous arrangé. Mais je te conseille de ne pas t'attarder sur la question en sa présence. C'est la première fois que Johnnie accepte de rencontrer une inconnue, et il est assez susceptible sur le sujet.

Johnnie avait choisi un restaurant situé au fond d'une impasse déserte, où il était à peu près sûr de ne croiser aucune connaissance. Son air soulagé, lorsque Miles et Miranda entrèrent, renseigna aussitôt les nouveaux venus. Il les héla avec enthousiasme.

— Miranda, ça fait plaisir de te revoir... dit-il, délaissant le vouvoiement affecté de leur première entrevue. Mmm, tu as une poignée de main bien franche. Tu es Poisson, non ?

— Gémeaux, corrigea-t-elle en dégageant ses doigts meurtris. Je suis aussi intelligente, belle et encline à tomber tout habillée dans les piscines.

— Je te présente Alice. Elle est Sagittaire.

Trop occupée à bêler de rire, Alice ne remarqua pas le regard révulsé de son compagnon.

— Désopilante, cette blague sur les piscines ! Tu viens de l'inventer ou tu l'as entendue à la télé ?

— Euh...

— J'en ai entendu une bonne dans *Generation Game*, reprit Alice en riboulant de ses yeux globuleux. Je l'ai notée pour m'en souvenir et je l'ai racontée à mes collègues de travail. Et devinez quoi ? Ça a été affreux, elles n'ont pas ri du tout ! J'ai failli écrire à Jim Davidson pour me plaindre !

Derrière eux, un garçon attendait avec impatience qu'ils commandent. Miranda ne savait qui plaindre le plus, Johnnie ou la pauvre Alice au rire bêlant.

— Je me demande de quel signe est Jim Davidson, marmonna Johnnie d'un ton désespéré.

— Je n'arrive pas à croire que je suis assise là, en train de parler à Miles Harper ! piailla Alice. C'est follement excitant... Ah, quand je vais le dire à mes copines de bureau, elles en crèveront de jalousie !

Voyant que Miles souriait et ne semblait pas décidé à se porter au secours de son ami, Miranda intervint :

— Est-ce que tu ne devrais pas dire à Johnnie ce qui nous amène ?

— Quoi ? Oh, ce n'est pas urgent. Alice, c'est toi qui as tricoté cette veste étonnante ?

Johnnie se retint difficilement de jeter son assiette à la tête de Miles. Si l'on ne pouvait plus se fier à son meilleur ami pour vous tirer d'embarras, où allait-on ?

— Mais si, c'est urgent ! s'écria Miranda. Je suis désolée, Johnnie, mais ta grand-mère a téléphoné il y a vingt minutes. Apparemment, elle a eu un petit problème avec une paire de menottes et s'est ligotée à son vélo d'appartement. Comme tu es le seul à posséder le double des clés, elle a absolument besoin de toi pour se dégager.

Déçue mais compréhensive, Alice fut larguée devant la station de métro la plus proche. Johnnie descendit de voiture pour lui dire au revoir. Miranda l'entendit marmonner :

— C'était super. Je te rappellerai.

— Oui, mais quand ? demanda Alice en se cramponnant à son bras. Demain matin, demain soir ?

— Un vrai cauchemar, gémit Johnnie en s'affalant sur le siège du conducteur. Et toi, espèce de sadique, tu n'as pas bougé le petit doigt pour me tirer de là ! ajouta-t-il à l'adresse de Miles.

Miranda se retourna. La silhouette mal fagotée d'Alice restait plantée sur le bord du trottoir.

— Elle continue à nous faire signe.

Prise de pitié, elle agita la main.

— On est venus, non ? ricana Miles. Bon sang, cette veste ! J'ai deviné tout de suite qu'elle l'avait tricotée elle-même.

— Est-ce que ce n'était pas un peu mesquin de la laisser à une station de métro ? protesta Miranda. On aurait au moins pu la déposer chez elle.

— Ma grand-mère est menottée à son vélo d'appartement. Il n'y a pas un instant à perdre, répliqua Johnnie. À propos, merci, dit-il à Miranda. Si tu n'avais pas été là, on en serait encore à discuter tricot et horoscope.

— Qui a organisé ce rendez-vous ? s'étonna Miranda. Lequel de tes amis a sérieusement pensé que d'aussi charmants jeunes gens que vous allaient tomber amoureux au premier regard ?

Seul le silence lui répondit.

— Tourne à gauche, ordonna Miles. On va chez moi. Miranda a refusé que je prenne une douche chez elle.

— Parce que tu voulais la prendre en même temps que moi, riposta la jeune fille.

— C'était pour économiser l'eau. Prenez votre douche entre amis, c'est que j'ai toujours dit... Enfin, à condition qu'il s'agisse d'une fille. Pas question que je prenne une douche avec Johnnie. Un dos velu, beurk ! fit-il en frissonnant.

— C'est l'autre raison pour laquelle j'ai refusé que tu entres dans la salle de bains avec moi, déclara Miranda. Je n'aurais pas aimé que tu voies le mien.

L'appartement de Miles était situé au rez-de-chaussée d'un immeuble de quatre étages, juste à côté de King's Road. Les murs marron du salon étaient tapissés de photos de voitures de formule 1, contemporaines et anciennes. De nombreux tapis multicolores recouvraient le parquet ciré. Le canapé en cuir ocre était de taille olympique, de même que la télé, la chaîne hi-fi et les bibliothèques, où s'alignaient tous les livres possibles et imaginables sur la course automobile.

— Quel ordre ! dit-elle en remarquant les magazines bien empilés sous la table basse.

— C'est parce que ma femme de ménage vient de passer, expliqua Miles en ôtant sa veste. À mon tour de prendre une douche. Johnnie va t'apporter à boire. À moins que tu ne veuilles me tenir compagnie dans la salle de bains...

— Je préfère que Johnnie m'apporte un verre, répondit Miranda en s'écroulant sur le canapé moelleux. Super ! On pourrait dormir là-dessus.

— On peut y faire des tas de choses, mais attends que je revienne.

— Tu m'autorises à fouiner pendant que tu n'es pas là ?

— Fouille tout ce que tu veux, dit Miles. Je n'ai rien de compromettant dans mes tiroirs. En tout cas, aucun vieux slip avec photo de star.

— Oh ! s'exclama Miranda en lui jetant un coussin à la figure.

Miles quitta la pièce en chantant d'une voix de fausset le tube de Bros, le groupe qui avait bercé l'adolescence de Miranda.

Il fallait impérativement mettre ces vieilles culottes à la poubelle, décida-t-elle, mortifiée.

Dans la cuisine, Johnnie se battait avec une bouteille de vin et un tire-bouchon sophistiqué. Son estomac commençant à crier famine, Miranda admira les appareils ménagers flambant neufs, puis explora les placards.

— Cette cuisine, ce n'est que de l'esbroufe, annonça- t-elle. Il n'y a rien à manger.

— Par contre, il y a plein de choses à boire, dit Johnnie en lui montrant le réfrigérateur rempli de bières, de vodka, de champagne et de jus de fruits. On est des garçons, nous, ajouta-t-il, sur la défensive. On dîne au restaurant. Les vrais hommes ne font pas la cuisine.

— Je connais quelques chefs célèbres qui seraient heureux de te flanquer une raclée, répliqua Miranda.

Elle tendit son verre sous le goulot et regarda le vin couler.

— La dernière fois que je t'ai vu, tu étais pratiquement nu et couvert de morceaux de melon.

— J'espère que tu as aussi remarqué que je n'avais pas de poils sur le dos, dit Johnnie.

Elle le suivit dans le salon et s'assit sur le canapé.

— Alors, qui a organisé le rendez-vous avec Alice ?

— Hein ?

Johnnie lui tournait le dos. Accroupi devant la chaîne, il examinait une pile de CD.

— Bon, prenons la question par un autre bout, fit Miranda. Lequel de vous deux a répondu à l'annonce ?

44

La nuque de Johnnie vira au rouge brique.

— Tu parles d'un ami ! fit-il en se retournant. Il m'avait promis de ne rien dire.

— Miles n'a rien dit. J'ai deviné toute seule. Aucun des amis d'Alice ou des tiens n'aurait eu l'idée de vous réunir. Autre indice : si tu ne l'as pas ramenée chez elle, c'est que tu ignores où elle habite, acheva-t-elle, éblouie elle-même par ses facultés de déduction.

Johnnie mit un CD dans l'appareil et vint s'asseoir à côté de Miranda.

— Ne te moque pas de moi, s'il te plaît. Ce n'est pas facile d'être le meilleur copain de Miles Harper. Quand on sort ensemble, aucune fille ne dit : « Moi, c'est le vilain petit gros qui me plaît. »

— Tu n'es pas gros ! protesta Miranda. Et pas vilain non plus, ajouta-t-elle précipitamment.

— Comparé à Miles, si... Et puis, zut, marmonna Johnnie, qui semblait regretter cet instant de faiblesse. Ne va pas t'imaginer que je suis un cas désespéré. J'étais ivre quand j'ai répondu à l'annonce.

Il marqua une pause, l'air malheureux, puis reprit :

— Je suppose que tout le monde triche, mais Alice s'était flattée sur le papier. Elle n'avait pas signalé son rire bêlant, ni son total manque de charme... Bon sang, qu'est-ce que c'est que ce bruit ?

Il examina Miranda, dont le ventre gargouillait comme une bétonnière en pleine activité.

— J'ai faim. Ça fait bien six heures que j'ai mangé mon dernier Mars et je suis au bord de l'hypoglycémie.

— Il y a un bon traiteur chinois au coin de la rue. Dis-moi ce que tu veux et j'y vais.

— Je t'accompagne, décida Miranda, qui aimait lire les menus en détail. Tu as de quoi écrire ?

Au retour, ils trouvèrent Miles allongé sur le canapé. Il suivait la retransmission du match de Wimbledon, tout en faisant les mots croisés de l'*Evening Standard*. Brandissant le message laissé par Miranda, il lut à haute voix :

— « Cher Miles, je te quitte pour ton ami qui est bien plus beau que toi. Je t'embrasse, Miranda. P.-S. : Où est-ce que tu ranges les baguettes ? »

Elle lui flanqua un sac en papier brûlant sur les genoux.

— Tu n'arriveras jamais à impressionner les filles avec un réfrigérateur vide, tu sais.

— J'avais prévu de t'emmener chez *Orsini*, protesta Miles. Un dîner romantique avec homard, champagne...

— Trop tard. À la place, on a des rouleaux de printemps et du poulet au gingembre. Et on ne sort pas. Johnnie et moi allons jouer au Trivial Pursuit... Tu peux jouer avec nous, si tu veux, ajouta-t-elle gentiment.

Johnnie partit à une heure du matin.

— Qu'est-ce que tu fais ? demanda Miles.

À quatre pattes devant le canapé, Miranda cherchait ses chaussures.

— Je rentre à la maison.

— Tu ne peux pas rester ?

— Non, la journée a été longue... Ah, les voilà ! s'exclama-t-elle en se redressant.

Miles l'attrapa par le bras et la força à s'asseoir à côté de lui.

— Et ce rendez-vous aussi. Trente et une heures. J'ai connu des mariages qui ont duré moins longtemps que ça.

— Il faut quand même que je rentre.

Une caresse sur sa nuque la fit frémir. Elle rassembla tout son courage.

— Tu m'appelles un taxi ?

Il sortit le petit cochon en cuivre de sa poche et le retourna plusieurs fois dans sa main, l'air sceptique.

— Tu es sûre que c'est un porte-bonheur ? Jusqu'à présent, ça n'a pas vraiment marché.

— Tu viens de faire sa connaissance, dit Miranda. Laisse-lui le temps de s'habituer à toi.

— Je viens de faire ta connaissance, précisa-t-il avec un petit sourire. Mais ça me suffit pour savoir que tu me plais beaucoup.

Oh là là... S'il continuait dans cette voie-là, les bonnes résolutions de Miranda ne tiendraient pas longtemps.

Elle leva une main et écarta légèrement le pouce et l'index.

— Je te plais comment ? Grand comme ça ?

— Tu crois que je plaisante, mais tu te trompes.

— Je pense seulement que tu essaies de m'embobiner.

— Je suis sérieux.

— Et cette réplique, tu la sors d'où ? riposta Miranda. Du *Manuel de séduction de Miles Harper*, chapitre six : *Comment convaincre une fille crédule que, cette fois, c'est pour de bon* ?

Miles se renversa en arrière en soupirant.

— Pauvre de moi ! Quand je me fiche complètement d'une nana, tu peux être sûre qu'elle va grimper dans mon lit avant que j'aie eu le temps de dire ouf. Mais quand je rencontre quelqu'un qui me plaît vraiment...

Il leva les bras au ciel en signe de désespoir.

— Chapitre huit, récita Miranda en enfilant ses chaussures, *Comment jouer le soldat blessé, ou comment susciter la compassion*. Bientôt, tu vas me raconter que tu es impuissant.

Elle lui adressa une grimace de sympathie.

— Tu ne veux pas rester ? S'il te plaît, insista-t-il.

— Non.

Très fière de son courage, Miranda sauta sur ses pieds.

— Tu m'appelles un taxi, oui ou non ?

— Pas question que je te mette dans un taxi.

Il fit une pause, puis reprit avec un grand sourire :

— Je te ramène chez toi.

Il était 1 h 40 lorsque Miles s'arrêta devant la maison de Florence.

« Et il n'y a personne à la fenêtre pour me voir, dans une Porsche gris argent, recevoir un baiser d'adieu de Miles Harper », regretta Miranda.

Et personne dans toute la rue, flûte !

Où étaient-ils donc tous passés ?

— On peut se voir demain soir ? demanda Miles, ses lèvres effleurant celles de Miranda.

Daisy ne rentrait que vendredi, se rappela-t-elle. Il n'avait rien d'autre à faire. Elle n'était qu'un bouche-trou.

Pourtant, à aucun moment de la journée elle n'avait eu l'impression de jouer le rôle de bouche-trou.

D'ailleurs, si elle refusait, à quoi occuperait-elle sa soirée ? À regarder une série télévisée ? À feuilleter de vieux magazines en dessinant des varices et des moustaches sur les photos de Daisy Schofield ? Autre possibilité : ranger son tiroir de sous-vêtements, afin que le prochain pilote automobile qu'elle parviendrait à attirer dans sa chambre ne puisse pas se moquer de ses petites culottes.

Que choisir ?

— D'accord, fit-elle avec un hochement de tête.

— Pas de Johnnie, cette fois, promit Miles. Rien que nous deux.

— Pas de sexe non plus, ajouta-t-elle.

La bouche chaude de Miles caressa sa joue.

— Pourquoi es-tu aussi cruelle avec moi ?

Miranda le savait. C'était pour compenser les avances éhontées dont elle avait accablé Danny Delancey, et surtout l'échec de ces avances. Il s'agissait de restaurer sa dignité ébranlée et de se prouver qu'elle n'était pas une pauvre fille réduite à quémander un peu d'amour, si sordide soit-il.

Chaque fois qu'elle se rappelait la scène affreuse qui s'était déroulée dans la voiture de Danny, qu'elle se remémorait ses supplications et ses roucoulements ridicules, son être entier se révulsait.

En fait, elle s'était comportée en homme, réalisa-t-elle. Les garçons passaient leur temps à essayer d'attirer des filles dans leur lit. Et quand leurs efforts n'aboutissaient pas, ils se contentaient de hausser les épaules en rigolant.

Est-ce qu'il leur serait venu à l'esprit d'avoir honte ?

Bien sûr que non.

La vie était vraiment trop injuste, conclut Miranda.

— Je ne suis pas cruelle, dit-elle en tapotant la jambe de Miles. Tu es juste trop laid pour moi

Il lui prit la main en riant et l'embrassa.

— Rappelle-moi pourquoi tu me plais autant ?

— Parce que je suis une personne adorable, tout simplement, répondit Miranda.

— N'oublie pas ce que je t'ai dit, ordonna Beverly d'une voix sévère, lorsqu'elle lui eut extorqué le moindre détail de son rendez-vous avec Miles. Il profite de l'absence de Daisy pour batifoler un peu. Ce n'est pas sérieux, tu le sais, n'est-ce pas ? répéta-t-elle.

Miranda avait l'impression d'entendre un disque rayé.

— Ton collant est filé, dit-elle pour changer de sujet.

— Oh, zut ! Heureusement, j'en ai un autre... Enfin, tant que tu ne couches pas avec lui, ce n'est pas trop grave.

— Je n'en ai pas l'intention, marmonna Miranda.

— Tu dois le revoir ?

— Non.

Elle fit une brève prière, afin que son nez ne s'allonge pas de deux centimètres. Satisfaite, Beverly hocha la tête. Elle ne s'était pas trompée, Miles Harper s'était déjà lassé de sa nouvelle conquête.

— Ça vaut mieux. Évite de t'attacher, tu ne souffriras pas.

« Trop tard », commenta Miranda en son for intérieur.

— Tu as raison, acquiesça-t-elle d'une voix soumise.

— À propos, comment est son ami ?

« Bon sang, elle ne s'arrêtera donc jamais ? » songea Miranda. L'espace d'un instant, l'idée de réunir Beverly et Johnnie lui traversa la tête. Non, ce serait encore pire qu'avec cette pauvre cruche d'Alice.

Beverly fixait sur elle un regard plein d'espoir.

— Ce n'est pas du tout ton genre.

Un photographe rôdait devant l'immeuble. Suivant les instructions de Miles, Miranda continua son chemin, tourna à gauche dans Percival Mews, sauta par-dessus un mur, traversa un jardin, franchit un deuxième mur et atterrit dans le patio de Miles.

Torse nu, il ouvrit la porte-fenêtre et l'attira à l'intérieur.

— Tous ces subterfuges, et on ne couche même pas ensemble ! dit-il en riant.

— Arrête, tu vas me donner des remords, railla Miranda.

— Voilà qui promet. C'est une proposition ?

— Non, et il y a ton téléphone qui sonne.

Elle eut beau tenter de ne pas écouter, elle devina sans mal qui appelait.

« Oh mon Dieu, qu'est-ce que je fais ici ? se demanda-t-elle en fermant les yeux. C'est du masochisme. »

— C'était Daisy, annonça Miles.

— J'avais compris.

Elle fourra les mains dans les poches de son jean, l'air désinvolte.

— Elle revient demain soir. Il faut que j'aille la chercher à l'aéroport. Habillé correctement, ajouta-t-il avec un sourire désabusé. Son agent a convoqué des photographes pour assister à nos touchantes retrouvailles.

« S'il te plaît, supplia Miranda, ne me demande pas de te repasser une chemise. »

— Ça ne t'ennuie pas de rester ici ce soir ? dit Miles.

— Pourquoi ? Où est-ce que tu vas, toi ?

— Je pensais rester à la maison, moi aussi, si ça ne te gêne pas, répondit-il en se dirigeant vers la cuisine. Pour qu'on passe un bon moment ensemble, sans être dérangés. En plus, mon entraîneur n'aime pas apprendre par la presse que je cours à droite et à gauche, au lieu de me reposer en vue de la prochaine course.

— Ça ne doit pas plaire à Daisy non plus.

— Chut. Je n'ai pas envie de parler de Daisy. Viens, j'ai quelque chose à te montrer.

Miranda lui jeta un regard soupçonneux.

Mais lorsqu'il ouvrit la porte du réfrigérateur, elle ne put cacher son émerveillement.

— Super !

— Hier soir, tu as dit pis que pendre de ma cuisine. Tu as même insulté mon frigo, ajouta Miles en tapotant l'appareil pour le réconforter. Ce matin, il était bouleversé et gémissait : « Utilise-moi ! Remplis-moi ! Je peux contenir de la nourriture, je te jure que j'en suis capable ! »

Miranda examina les douzaines de plats tout prêts, l'indécent assortiment de gâteaux, les fruits exotiques, les fromages...

— J'ai tout acheté moi-même, déclara Miles fièrement. J'ai sillonné chacune des allées du supermarché avec mon chariot, vidé les étagères, tout déballé sur le tapis roulant et tout rangé dans des sacs. Je ne savais pas ce qui te ferait plaisir, alors je...

— Alors, si j'en juge d'après ce que je vois, tu as acheté le magasin ! s'exclama Miranda.

— Tu comprends, j'essaie désespérément de t'impressionner. Il faut que tu saches que je n'ai jamais rempli mon réfrigérateur pour personne d'autre... Ce doit être l'amour, ajouta-t-il avec un regard ému.

Heureusement, elle avait une faim de loup.

— Oh mon Dieu, je regrette que tu ne m'aies pas prévenue, je n'aurais pas mangé deux hamburgers en sortant du salon, dit-elle pour le taquiner.

45

Il était minuit lorsque Miles la ramena à Tredegar Gardens. Il se gara, coupa le contact et se tourna vers elle.

— Je vais te convaincre que je parle sérieusement.

— Comment comptes-tu t'y prendre ? En te mettant à genoux ? Chapitre onze : *Quand tout a échoué, suppliez.*

Miles feignit de ne pas avoir entendu.

— Je sais quel est ton problème.

— Laisse-moi deviner. Chapitre douze : *Dites-lui qu'elle est frigide.*

Elle avait beau afficher une grande décontraction, ses mains étaient devenues moites. Malheureusement, avant qu'elle ait eu le temps de les essuyer sur son jean, Miles les prit et les étreignit.

— Ton problème, c'est Daisy. Tu crois que je ne vois en toi qu'un passe-temps momentané.

— Je... je ne crois pas ça du tout, bredouilla-t-elle.

Si, si, si !

— Si je romps avec Daisy, est-ce que tu seras convaincue de ma sincérité ?

« Oh, bon sang, attends une minute, se dit Miranda. Respire à fond, respire à fond... »

— Tu respires bizarrement, observa Miles. Ce ne serait pas un effet du désir, par hasard ?

— Tu ne penses pas ce que tu dis.

Miranda nageait en pleine perplexité. Miles ne pouvait pas être sérieux. Il rusait, comme les hommes mariés qui promettent à leur maîtresse qu'ils vont divorcer.

— Je ne pense pas ce que je dis ? Eh bien, tu vas voir.

— Tu devrais jouer au poker. Du bluff, encore du bluff, toujours du bluff.

— Bon, parlons clairement. Est-ce que tu me regarderais d'un autre œil si Daisy ne faisait plus partie du paysage ?

Incapable d'imaginer une seule réponse sensée, elle haussa les épaules.

— Oui, merci, ça serait bien.

— Je la quitte dès demain soir.

Miles lui caressa les cheveux.

— Je le lui dis demain, reprit-il, et samedi matin, je t'appelle pour t'annoncer que ce problème-là est réglé.

— Parfait, approuva-t-elle.

La chose étant improbable, autant jouer le jeu jusqu'au bout.

— Alors, quand est-ce qu'on se voit ? Samedi après-midi ?

Au sourire de Miles, elle comprit qu'elle avait commis une gaffe.

— Apparemment, tu n'es pas une fan de formule 1, remarqua-t-il. J'aurais adoré te voir ce week-end, mais je risque d'être assez pris. Avec l'entraînement, les qualifications de samedi et la course de dimanche, je n'aurai pas une minute à moi... Je sais que c'est embêtant, mais c'est ça qui fait bouillir la marmite.

— Tu ne pourrais pas en toucher deux mots aux organisateurs et leur demander de retarder la course ?

— Je constate que tu as hâte de me séduire, maintenant... Hélas, il va pourtant falloir attendre.

— Tu n'es pas drôle, dit Miranda.

— Au contraire, je suis un type très drôle… Tu le découvriras lundi soir, murmura Miles à son oreille.

Le vendredi, tel un agent secret coincé en territoire ennemi, Miranda ne parla de Miles à personne, bien qu'il occupât toutes ses pensées. Son cerveau ne cessait de lui poser les mêmes questions sans réponses.

Miles était-il sincère ? Allait-il vraiment rompre avec Daisy Schofield et lui téléphoner le lendemain ?

Ou s'était-il moqué d'elle depuis le début ?

Les mots tournaient et retournaient dans sa tête, ritournelle exaspérante. Elle ne pouvait qu'attendre.

— Qu'est-ce que tu fais, dimanche ? lui demanda Beverly.

Miranda réfléchit à toute allure, à la recherche d'une activité qui n'aurait aucune chance d'intéresser son amie.

— Je bêche le jardin de Florence, répondit-elle avec enthousiasme. Je replante les arbustes, je démolis la rocaille et j'installe un bassin à nénuphars… Tu veux me donner un coup de main ?

Beverly frémit. La terre, le compost, les vers de terre et toutes les bestioles répugnantes qui jaillissaient de sous les cailloux, quelle horreur !

— Beurk ! Non, merci.

À 19 h 30, Miranda disposait de la maison pour elle toute seule. Tel un bigame bien organisé, Fenn l'avait déposée après le travail et avait aussitôt invité Chloé à s'installer sur le siège encore chaud.

— Je serai de retour avant 23 heures, promit Chloé.

La pâleur de Miranda et le frétillement nerveux de ses doigts l'inquiétèrent.

— Tu vas bien ?

Miranda songea un instant à se confier à Chloé, puis elle se ravisa. Son amie ne la sermonnerait pas, mais elle risquait de parler à Fenn.

— Très, très bien, répondit-elle d'un ton euphorique. Je vais prendre un bain.

Un peu plus tard, elle descendait au salon, douillettement vêtue d'un vieux peignoir rose orné d'un éléphanteau déchiré, lorsque Florence lui annonça en tapotant la main de Tom Barrett :

— Nous partons au théâtre. À demain, ma chérie. Ne te couche pas trop tard.

Aucune série, pas même la plus palpitante, ne réussit à retenir l'attention de Miranda.

Bon sang, pourquoi se mettait-elle dans un tel état ? Il ne se passerait rien du tout, et elle ne reverrait probablement jamais Miles Harper.

20 heures. L'avion devait être en train d'atterrir à Heathrow. Daisy, toute pomponnée, maquillée et coiffée pour les photographes (flash !) allait se jeter dans les bras de Miles (flash ! flash ! flash !) et celui-ci se rappellerait que c'était elle, sa petite amie, et pas la drôle de bonne femme à la tignasse bleue avec laquelle il s'était amusé ces derniers jours, la pauvre fille qui balayait des cheveux pour gagner sa vie et avait le culot de se moquer de son réfrigérateur.

L'estomac noué, Miranda finissait sa bouteille de Coca-Cola quand la sonnette de l'entrée retentit. Elle sursauta et avala de travers.

Ce n'était pas Miles, quand même ?

Non, évidemment. Après avoir buté contre le canapé, s'être cogné la hanche contre un coin de la bibliothèque et avoir traversé le vestibule à toute allure, Miranda faillit pleurer de déception quand elle ouvrit toute grande la porte d'entrée.

Bravo, parfait, voilà exactement ce qu'il lui fallait. Danny Delancey, monsieur merci-mais-sans-façon !

— Miranda... fit-il en fixant son peignoir rose.

Elle craignit une plaisanterie stupide, mais il se contenta de dire gentiment :

— Il est temps qu'on se réconcilie, tu ne trouves pas ?

Avec, en prime, un sourire signifiant : « D'accord, tu as été ridicule, mais je te pardonne. » Miranda, qui avait souvent dû encaisser ce genre de sourire durant sa courte vie, répondit sèchement :

— Je ne vois pas de quoi tu veux parler. De mon côté, ça va.

— Ce n'est pas le cas de ton éléphant. Il a l'air mal en point. À ta place, je passerais un coup de fil à la SPA.

— Ah ah ah, ricana Miranda.

— Est-ce que je peux entrer ?

— En fait, je m'apprêtais à sortir, déclara-t-elle, sans tenir compte de sa tenue.

— J'ai téléphoné tout à l'heure, et Florence m'a dit que tu ne faisais rien ce soir.

Exaspérée, Miranda se rappela avoir entendu la sonnerie pendant qu'elle était en train de paresser dans son bain. « C'était un pauvre type qui bégayait et essayait de me vendre un as... as... pi... pi... rateur », avait prétendu Florence peu après.

Comme elle gardait le silence, Danny reprit :

— Il ne faut pas que tu sois gênée par ce qui s'est passé l'autre jour. Est-ce qu'on ne pourrait pas tout oublier et recommencer à zéro ?

Excellente idée, sauf qu'il y avait des choses plus dures à oublier que d'autres. Surtout quand elles avaient été gravées dans le cerveau à l'aide d'un marteau-piqueur.

— Je ne suis absolument pas gênée, mentit Miranda, mais ce soir, je ne me sens pas d'humeur à faire la conversation. La journée a été longue, je suis fatiguée, j'ai…

— Tu es fatiguée parce que tu déprimes. J'ai parlé avec Florence la semaine dernière, annonça négligemment Danny, et elle m'a tout raconté. Alors, me voilà.

Il s'empara des mains de Miranda et les serra fermement.

— Pas de discussion, enchaîna-t-il en lui lançant un regard sévère. On sort.

Miranda céda. Il n'y avait rien de bien à la télévision, et sortir l'empêcherait de ressasser ses doutes au sujet de Miles. En outre, il était plus facile de se réconcilier avec Danny que de passer le reste de sa vie à l'éviter.

D'ailleurs, maintenant que l'affaire Miles occupait toutes ses pensées, ce qu'elle avait vécu avec Danny ne semblait plus avoir une telle importance.

Elle monta dans sa chambre et enfila un chemisier gris pâle et un vieux jean, le but de cette tenue négligée étant de rassurer Danny. Qu'il soit bien convaincu qu'elle n'avait pas l'intention de se jeter sur lui en criant : « Fais-moi l'amour tout de suite ! »

Ni maquillage ni parfum non plus. Les quelques gouttes d'*Eau d'Issey* qu'il lui restait méritaient une occasion plus palpitante.

Si Danny remarqua ses efforts – enfin, son absence d'efforts – il ne le dit pas.

Il l'emmena dans un pub de Shepherd's Bush, où se côtoyaient familles et jeunes branchés.

— Du vin blanc ? demanda-t-il, après qu'ils se furent installés à une table libre dans le jardin.

— Un jus d'orange, répondit-elle d'une voix ferme.

De cette façon, il comprendrait que, contrairement aux apparences, elle n'était pas une ivrogne invétérée.

Pendant que Danny allait commander les boissons au bar, elle regarda un groupe d'enfants s'amuser à dévaler une pente. L'un d'eux sortit de la piste et tomba dans le tas d'écorces sèches destiné à amortir les atterrissages. Un nuage de poussière jaillit. Tout en se félicitant de ne pas avoir mis de mascara, Miranda s'essuya les yeux avec sa manche.

— Et voilà, fit Danny, qui revenait du bar.

Il lui tendit un mouchoir en papier.

— Tu crois que ça ne t'arrivera jamais, n'est-ce pas ?

— Quoi donc ?

— Mais ça va t'arriver, tu sais. Un jour, toi aussi, tu y auras droit.

Il fit un signe de tête en direction des enfants qui bondissaient en poussant des cris. Était-il en train de lui assurer qu'un jour, elle aussi aurait la joie d'être mère ?

— J'ai juste attrapé une poussière dans l'œil, protesta Miranda.

Danny évita gentiment de la contredire.

— D'accord, mais écoute-moi quand même. Cette histoire avec ce fumier de Greg... Forcément, ça fait mal. Mais, un jour, tu rencontreras quelqu'un d'autre, un homme en qui tu pourras avoir confiance. Tu es courageuse, gentille, drôle, belle...

— Pas tout à fait assez belle au goût de certains.

Miranda regretta aussitôt ses paroles.

Danny lui jeta un coup d'œil peiné.

— Laisse-moi t'expliquer. L'autre soir, dans la voiture, tu avais eu une journée terrible. Tu étais soûle comme une barrique et très malheureuse. Voilà pourquoi je n'ai pas accepté ton… euh… ton offre. C'est la seule et unique raison, je te le jure.

Il se pencha vers elle et la regarda avec gravité.

— Si les circonstances avaient été différentes, reprit-il, j'aurais été enchanté de m'y coller.

De s'y coller ?

— Eh bien, merci, c'est vraiment généreux de ta part.

Les épaules de Miranda s'affaissèrent. Elle avait beau s'efforcer de paraître sarcastique, elle ne parvenait qu'à ronchonner d'un ton pleurnichard.

— Tu t'es complètement trompée sur mes intentions, insista Danny.

Ah, bon ? Croyait-il réellement la réconforter, avec ce baratin « je ne te toucherais pour rien au monde, mais n'en fais surtout pas une affaire personnelle » ?

— Tu sais, je suis sincère, continua Danny. À n'importe quel autre moment, je suis ton homme. Greg t'a trahie. Tu souffres encore. Il te faut du temps pour t'en remettre. Mais, plus tard, quand tu l'auras oublié… Eh bien, si tu me fais à nouveau ce genre de proposition, je ne dirai pas non.

Miranda lui lança un regard froid. Elle avait l'impression d'être une petite fille de six ans, qui harcelait ses parents pour qu'ils lui achètent un chiot et à qui on ne cessait de répondre : « Pas maintenant, chérie. Peut-être l'année prochaine. »

Tout son corps se hérissa d'indignation. Quel culot ! Quelle condescendance ! Est-ce qu'il pensait vraiment la consoler en lui promettant ses faveurs pour l'année 2003 ? Pourquoi ne pas fixer une date tout de suite ? Heureusement pour lui que des enfants innocents jouaient à proximité. Sinon, elle lui aurait arraché les sourcils un à un.

46

Miranda avala une gorgée de jus d'orange, en regrettant amèrement que ce ne soit pas du vin. La tirade de Danny l'avait exaspérée, mais elle savait qu'à sa façon, il essayait de l'aider à reprendre confiance en elle. Ce n'était pas sa faute s'il se fourrait le doigt dans l'œil.

— Tu ne comprends pas. Je ne suis pas du tout bouleversée, ni à cause de Greg ni à cause de toi. Je vais tout à fait bien, je t'assure.

Pour toute réponse, Danny fixa le mouchoir froissé qu'elle serrait dans son poing.

— J'avais juste une poussière dans l'œil, expliqua-t-elle en élevant la voix. Bon sang, Danny, je me sens parfaitement bien ! Pourquoi est-ce que tu t'obstines ?

— Bon, d'accord, fit-il avec un geste d'apaisement.

La femme assise à la table voisine chuchota à son mari :

— Oh, une querelle d'amoureux.

Miranda se retourna aussitôt pour rétablir la vérité.

— Ce n'est pas mon amoureux. Pour vous dire la vérité, mon amoureux est cent fois plus beau que ce type.

Le couple parut médusé.

— Miranda, arrête. Inutile de t'emporter, protesta Danny.

— Je ne m'emporte pas, je mets les choses au point. Tu me prends pour une vieille fille aigrie sans personne dans sa vie ? Eh bien, tu te trompes. Oui, j'ai un petit ami, justement, et il est fou de moi, voilà.

Un peu enfantin, ce dernier truc. On se serait cru dans la cour d'une école maternelle. Il n'y manquait plus qu'un triomphant « na-na-na-na-nèère ».

Apparemment, c'était aussi l'avis de Danny.

— Tu n'as pas de petit ami, articula-t-il lentement, comme s'il annonçait la nouvelle à un patient d'asile psychiatrique particulièrement abruti.

— Si, j'en ai un.

— Miranda...

— Je sors avec Miles Harper.

Dès qu'elle eut laissé les mots s'échapper, Miranda se retourna avec horreur pour voir si le couple de la table voisine l'avait entendue. Ouf ! Ils avaient plié bagage sans même terminer leurs verres.

Bon. Puisqu'elle avait commencé, autant finir. Elle aurait fait n'importe quoi pour que Danny cesse de la regarder avec cette expression compatissante.

Il s'en chargea en éclatant de rire.

— C'est vrai, déclara-t-elle en se retenant difficilement de hurler. Je ne pouvais rien dire, parce que la situation est plutôt délicate. Mais c'est la pure vérité, Danny, je le jure. Il est venu au salon de coiffure et il m'a embrassée devant tout le monde. Le soir même, nous sommes sortis ensemble, et le lendemain, nous sommes allés à Wimbledon... Depuis, chaque fois qu'il a eu un moment de libre, il l'a passé avec moi... Il est formidable et il ne considère pas notre relation comme une passade. Il est sincère !

Après tout, enjoliver un peu les choses n'avait jamais fait de mal à personne.

— C'est bizarre, je n'ai rien lu de tout ça dans les journaux, remarqua Danny.

— Je te l'ai dit, la situation est un peu délicate.

— Et pourtant, vous êtes allés ensemble à Wimbledon ?

— Personne ne l'a reconnu, il était déguisé.

— Vous étiez bien placés, j'espère, fit Danny d'un ton sec.

— Il aurait pu obtenir des billets d'un simple coup de fil, mais il a préféré qu'on fasse la queue toute la nuit. On a dormi sous la tente, sur le trottoir... C'est bien plus sympa comme ça, ajouta-t-elle d'un air entendu.

— Je vois, acquiesça Danny d'un air songeur. Daisy Schofield a-t-elle dormi avec vous sous la tente ?

— Elle n'était pas là. Elle rentre d'Australie ce soir. En fait, il doit rompre avec elle tout à l'heure.

Miranda éprouvait une sorte de vertige. Quel soulagement de pouvoir enfin se confier à quelqu'un ! Une marée de certitude balayait ses doutes. Maintenant que Danny était au courant, ce qui n'avait été qu'espoir était devenu réalité.

Danny but une gorgée de bière. Miranda, les yeux brillants et le sourire triomphant, attendait sa réaction. Combien d'invention y avait-il dans cette histoire, bon sang ? Quatre-vingt-dix pour cent ?

— Tu ne me crois toujours pas ? fit Miranda.

Y croyait-elle elle-même ? se demanda Danny. Il baissa les yeux et regarda les gouttes de condensation tomber de sa bouteille sur son jean.

— Je suis surpris que Florence ne m'en ait pas parlé.

— Elle ne sait rien. Je ne l'ai dit à personne.

Toujours perplexe, il soupira. À priori, Miranda avait eu une aventure d'une nuit avec Miles Harper et avait monté le reste de toutes pièces.

— Tu as couché avec lui ?

— À ton avis ? s'écria-t-elle avec un sourire satisfait. Sois honnête, Danny. À ma place, tu te serais abstenu ?

Alors, c'était ça. Elle avait couché avec Miles Harper. Danny se détourna, le cœur brisé.

— Et ce soir, il annonce à Daisy Schofield que tout est fini entre eux ? Il la quitte pour toi ?

Danny se demanda une fois de plus si Miranda y croyait vraiment. Elle acquiesça d'un hochement de tête énergique.

— On peut donc s'attendre à des articles brûlants demain dans la journée ?

Miranda haussa les épaules.

— Pour la presse, je ne sais pas trop.

— Si tu as l'intention d'être la nouvelle petite amie de Miles Harper, tu ferais mieux de te renseigner, dit Danny d'un ton compatissant. Tu es sûre qu'il te sera fidèle ?

— Pourquoi te montres-tu aussi désagréable ?

La ménager semblant inefficace, Danny opta pour la franchise.

— Je ne suis pas désagréable, je pense seulement qu'il ne va rien se passer de tout ça.

« Dans ce cas, songea Miranda, il ne lui resterait plus qu'à quitter le pays. »

— Tu sais quoi ? Ça ne m'étonnerait pas que tu sois un tantinet jaloux.

Elle lui tapota le dos de la main, en imitant l'inquiétude protectrice qu'il lui avait manifestée quelques instants auparavant.

— Ne t'en fais pas, redresse la tête. Même si ça prend du temps, tu finiras par trouver quelqu'un. Un jour, ça t'arrivera à toi aussi.

Trois bennes à ordures étaient alignées devant l'immeuble de Fenn, suscitant l'indignation de ses honorables voisins.

— Cette fois, je sais avec certitude que cette moquette était horrible, dit-il à Chloé. Personne n'est venu la récupérer, alors qu'elle est là depuis deux jours.

— Quel gâchis ! s'exclama-t-elle en le rejoignant à la fenêtre. Tu n'aurais pas pu l'offrir à une œuvre ?

La benne semblait remplie de cadavres de zèbres.

— Quelle œuvre ? Le zoo de Regent's Park ?

Chloé se retourna et examina la pièce nue.

— Dans une semaine, cet appartement ressemblera vraiment à quelque chose. Tu ne le reconnaîtras pas. En tout cas, son dernier occupant ne le reconnaîtrait sûrement pas.

— Parfait. C'était l'objectif.

Les ouvriers étaient partis quelques heures plus tôt. Les rouleaux du papier peint choisi par Fenn et Chloé avaient été livrés dans l'après-midi et s'entassaient dans un coin de la pièce, à côté d'une douzaine de pots de peinture vert sauge, lavande et bleu de Saxe. Fenn et Chloé partageant les mêmes goûts, assortir les couleurs avait été un jeu d'enfant. Lorsque Chloé avait achevé de feuilleter le cahier épais d'échantillons de tissu pour les rideaux, elle avait désigné le vert argenté qu'avait déjà repéré Fenn.

— Ça va être formidable, dit-elle joyeusement. Tu n'as plus qu'à trouver les tapis.

— Des tapis chinois. J'avais l'intention de passer chez Harrods, dimanche… Je ne pense pas que…

— Oh, si, j'en serais ravie, coupa Chloé. Sincèrement, j'adore ça. Je ne sais pas ce que je vais faire quand ce sera fini.

Fenn se posait exactement la même question. Bientôt, il n'aurait plus de motif valable pour inviter Chloé dans son appartement. Au souvenir de la conversation qu'il avait eue avec sa sœur, la veille, il soupira.

Tina, son aînée de trois ans, était si brusque qu'en comparaison, Miranda paraissait diplomate. Sa sœur habitait la Nouvelle-Zélande et n'avait pas remis les pieds en Angleterre depuis plus de cinq ans. Aussi, quand elle lui avait demandé quelle mouche l'avait piqué de s'installer dans le quartier prétentieux de Holland Park, Fenn avait-il répondu franchement. Seize mille kilomètres le protégeaient de toute indiscrétion.

D'ailleurs, s'il ne le disait à personne, il risquait d'exploser.

— Tu veux la vérité ? C'est à cause d'une fille qui vit à Notting Hill, dans la même maison que mon apprentie. Alors, je ramène celle-ci après le travail, et ça me donne l'occasion de voir l'autre fille.

Comme prévu, Tina avait éclaté de rire.

— Et si tu avais emménagé à Hampstead, tu n'aurais pas pu faire la même chose ? Seigneur, Fenn, tu es impayable ! Tu dépenses des fortunes pour t'installer dans un appartement que tu n'aimes pas… C'est la chose la plus folle que j'aie jamais entendue. Si cette fille te plaît tellement, ça ne serait pas plus simple de lui demander un rendez-vous ?

« Excellente idée, pourquoi n'y ai-je pas pensé plus tôt ? » s'était dit Fenn en grimaçant.

— Impossible.

— Bon sang, tu es sorti avec un bon million de filles, non ? Tu devrais connaître le truc, maintenant.

— Ce n'est pas si simple.

— Ah, je vois, elle est mariée. Fenn, tu es un vrai crétin. Qu'est-ce qui t'a pris de te fourrer dans un pétrin pareil ?

— Non, elle n'est pas mariée. Enfin, si. Légalement, elle l'est, mais ils sont séparés... En fait, elle est enceinte, avait-il ajouté.

Quel soulagement de le dire à haute voix après des semaines de silence !

— Nom de nom ! avait hurlé Tina. Tu l'as mise enceinte ? Pas étonnant que son mari l'ait plaquée !

— Tina, attends un peu...

— Tu n'as pas l'intention de l'épouser, mais tu veux rester en contact pour le bien de l'enfant ? Ah, d'accord... Alors, tu vas devenir papa. Bon sang, ça, c'est une sacrée surprise. Est-ce que tu te rends compte que ça va te coûter des fortunes en pension alimentaire ?

— Ce n'est pas mon enfant, avait dit Fenn dès qu'il avait pu placer un mot.

Une longue pause avait suivi. C'était la première fois qu'il entendait Tina garder le silence aussi longtemps.

— Bon sang de bonsoir, Fenn, avait-elle marmonné. Alors, de qui est-il ?

— De son mari.

— Tu es amoureux d'une fille enceinte d'un autre. Maintenant, j'ai compris : tu es devenu fou.

— Merci.

— Comment s'appelle-t-elle ?

— Chloé.

— Et qu'est-ce que Chloé pense de tout ça ?

— Je ne lui ai rien dit.

— Qu'est-ce que tu comptes faire ?

— Je n'en sais rien, avait-il soupiré.

— Tu as des idées pour la chambre à coucher ?

La question de Chloé le ramena brutalement à la réalité.

— Comment ?

— Rideaux ou voilages ? Viens, on va encore y jeter un coup d'œil.

Fenn hocha distraitement la tête. Il avait beau faire, il ne parvenait pas à oublier cette conversation avec sa sœur.

— Laisse-la tomber, avait lâché Tina. Laisse-la tomber comme une vieille chaussette.

— Je ne peux pas.

— Comme une vieille chaussette qui pue, avait-elle insisté d'un ton impérieux. Fenn, tu es en train de commettre la pire bêtise de ta vie. Pour l'amour de Dieu, sors-toi de là pendant qu'il en est encore temps, avant qu'il ne se produise quelque chose d'irréversible.

Trop tard. L'irréversible s'était déjà produit, se dit Fenn en ouvrant la porte de la chambre à coucher.

Chloé s'assit sur le grand lit et regarda les deux fenêtres.

— Je verrais plutôt des voilages, déclara-t-elle.

— Ta frange n'arrête pas de te tomber dans les yeux, remarqua Fenn.

— Mais pas ces affreux voilages à fronces qui font penser aux culottes à fanfreluches de Scarlett O'Hara, reprit Chloé en attrapant un cahier d'échantillons.

— Aimerais-tu que je te coupe les cheveux ?

Chloé trouva ce qu'elle cherchait.

— Argent et beige... Oh, pardon, tu parlais de ma frange ? s'écria-t-elle. Je voulais la couper la semaine dernière, mais Miranda avait emprunté mes ciseaux à ongles pour réparer le cordon du sèche-cheveux et...

— Ne dis pas un mot de plus.

Fenn éprouva exactement ce que devait ressentir un chirurgien en apprenant qu'un de ses patients avait décidé de s'opérer de l'appendicite à l'aide d'un couteau suisse et d'une cuillère rouillée.

Remarquant son froncement de sourcils, Chloé prit l'air consterné.

— Désolée. J'essaie de faire des économies, voilà tout.

— Est-ce que tu me permets de te couper les cheveux ?

— Une telle proposition, ça ne se refuse pas ! s'exclama Chloé, enchantée.

D'ordinaire, les clientes de Fenn lui faisaient une cour éhontée. S'il les trouvait à son goût, il prenait leur numéro de téléphone et, éventuellement, sortait avec elles. La routine, quoi.

Mais il vivait à présent une expérience entièrement nouvelle et il avait du mal à se concentrer. Pour la première fois depuis qu'il avait rencontré Chloé, il était en train de passer les mains dans ses cheveux, d'effleurer son cou, de poser les mains sur ses épaules.

Pas question de flirter, se dit-il sévèrement. Elle était enceinte de six mois des œuvres d'un autre homme et aurait été horrifiée si elle avait découvert les sentiments qu'il nourrissait pour elle.

— Enlèves-en plein, ordonna Chloé avec ardeur, en agitant les doigts comme des ciseaux. Jusqu'aux épaules.

— Là, tu veux dire ?

Fenn attrapa les épaisses boucles blondes et les fit reposer de chaque côté du cou de Chloé. Bon sang, que ce simple geste lui coûtait ! Il s'interrompit un instant pour s'imprégner de la chaleur de sa peau et respirer son parfum. Il aurait été si facile de se pencher et d'embrasser la nuque offerte...

« Fenn Lomax, nom de nom, que t'arrive-t-il ? »

47

Fenn et Chloé se regardèrent dans la glace. Le charme était bel et bien rompu. Dehors, dans la rue, une voix familière hurlait.

L'air las, Fenn se dirigea vers la fenêtre et l'ouvrit. À une cinquantaine de mètres de son immeuble, Miranda agitait les bras.

— Ce qu'ils sont grognons, tes voisins ! s'exclama-t-elle quand il l'eut fait rentrer. J'aurais voulu que tu voies leurs regards quand je t'ai appelé. Je me souvenais du nom de la rue, mais je n'étais pas sûre du numéro... J'étais bien obligée de crier pour trouver où tu habitais !

La popularité de Fenn dans le voisinage venait encore de prendre un mauvais coup. Après la moquette rayée exposée dans une benne à ordures, voilà qu'une fille aux cheveux bleus réveillait tout le quartier !

— Tu as crié drôlement fort, tu sais, remarqua-t-il.

— Si j'avais chuchoté, tu ne m'aurais pas entendue, répliqua-t-elle. Alors, c'est ton nouveau foyer ? J'ai vu la benne remplie de cadavres d'animaux, dehors... Je n'aurais jamais imaginé que tu choisirais un appartement pareil.

— Il sera très bien quand il sera terminé, dit Fenn d'un ton cassant. Qu'est-ce qui me vaut le plaisir de cette visite ?

— Oh, je ne fais que passer. Ça va ? Je n'ai rien interrompu, au moins ?

« Seigneur, il ne nous manquait qu'une Miranda jouant la psy ! » songea Fenn. Autant la prévenir.

— Non. J'étais en train de couper les cheveux de Chloé.

Dans le salon, l'air aussi coupable que si on l'avait surprise en pleine séance de sadomasochisme avec fouets et menottes, Chloé avait précipitamment écarté la chaise du miroir et dissimulé les ciseaux de Fenn. Puis elle s'était emparée d'un catalogue de papiers peints qu'elle feuilletait avec ardeur.

— C'est exactement l'air que je prenais quand je révisais le bac, observa Miranda. Dès qu'on entend un bruit de pas, on donne un coup de pied aux magazines pour les camoufler sous le lit, on éteint la musique, on attrape n'importe quel livre et on s'efforce de paraître concentré... J'aimerais bien savoir pourquoi Chloé se comporte comme ça, ajouta-t-elle en souriant à Fenn.

— Je croyais que tu ne sortais pas ce soir ? dit celui-ci.

— Danny est venu me chercher. Il a dit qu'il était temps qu'on fasse ami-ami à nouveau.

Les talons de Miranda cliquetaient sur le parquet fraîchement poncé, qu'elle arpentait de long en large.

— Et alors ?

— Il m'a invitée à boire un verre.

— Et qu'est-ce qui s'est passé ? demanda Chloé.

— D'abord, il a joué à l'imbécile pompeux et protecteur, dit Miranda en commençant à compter sur ses doigts. Ensuite, il est devenu insultant et grossier. Il refusait de croire un mot de ce que je disais...

— Il ne s'agissait pas, par hasard, de l'une de tes excuses habituelles quand tu es en retard ? s'enquit Fenn. Il n'y avait pas une histoire de chiot égaré et sur le point d'être fauché par un semi-remorque ?

Ignorant la plaisanterie, Miranda dressa un troisième doigt.

— Alors, on s'est disputés une fois de plus et, à nouveau, on n'est plus amis, poursuivit-elle avec un haussement d'épaules désinvolte. Je suis sortie du pub en oubliant que je n'avais pas un sou sur moi. Et puis, je me suis rappelé que Chloé était ici et j'ai décidé de vous rejoindre pour me faire ramener en voiture. Je ne vous dérangerai pas, parole d'honneur, vous n'avez qu'à continuer comme si je n'étais pas là.

— Danny est drôlement sympa, pourtant, protesta Chloé. Nous l'aimons tous beaucoup. Je ne comprends pas comment tu t'y prends pour te disputer continuellement avec lui.

— C'est simple. Dès qu'il ouvre la bouche, c'est pour me critiquer ou se moquer de moi, répondit Miranda, indignée. Je ne fais que me défendre.

— Qu'est-ce qu'il refusait de croire ?

— Quelque chose de vrai.

Fenn, qui avait fini par retrouver ses ciseaux et remettait la chaise en place, murmura entre ses dents :

— Et maintenant, qui est-ce qui se dérobe ?

— Allez, vas-y, raconte-nous, insista Chloé, un peu inquiète.

— Bon, d'accord. Je lui ai dit que je sortais avec quelqu'un.

Chloé fronça les sourcils.

— Mais tu ne sors avec personne !

— Eh bien, si.

Fenn jeta un regard inquisiteur à Miranda. L'apparition spectaculaire de Miles Harper dans le salon de coiffure avait-elle quelque chose à voir avec cette affaire ? Non, non, ce n'était pas possible. Même Miranda ne pouvait être aussi crédule.

— C'est pour ça que vous vous êtes disputés ? s'étonna Chloé en replaçant la serviette sur ses épaules. Danny n'a pas cru que tu avais un petit ami, tu t'es fâchée et tu as fichu le camp ?

— Il m'a insultée, gémit Miranda. Je te le dis, Daniel Delancey est un crétin fini.

Malgré son irritation, Fenn devait reconnaître que l'arrivée de Miranda lui rendait service. Couper les cheveux de Chloé sans chaperon était bien trop dangereux. Désormais, il pouvait se concentrer sur son ouvrage.

Jamais il ne s'était retrouvé dans une telle situation. D'habitude, quand il rencontrait une fille qui lui plaisait, cela se terminait au lit dans les heures qui suivaient. Et voilà qu'il était tombé désespérément amoureux d'une jeune femme aussi intouchable qu'une bonne sœur. Le moindre baiser lui était interdit.

— Alors, qui c'est, ce type que tu vois ? demanda Chloé.

— Je ne peux pas te le dire, fit Miranda en secouant la tête.

— Pourquoi donc ?

— Je ne peux pas, c'est tout.

Horrifiée, Chloé scruta le reflet de Miranda dans la glace.

— Pas Greg, quand même !

— Voyons, est-ce que j'ai l'air bête à ce point ? Bien sûr que non !

— Qui, alors ?

Miranda estima qu'elle avait reçu sa part d'insultes et de sermons pour la soirée.

— Je vous le dirai lundi, c'est promis.

À moins qu'elle n'émigre en Alaska.

Le téléphone sonna à 7 h 30 le lendemain matin. Miranda était dans la salle de bains. À moitié nue, elle dévala l'escalier, au risque de se casser les deux jambes, et réussit à décrocher à la troisième sonnerie. Trois sonneries, cela portait bonheur, disait-on. En tout cas, cela valait le coup d'essayer.

— Euh... oui ?

— Ah, une respiration haletante ! s'exclama Miles d'une voix enjouée. N'arrête pas, continue. Tu sais que tu pourrais te faire payer cinquante pence la minute pour ce genre de prestation ?

— Tu as rompu avec Daisy ?

Elle avait eu beau s'exhorter à la désinvolture, une nuit d'insomnie avait balayé ses résolutions.

— C'est en cours. Pour dire la vérité, elle ne le prend pas très bien.

— Qu'est-ce qu'elle fait ? demanda Miranda, tout en se battant avec les boutons de son pantalon.

— Elle démolit mon appartement, répondit-il par-dessus un fracas de vaisselle brisée. Seigneur, et moi qui dois partir avant 8 heures !

Miranda eut honte. Miles était attendu à Silverstone pour les qualifications et, à cause d'elle, il lui fallait affronter une folle qui s'acharnait sur son appartement.

Un second fracas la fit sursauter.

— Il vaut mieux que j'y aille, dit Miles.

— Bonne chance.

— Pour les essais ou pour me débarrasser de Cruella ?

— Les deux, répondit-elle, très émue.

Un déclic lui signala qu'on décrochait un deuxième appareil.

— C'est elle, hein ? hurla une voix hystérique. Tu es en train de parler à cette pouffiasse ! Comment oses-tu me faire ça à moi, espèce de sal...

On coupa sèchement la communication. Miranda reposa le combiné et ferma son pantalon. Inutile de rappeler. Elle ne pouvait qu'aller travailler, ne rien dire à personne et attendre.

Neuf heures plus tard, Chloé rentra dans la maison déserte et lut le message laissé par Florence sur le guéridon de l'entrée.

Mes chéries,

J'ai été enlevée par un ecclésiastique pervers qui aime les vieilles dames impotentes. Je pars pour Édimbourg et serai de retour dans une semaine. Ne profitez pas de mon absence pour faire de trop grosses bêtises.

Depuis qu'elle avait retrouvé Tom, Florence avait repris goût à la vie. « Et c'était Greg, bien malgré lui, qui les avait réunis », songea Chloé avec un soupir.

Elle se prépara une tasse de thé, déchira l'enveloppe d'un Mars et alla admirer sa coiffure dans la glace du salon.

Toute la journée, au magasin, les clientes lui avaient fait des compliments sur sa nouvelle coupe. Elle secoua la tête de droite à gauche pour voir ses cheveux se balancer souplement et ressentit un élan de gratitude envers Fenn. En l'embellissant ainsi, le gentil coiffeur lui avait rendu confiance en elle.

Il lui avait dit un jour qu'il adorait le curry thaïlandais. S'il était libre le lendemain, elle l'inviterait à déjeuner pour le remercier.

Le téléphone sonna.

— Allô ?

— Je sais que c'est avec toi qu'il est sorti, siffla une voix de femme furieuse, mais il ne t'appartient pas, tu m'entends ? Il n'est pas à toi, il est à moi. Rien qu'à moi.

48

Jusqu'à ce jour, Chloé n'avait jamais reçu de menace anonyme au téléphone. Bouleversée, elle songea qu'une femme devait être jalouse du temps qu'elle passait avec Fenn… Bon sang, comment pouvait-on imaginer qu'il y avait entre eux autre chose que de l'amitié ?

C'était à la fois embarrassant et inquiétant. Elle composa le numéro des renseignements et demanda les coordonnées de la personne qui venait de l'appeler.

— Le numéro est sur liste rouge, lui répondit-on.

Après avoir jeté un coup d'œil à sa montre, Chloé monta dans sa chambre. Elle avait promis de garder le fils de Bruce à partir de 18 heures. Comme elle dormirait là-bas, il lui fallait prendre une douche, préparer quelques vêtements propres et, surtout, laisser un message pour Miranda.

Ce qu'elle fit à toute allure, un quart d'heure plus tard, en omettant de parler du coup de téléphone furieux d'une copine de Fenn. Expliquer cela en quelques mots était trop compliqué. En outre, si elle le mentionnait, Miranda s'empresserait de la taquiner au sujet de l'histoire d'amour ultrasecrète et passionnée qu'elle entretenait avec Fenn.

N'importe qui doté d'une once de bon sens aurait immédiatement compris qu'il n'y avait rien de tel entre eux. Il était vrai, cependant, qu'ils avaient passé de longs moments ensemble ces derniers jours, ce qui avait pu être interprété de travers.

Peut-être était-il temps de faire marche arrière. En commençant par annuler la visite chez Harrods. Et en oubliant le curry thaïlandais.

Attrapant son stylo et le message destiné à Miranda, Chloé écrivit :

P.-S. : Il faut que j'aille voir ma mère demain, en sortant de chez Bruce et Verity. Peux-tu dire à Fenn qu'il devra choisir ses tapis tout seul ?

En se relisant, Chloé ressentit un étrange coup au cœur. Elle réalisa alors à quel point elle s'était réjouie à l'idée de cette expédition.

Elle rougit. Ses hormones étaient-elles en train de lui jouer un mauvais tour ? Après des mois de célibat, un homme se montrait gentil avec elle et, aussitôt, elle se retrouvait sous l'emprise d'une sorte de coup de foudre de femme enceinte.

Seigneur, raison de plus pour freiner des quatre fers. Il ne lui était tout simplement pas venu à l'esprit jusqu'ici qu'une chose pareille pouvait lui tomber dessus. Le coup de téléphone anonyme était arrivé à point nommé.

Heureusement que cette femme avait appelé ! Chloé savait à présent qu'elle devait garder ses distances avant que la situation ne lui échappe totalement.

Mieux valait cesser de voir Fenn.

— Tu veux prendre un verre ? proposa Miranda, lorsque Fenn la déposa chez elle.

— D'accord, fit-il.

La maison était déserte.

Indignée, Miranda brandit les deux messages.

— Parties toutes les deux. Elles m'ont abandonnée. Tu ne trouves pas ça égoïste ?

Fenn, qui avait passé les deux dernières heures à chercher un prétexte pour inviter Chloé à dîner, se frappa le front.

— Oh, j'allais oublier. Il faut que je rentre chez moi.

Au moins la voyait-il demain, se dit-il pour se consoler.

— Attends, fit Miranda, qui lisait le message de Chloé. Il y a une partie qui te concerne.

Elle agita le papier sous son nez en gloussant.

— On dirait qu'elle t'a posé un lapin. Tu veux que je vienne t'aider à choisir tes nouveaux tapis ? Je ne te conseillerai rien de trop brillant, je te le promets.

— Merci, mais c'est justement du brillant que je cherche. Alors, tant pis, dit Fenn en affichant un sourire détaché.

Plutôt mourir que de laisser cette pipelette de Miranda deviner à quel point il était déçu.

— Bonsoir. Je fais une enquête pour un magazine féminin bien connu...

— Ah, vraiment ? Comme c'est passionnant ! répondit Miranda.

— Pouvez-vous me dire quels hommes font, à votre avis, les meilleurs amants : a) les gardiens de zoo, b) les instituteurs, c) les coureurs automobiles ?

— Oh, je suis navrée, j'aurais bien aimé vous aider, mais je suis lesbienne, s'excusa Miranda.

— Désolé, ce n'est pas la bonne réponse. Il fallait répondre : c) les coureurs automobiles. Et je serais plus qu'heureux de te le prouver si...

— Comment ça s'est passé ? coupa précipitamment Miranda, avant qu'il n'enchaîne sur une autre plaisanterie.

— Mission accomplie. J'ai réussi les essais. Je pars en pole position demain. Est-ce que ça t'intéresse de savoir mes temps ?

— Je voulais parler de Daisy.

— Je ne te l'ai pas déjà dit ? Mission accomplie. Elle a disparu de ma vie.

Ô Seigneur... Les mains de Miranda se couvrirent de sueur.

— Tu ne dis rien, fit Miles. Tu es toujours lesbienne ?

— Elle était fâchée ?

— J'espère que tu ne songes pas à me plaquer pour t'enfuir avec Daisy.

— Je ne croyais pas vraiment que tu la quitterais, avoua-t-elle.

— Maintenant, il est trop tard pour faire marche arrière, ma petite... J'ai terriblement envie de te voir, reprit-il d'un ton plus grave. Mais je sais que je ne fermerais pas l'œil de la nuit et que tu me mettrais les réflexes en compote. À propos, tu viens demain ?

— Te voir courir ?

L'estomac de Miranda se contracta. Encourager Miles était une bonne idée en théorie mais, en y réfléchissant, elle doutait de supporter ce spectacle. Il s'agissait d'une course de formule 1, pas d'un jeu de petits chevaux.

Autrement dit, c'était dangereux.

— Je serai prudent, promit Miles. Je ne ferai pas d'excès de vitesse et je respecterai le code de la route comme un bon petit garçon.

— Je ne m'en sens pas capable, déclara Miranda d'une voix un peu tremblante.

— Ne t'inquiète pas. Je comprends.

— Alors, bonne chance pour demain, sauf si ça porte malheur de souhaiter bonne chance.

— Souhaite-moi autant de chance que tu veux, dit Miles, et allume la télévision demain matin. J'ai une interview avant la course et j'aimerais que tu la voies.

— Pourquoi ?

— Ne discute pas, fais-le. D'accord ?

Le lendemain matin, Miranda en était à son quatrième bol de céréales quand l'interview de Miles débuta. Assise en tailleur sur le canapé de Florence, elle poussa des cris aigus lorsqu'elle comprit pourquoi il avait insisté pour qu'elle allume la télévision. Suspendu par une courte lanière en cuir au cou bronzé de Miles, son petit cochon en cuivre faisait ses débuts à l'écran. Tout en parlant, Miles défit le deuxième bouton de son polo et se mit à jouer avec l'animal, ce qui intrigua le journaliste.

— Ça ? fit Miles en souriant. C'est le porte-bonheur que m'a offert une amie très chère.

— Et cette charmante jeune femme, c'est l'actrice australienne Daisy Schofield, je suppose ?

— En fait, non, mais j'ai un message pour cette amie très chère. Quand on rencontre la personne qu'il vous faut, on le sait. C'est ce qui m'est arrivé et...

— Malheureusement, notre temps d'antenne est écoulé, coupa le journaliste. Votre directeur d'équipe vous appelle sur le stand. Au nom de tout le pays, Miles, permettez-moi de vous souhaiter bonne chance pour cet après-midi.

Les caméras se tournèrent vers le rival de Miles, un Français que Miranda trouva très laid. Elle éteignit la télévision et se demanda comment elle allait survivre aux heures d'inquiétude qui l'attendaient.

Elle se leva et sortit la cassette vidéo du magnétoscope. « Dommage que le journaliste ait arrêté l'interview juste au moment où ça devenait intéressant », songea-t-elle.

Miranda lessivait le sol de la cuisine, preuve irréfutable de son angoisse, lorsque la sonnette retentit.

Elle tordit la serpillière et alla ouvrir.

— Oh, non ! Encore toi ?

— J'aime ton enthousiasme intarissable, déclara Danny. Dis-moi, tu n'as jamais envisagé de devenir animatrice dans un club de vacances ?

— Et toi, tu n'as jamais envisagé de devenir comique ? répliqua Miranda, qui étreignit des deux mains la serpillière mouillée.

Lisant dans ses pensées, Danny dit doucement :

— C'est mon plus beau costume, tu sais.

Il sortit de sa poche les lunettes de soleil de Miranda.

— Je suis simplement passé te les déposer. Tu les as oubliées au pub, vendredi soir.

— Merci, fit Miranda en lui arrachant son bien des mains.

— Ça m'étonne de te trouver ici, je te croyais à Silver-stone. Il n'y a pas une espèce de course là-bas, aujourd'hui ?

— J'étais invitée, mais j'ai refusé d'y assister.

Zut, ça faisait un peu léger, même à ses propres oreilles. Irritée par le sourire entendu de Danny, Miranda grommela :

— Et ce costume, c'est en l'honneur de quoi ? Ne me dis pas que tu es allé à la messe !

Plutôt crever que d'admettre qu'il était splendide. Il n'y avait qu'un type mince et bronzé pour pouvoir porter avec classe un costume bleu marine, une chemise rouge foncé et une cravate bleu et or.

— Je te plais, comme ça ? Non, je préfère que tu ne répondes pas, reprit-il en levant les mains. Je ne suis pas allé à la messe, on va juste au restaurant.

Un bref instant, Miranda crut que « on » signifiait « toi et moi ». Puis son regard se posa sur la voiture garée le long du trottoir. Assise sur le siège du passager, une superbe blonde au décolleté vertigineux fumait une cigarette en lisant le journal.

49

— Oh... fit Miranda, abasourdie.

Elle ne put s'empêcher de demander :

— Où allez-vous ?

— À *La Mirabelle*, répondit Danny. Plutôt chic, d'où le costume.

— Plutôt cher, aussi.

— Peu importe, elle le vaut.

Danny se retourna et échangea un regard avec la blonde, qui lui sourit en agitant les doigts d'une façon aguicheuse.

Miranda sentit ses épaules se raidir. Ce n'était pas de la jalousie, pas du tout. Elle était tout simplement exaspérée. De toute évidence, Danny ne s'était pas arrêté chez elle uniquement pour déposer d'urgence une paire de lunettes qui n'avait coûté que deux livres cinquante.

— Bon, je ne voudrais pas vous retarder...

— Il y a quelque chose qui me gêne. Ton petit ami, Miles Harper, est sur le point de courir la course de sa vie... et toi, tu restes coincée à la maison, à laver la cuisine, comme Cendrillon.

— Je te l'ai déjà dit, répliqua Miranda, de plus en plus énervée. Il m'a proposé de venir le voir courir.

— Ah, oui, c'est vrai. Et tu as répondu : « Non, je préfère donner un bon coup de serpillière au carrelage de Florence. »

— Tu ne me crois toujours pas ? Tu penses que j'ai inventé de toutes pièces cette histoire avec Miles Harper ?

Furieuse, Miranda pointa le doigt en direction du salon.

— Viens, je vais te prouver que je ne mens pas.

Danny fit signe à la blonde qu'il en avait pour deux minutes. Elle acquiesça d'un hochement de tête indifférent.

Miranda introduisit la cassette dans le magnétoscope et prit la télécommande pour la rembobiner. Elle allait river son clou à Danny et effacer de sa figure ce sourire qui la hérissait.

Une fois la cassette rembobinée, elle appuya sur « lecture ».

Une bouche remplie de plombages apparut sur l'écran.

— ... toutes choses sages et belles, chanta la femme d'une voix de soprano tremblotante, tandis que la caméra balayait l'assemblée des fidèles. Le Seigneur Dieu a fait toutes choses...

— C'est la messe du matin à la cathédrale de Norwich, observa Danny. Ne me dis pas que tu étais dans le fond de l'église avec Miles Harper, ton missel à la main... Hé, ne coupe pas, ça m'intéresse.

Il riait encore quand elle le poussa dehors.

— Chérie, tu as enregistré la mauvaise chaîne. Ce n'est qu'une erreur, ça peut arriver à tout le monde... Et je trouve ça normal de la part de la petite amie très émue d'un coureur automobile.

— Si tu continues, tu vas te retrouver d'ici peu avec une serpillière sur la figure.

— Quand est-ce que tu te les fais refaire ? demanda Danny en souriant.

— Quoi donc ?

Il pointa le doigt sur son tee-shirt.

— On ne peut pas prétendre être une fan de formule 1 avec une poitrine comme celle-ci. Tu devrais mettre deux ballons de plage là-dedans. Et tes cheveux non plus ne conviennent pas. Ce qu'il te faudrait, ce sont des seins et une perruque à la Pamela Anderson.

Dans la BMW verte et sale de Danny, la blonde retouchait son rouge à lèvres en s'examinant dans le rétroviseur.

— Ce que tu peux être drôle ! s'exclama Miranda. À propos, où as-tu trouvé ta copine ? Sur le trottoir ?

La course commençait à 14 heures. Miranda vérifia au moins dix fois qu'elle enregistrait la bonne chaîne, puis elle s'allongea sur le tapis avec un paquet de biscuits et se força à regarder jusqu'à la fin la finale hommes la plus ennuyeuse de l'histoire du tennis. Point monotone après point monotone, les deux joueurs se renvoyaient de longues balles en ahanant depuis le fond du court. Miranda aurait encore préféré être ligotée sur une chaise devant un spectacle de danses folkloriques. Mais, convaincue que changer de chaîne risquerait de pousser Miles hors de la piste dans un tête-à-queue dramatique, elle but le calice jusqu'à la lie.

Enfin, l'un des joueurs s'énerva et perdit son service. Jeu, set et match !

— Pas trop tôt ! s'exclama Miranda.

Les ramasseurs de balles se rassemblèrent, les arbitres s'alignèrent et les spectateurs se réveillèrent en se donnant des coups de coude. Les incontournables membres de la famille royale firent leur entrée sur le court et adressèrent quelques mots polis aux ramasseurs pétrifiés.

— Trop lent, trop lent, gémit Miranda, agenouillée devant la télévision. Allez, dépêchez-vous, bon sang !

Elle attendit que le perdant ait reçu sa médaille, le vainqueur brandi son trophée et les photographes pris cinquante millions de photos, pour se permettre de changer de chaîne.

Lorsqu'elle vit ce qui s'était passé à Silverstone, les larmes lui montèrent aux yeux. Il avait gagné, il avait vraiment gagné. Miles avait battu le Français et remporté le Grand Prix d'Angleterre. Juché sur le podium, il aspergeait de champagne une foule en délire. Puis il riait, plaisantait avec les photographes et serrait les mains de ses supporters.

C'était le plus beau jour de sa vie, et à qui le devait-il ? À elle. Car si elle avait suivi la retransmission de la course, il n'aurait pas gagné, elle en était convaincue.

Il l'appela une heure plus tard.

— Miranda ? cria-t-il par-dessus un brouhaha infernal. Tu m'entends ? Tu as regardé la course ?

— Non, je la regarde en ce moment. Oh mon Dieu, tu es derrière le Français ! s'exclama-t-elle en se rongeant les ongles. Mon Dieu, j'espère que tu vas gagner !

Il rit.

— Je ne pourrai jamais attendre jusqu'à demain.

— Moi non plus, soupira Miranda, avec une hardiesse qui la surprit.

— Non, écoute, je veux dire que je n'ai pas l'intention d'attendre. Je pars dès que possible et je passe te prendre. Dieu sait quand j'arriverai, probablement pas avant 21 heures... Tu es d'accord ?

Ivre de joie et ridiculement flattée, Miranda répondit :

— Plutôt 21 h 30, si ça ne t'ennuie pas. J'ai du repassage à terminer.

Elle entendit sauter des bouchons de champagne, sur un fond de cris et de rires. Combien de blondes époustouflantes entouraient Miles ? Combien de Pamela Anderson aux seins de la taille de ballons de plage géants se jetaient sur lui pour le féliciter ?

— Il fallait que je gagne cette course, dit Miles. Sinon, je risquais de ne plus t'intéresser.

— Tu as raison, tu ne m'aurais plus intéressée du tout. Je suis extrêmement volage.

— Quoi ?

Le bruit était assourdissant. Difficile d'être décontractée et spirituelle quand un mot sur dix parvenait à votre correspondant, réalisa Miranda.

— Tant pis, à tout à l'heure... Pendant la course, est-ce que tu portais le cochon ? ajouta-t-elle brusquement.

— Qui est un cochon ? fit la voix lointaine de Miles. Ah, mince, ça ne passe plus.

— À tout à l'heure, répéta Miranda.

À l'autre bout de la ligne, il y eut un grésillement, puis plus rien.

Pas de Florence, pas de Chloé. Et même pas de Danny Delancey, pensa Miranda, tandis que

21 heures approchaient. Quand on n'avait aucune envie de le voir, on pouvait être sûr qu'il allait se pointer. Mais quand on aurait bien voulu qu'il serve de témoin au glorieux spectacle de l'enlèvement de Miranda par l'un des hommes les plus beaux, les plus fabuleux qui aient jamais existé, combien de chances avait-on de l'entendre sonner à la porte ? Zéro.

Au lieu de cela, Danny était quelque part avec sa blonde, la régalant sans doute d'histoires à mourir de rire sur la fille aux cheveux bleus, si pathétique qu'elle s'était inventé une aventure avec Miles Harper.

La vie était vraiment trop injuste, se dit Miranda, frustrée.

21 heures sonnèrent et s'enfuirent. Puis 22, puis 23 heures.

On pardonne volontiers son retard à un homme qui vient de gagner le Grand Prix d'Angleterre.

À minuit, Miranda s'inonda de nouveau de parfum, se brossa les dents pour la énième fois et se remit du rouge à lèvres.

À minuit et demi, elle renversa du jus d'orange sur sa robe. Refusant obstinément de croire que Miles lui avait fait faux bond, elle frotta la tache avec de l'Ariel pur, la rinça et la sécha avec le sèche-cheveux de Chloé.

À 1 h 10, enfin, elle entendit un taxi s'arrêter devant la maison. Elle attrapa son sac à main et se précipita vers la porte, plus vite qu'un lévrier ne jaillit de son box. Bon, d'accord, il était en retard, mais elle s'en fichait. Qu'étaient quatre heures d'attente angoissée en comparaison de l'éternité ? Tant pis pour les groupies des coureurs automobiles, pensa joyeusement

Miranda en ouvrant la porte. Tous les hommes n'étaient pas ensorcelés par la vue de seins gonflés comme des ballons de plage. Il y en avait qui préféraient les balles de ping-pong...

— Salut, dit Chloé en traînant son fourre-tout dans l'entrée. Tu n'es pas couchée ? Tu rentres d'une soirée ? Ouf, je suis lessivée. Une journée avec ma mère, c'est pire qu'un triathlon... Attends de voir tout ce qu'elle a tricoté pour le bébé, ajouta-t-elle en tirant la fermeture Éclair de son sac.

Miranda resta sans voix. Déçue n'était pas le mot qui convenait. Se mordant les lèvres, elle regarda Chloé sortir du fourre-tout un chapelet de pulls, de cardigans et de minuscules chaussons.

— Incroyable, non ? Elle doit tricoter en dormant. Et ça, ce n'est que ce que je pouvais emporter. Six bonnets. Je te le demande, combien de têtes pense-t-elle que mon bébé aura ? Bon sang, j'ai la gorge sèche, je vais mettre de l'eau à chauffer. Tu veux une tasse de thé ?

— Euh... non, merci.

Chloé se dirigea vers la cuisine, sans cesser de parler.

— C'est terrible, ce qui est arrivé à Miles Harper, hein ?

Miranda, chargée du monceau de tricots destinés au bébé, sentit son sang se figer dans ses veines.

— Qu'est-ce qui est terrible ? Il a gagné la course.

Durant le quart de seconde qui précéda la réponse de Chloé, le cerveau de Miranda inventa une explication satisfaisante. Il y avait eu une enquête des commissaires et on avait déchu Miles de son titre. On l'avait jugé coupable de conduite dangereuse... ou bien il avait été contrôlé positif à un produit dopant... ou bien...

— Tu n'as pas entendu ? Allume la télévision, dit Chloé. Ils vont sûrement en parler. Il avait quitté Silverstone ce soir et rentrait à Londres, lorsqu'un camion lui est rentré dedans sur l'autoroute... Pardon, ajouta-t-elle, confuse, j'avais oublié que tu le connaissais. Beverly t'a taquinée à son sujet le jour où tu repeignais ma chambre.

Tout se déroula très lentement. Calmement, Miranda se pencha pour déposer délicatement les vêtements du bébé sur le sol. Bon, se disait-elle, Miles n'était pas arrivé parce qu'il avait eu un accident. Tout s'expliquait. Et, s'il n'avait pas téléphoné pour la prévenir de son retard, c'était qu'il était en train de passer une ou deux radios de contrôle. Rassurée, Miranda hocha la tête. Tout le monde savait qu'on ne pouvait pas utiliser de téléphone portable dans les services de radiologie, parce que ça détraquait les machines.

Sinon, il l'aurait appelée, bien sûr, pour qu'elle ne s'inquiète pas.

— Il va bien, déclara-t-elle en scrutant le regard de Chloé, comme pour y lire la confirmation de ce qu'elle avançait. Enfin, je veux dire, à part quelques égratignures et quelques bleus. C'est un conducteur brillant. Il ne se serait pas laissé écraser par un camion.

— Je suis désolée.

Chloé fut bouleversée par l'intensité de la réaction de Miranda. Son amie était blanche comme un linge et tremblait de tout son corps.

— Aux informations, ils ont dit que le camion avait traversé le terre-plein central. Personne n'aurait pu l'éviter.

— Mais Miles va bien. Il va bien, répéta fébrilement Miranda.

Elle souhaitait vivement que ses dents arrêtent de claquer et que Chloé cesse de la regarder avec cet air désemparé.

Oubliant la bouilloire qui sifflait, Chloé conduisit son amie au salon et l'obligea à s'asseoir.

— Miranda, je suis vraiment désolée. Il est mort.

— Oh, non, c'est sûrement une erreur. Il ne peut pas être mort, protesta Miranda en secouant la tête avec énergie.

Chloé comprit alors qu'il s'était passé un certain nombre de choses dont elle ignorait tout.

Elle enlaça Miranda et murmura :

— Chérie, j'ai bien peur que si. Il a été tué sur le coup.

50

Les douze heures suivantes s'écoulèrent dans un brouillard complet. Lorsqu'elle eut fini de raconter son histoire à Chloé, Miranda se blottit sur le canapé et regarda les bulletins d'information qui se succédaient sur les différentes chaînes. La nation entière était bouleversée par la mort tragique de Miles Harper. Les journalistes commentaient l'événement en direct du pont qui dominait le lieu de l'accident. Le lundi, dès midi, le bas-côté avait disparu sous un océan de fleurs. Des photos de Miles claquaient dans la brise tiède. Des admirateurs, qui avaient roulé des heures pour déposer leurs bouquets enveloppés de cellophane, pleuraient en s'étreignant mutuellement et racontaient devant les micros combien cette perte les choquait.

On découvrit rapidement que le conducteur du camion était mort d'une crise cardiaque dans les secondes qui avaient précédé l'accident. Personne, pas même un conducteur de la trempe de Miles Harper, n'aurait pu éviter le semi-remorque de vingt tonnes qui, virant abruptement, avait traversé l'autoroute. Miles avait été tué sur le coup et sa voiture n'était plus qu'un tas de ferraille.

Miranda eut l'impression de revivre la mort de ses parents. Sauf que leur accident n'avait eu droit qu'à deux paragraphes dans le journal local, pas à ce cirque médiatique qui entourait la mort de Miles.

Le nombre de clichés déversés était ahurissant. La famille et les amis de Miles étaient, naturellement, anéantis, et sa petite amie, Daisy Schofield, brisée par le chagrin.

— En direct, nous assistons à l'arrivée de l'actrice australienne sur les lieux de l'accident, où est mort hier l'homme qu'elle aimait, disait le journaliste. On l'aide à sortir de la limousine... C'est une frêle silhouette toute vêtue de noir... Elle tient dans les mains une magnifique couronne de lis jaune pâle... Je dois avouer, Michael, qu'en cet instant terrible, vraiment terrible, notre cœur compatit à sa douleur.

— J'éteins ? demanda Chloé d'une voix anxieuse.

Miranda secoua la tête. Elle voulait tout voir. Jusqu'au bout.

— ... à peine capable de marcher, elle s'appuie sur ses gardes du corps. Daisy ? Daisy, nous sommes en direct avec le studio. Pourriez-vous nous dire quelques mots ?

Le reporter lui fourra un micro sous le nez.

— Que ressentez-vous en ce moment ? insista-t-il.

Dans la catégorie questions stupides, celle-ci méritait la palme d'or.

Miranda se demanda comment le journaliste réagirait si Daisy retirait ses lunettes noires et lui adressait un grand sourire en lâchant : « Oh, pas trop mal, finalement. Je suis de très bonne humeur, en fait, et le noir me va bien, vous ne trouvez pas ? »

Cela ne risquait pas de se produire. La bouche de Daisy tremblait, sous l'effet de larmes invisibles. Serrant les lis jaunes sur sa poitrine, elle se tourna vers le reporter et murmura d'une voix hachée :

— Je l'aimais énormément, et il m'aimait aussi. Nous allions nous marier. Vendredi, il m'avait demandé de l'épouser… Nous étions si heureux… Oh, j'ai l'impression de vivre un terrible cauchemar.

La voix de Daisy, de plus en plus aiguë, n'était plus qu'une plainte angoissée.

— Je n'arrive pas à croire qu'il n'est plus là. Ma vie est finie, finie, reprit-elle en secouant la tête. Je me sens affreusement coupable, parce que c'est pour me retrouver qu'il s'est dépêché de rentrer à Londres. Mon Dieu, c'est insupportable !

Tombant à genoux, Daisy enfouit son visage dans les lis. De gros sanglots agitèrent son corps mince, et elle se mit à frapper le sol de ses poings.

Révulsée par ce spectacle, Chloé protesta :

— Elle ment ! Elle joue la comédie ! C'est toi que Miles venait voir.

— Peut-être que non, dit Miranda, les yeux rivés sur l'écran. Peut-être qu'elle ne ment pas, peut-être que Miles me faisait marcher en me racontant qu'il l'avait plaquée.

— Mais tu l'as entendue toi-même au téléphone ! Tu m'as dit qu'elle criait et qu'elle l'insultait.

— Quelqu'un l'insultait. Ça pouvait être n'importe qui.

Miranda ne savait plus que croire. Elle regardait Daisy Schofield, qu'on aidait à se relever. L'un de ses robustes gardes du corps lui avait donné un mouchoir en dentelle, et elle se tamponnait les yeux sous ses lunettes noires, tout en murmurant fiévreusement :

— Il est à moi, il est à moi.

Chloé sursauta. Elle avait déjà entendu ces mots. Prononcés sur le même ton, avec la même voix.

— C'est elle qui a téléphoné samedi après-midi ! J'ai cru que quelqu'un m'interdisait de voir Fenn.

— Toi ? Mais pourquoi te soupçonnerait-on de draguer Fenn ?

L'idée tira momentanément Miranda de son désespoir.

— Tu es enceinte, tout de même, reprit-elle.

— Je sais, fit Chloé, rouge de confusion. Mais ça ne m'est pas venu à l'esprit qu'elle voulait effrayer quelqu'un d'autre.

— À présent, laissons Daisy Schofield seule avec son chagrin sur les lieux du décès tragique de son fiancé. Ici Dermot Hegarty. Je vous rends l'antenne, Michael.

— Merci, Dermot.

— Oui, Dermot, merci, marmonna Miranda en éteignant enfin le poste.

— Tu vois, il avait bien rompu avec Daisy, dit Chloé en l'embrassant.

Au même instant, le téléphone se mit à sonner.

— C'est moi, dit Bruce d'une voix irritée. Je ne peux pas faire marcher cette foutue boutique tout seul, tu sais. Tu as pris ton lundi, ça suffit. Promets-moi que tu seras là demain.

Chloé hésita. Miranda, qui avait entendu les récriminations de Bruce, murmura :

— Dis-lui que c'est d'accord.

— Et toi ? demanda Chloé avec inquiétude.
— Moi aussi, j'irai travailler.
— Mon Dieu, tu es sûre ?
Miranda haussa les épaules.
— Rester ici comme un zombie ne me fera aucun bien. Je préfère être occupée. En plus, comme Corinne est en vacances, Fenn manque de personnel, cette semaine.

En rentrant d'une réunion à Broadcasting House, cet après-midi-là, Danny entra dans un kiosque à journaux pour acheter l'*Evening Standard*. La minuscule boutique sentait le patchouli. Assise derrière le comptoir, une grosse femme d'origine indienne regardait une télévision portable. Lorsqu'elle aperçut Danny, elle s'essuya vivement les yeux avec le bord de son sari vert émeraude.

— Mon Dieu, qu'est-ce que vous devez penser de moi ? C'est si triste, pourtant, vous ne trouvez pas ? Un si beau garçon… Bon, que puis-je pour vous, monsieur ?

La télévision, juchée en équilibre instable sur une pile de *People's Friends*, rediffusait l'interview de Miles Harper avant le Grand Prix d'Angleterre. Souriant, complètement décontracté, le coureur répondait aux questions du journaliste. Quand il défit le col de son polo et commença à jouer négligemment avec le cordon qu'il portait autour du cou, Danny reconnut le petit animal en cuivre qui y était suspendu. C'était celui qu'il avait vu chez Miranda, lorsque Tony Vale et lui l'avaient filmée dans sa chambre.

— … Daisy Schofield, je suppose ? disait le reporter.

— En fait, non, mais j'ai un message pour cette amie très chère.

Miles tourna l'animal d'un côté et de l'autre, afin qu'il soit bien éclairé par les projecteurs du studio.

— Quand on rencontre la personne qu'il vous faut, on le sait. C'est ce qui m'est arrivé et...

Ce fut l'instant que choisit le journaliste pour clore l'interview. Miles, coupé au milieu de sa phrase cruciale, esquissa un sourire résigné.

Le reportage se termina tout aussi abruptement, et la dame indienne se moucha dans un mouchoir rose.

— Je suis désolée, je ne suis pas comme ça d'habitude. Mais vous imaginez dans quel état doit être sa pauvre amie ? Je l'ai vue à la télévision tout à l'heure, oh là là, dans un état épouvantable ! Ils allaient se marier, vous le saviez ?

Fouillant parmi les journaux du matin, elle dénicha celui qui montrait une photo récente de Miles et Daisy assistant ensemble à un match de polo.

— Est-ce que ce n'est pas la chose la plus triste du monde ?

— Excusez-moi, est-ce que Miranda est là ?

Beverly était en train de lire en douce un article expliquant comment l'on pouvait, grâce à la liposuccion, enlever la graisse des cuisses et l'injecter dans les lèvres, lorsqu'elle se rendit compte qu'on lui parlait. Honteuse, elle fourra hâtivement la revue sous le comptoir et darda sur l'intrus son regard le plus intimidant. Solidement bâti, moins de trente ans, des cheveux châtain clair un peu hirsutes et une allure négligée... Oui, il avait vraiment la gueule de l'emploi.

— Miranda qui ?

Il lui jeta un regard las.

— S'il vous plaît, je sais qu'elle travaille ici. Il faut que je la voie, d'accord ?

Ses manières arrogantes irritèrent Beverly. Le matin même, Fenn lui avait recommandé de se méfier des journalistes. Si qui que ce soit venait poser des questions au sujet de Miranda, Beverly avait ordre de se taire et de virer l'individu aussi sec.

Pas de problème. Virer les hommes était précisément la spécialité de Beverly. Sauf qu'elle ne le faisait pas exprès, hélas.

— Miranda n'est pas là, répondit-elle, en se déplaçant afin de masquer l'entrée du salon.

À sa grande fureur, il la rejoignit derrière le comptoir, la saisit par les coudes et la remit fermement à sa place.

— Si, elle est là. Là-bas, regardez.

Il désigna du doigt Miranda, qui sortait de la buanderie avec une montagne de serviettes.

— Elle ne veut pas vous voir, rétorqua Beverly.

Typique ! Il fallait que ce type débarque alors que Fenn était sorti pour dix minutes.

— Vous croyez que je suis un journaliste, hein ? Eh bien, vous vous trompez.

N'était-ce pas justement ce qu'aurait dit un journaliste ?

— S'il vous plaît, insista-t-il.

En guise de réponse, Beverly lui décocha son regard le plus froid, celui qui allait si bien avec son rouge à lèvres marron glacé.

— Non.

Il commençait à perdre patience.

— Bon sang, pour qui est-ce que vous vous prenez ?

— Pour moi, répondit Beverly. C'est-à-dire pour la personne qui vous conseille de sortir d'ici avant que...

— Aaaaaah !

Le glapissement aigu interrompit la tirade de Beverly. Tous les yeux se tournèrent vers la jeune épouse d'un baron de la presse.

— C'est incroyable ! J'avais dit cinq millimètres au-dessus des sourcils et vous en avez enlevé au moins un centimètre. Vous êtes une parfaite idiote !

La femme était l'une des clientes de Corinne mais, celle-ci n'étant pas là, Lucy l'avait remplacée. Elle piqua un fard, tandis que la cliente martelait le sol de ses talons aiguilles en poussant des cris d'orfraie.

— Vous avez complètement bousillé mes cheveux... Est-ce que vous vous rendez compte que je vais devoir annuler mes vacances, maintenant ? Je ne peux pas me montrer avec une frange comme ça. Seigneur, vous m'avez gâché la vie... Hé, vous là-bas ! reprit-elle en pointant le doigt sur Miranda. Allez me chercher mon sac immédiatement.

Miranda, qui était occupée à couper des carrés de papier d'aluminium, courut vers le bureau et repéra aussitôt le sac. Hermès, naturellement.

Elle l'apporta à la cliente, qui en sortit un flacon de Valium, versa une demi-douzaine de cachets dans sa main et les avala d'un coup.

— Vos cheveux sont parfaits, déclara Miranda. Ça vous va très bien. Ça vous rajeunit.

— Oh, je vous en prie, pas de fleurs ! Vous me croyez crédule à ce point ? Regardez-moi ça, mais regardez donc ! Elle a massacré ma frange !

— Je ne vous dis pas ça pour vous rassurer, c'est la pure vérité.

— Eh bien, si la vérité vous plaît tant que ça, vous ne verrez pas d'inconvénient à ce que je vous dise que vous faites une sacrée figure d'enterrement, railla la blonde. Bon sang, j'ai connu des cockers qui avaient l'air plus gais que vous. Qu'est-ce qui vous est arrivé ? Votre petit ami vous a plaquée ? Faut dire que ça serait pas étonnant, vu votre allure.

Tout le monde retint son souffle. Un silence horrifié s'installa. Chacun attendit la réaction de Miranda. Allait-elle hurler des injures à la figure de l'horrible femme ? Ou, mieux encore, la coincer sur son fauteuil, attraper une paire de ciseaux et réduire sa frange à l'état de souvenir ?

Les mâchoires serrées, le journaliste fit un pas dans leur direction.

— Pas question, dit Beverly en le retenant.

Au grand étonnement de l'assistance, Miranda posa la main sur l'épaule de la cliente et la pressa gentiment. La femme éclata en sanglots bruyants et enfouit son visage dans la poitrine de Miranda.

— Qu'est-ce qui ne va pas ? demanda celle-ci.

— Oh mon Dieu, tout ! gémit la cliente. La nounou des enfants a donné ses huit jours ce matin... Il faut que je me fasse blanchir les dents et mon dentiste a fichu le camp en Floride pour un mois... Ma cellulite revient... Ma vie entière s'effondre !

— Mais non, mais non, répondit Miranda d'un ton apaisant. Vous savez bien que tout finira par s'arranger. Vous voulez qu'on vous appelle un taxi ?

La femme hocha la tête en reniflant.

— Excusez-moi d'avoir crié.

— Ce n'est rien. Mais quand j'ai dit que votre frange était jolie, j'étais sincère.

Se dégageant tant bien que mal de l'étreinte de la cliente, Miranda fit signe à Beverly d'arrêter le premier taxi qu'elle verrait passer.

— Merci. Et moi aussi, j'étais sincère en disant que vous aviez l'air malheureuse. Vous qui êtes d'habitude si gaie...

— Il y a des jours avec et des jours sans, déclara Miranda en lui tendant sa veste.

— Qu'est-ce qui vous est arrivé, alors ? Votre petit ami vous a vraiment plaquée ?

Derrière le comptoir, Beverly frémit.

Miranda hésita, puis opina du chef.

— Quelque chose comme ça.

Fenn revint au moment où Miranda aidait la cliente à s'installer dans le taxi.

— C'est une perle, celle-là. Prenez soin d'elle, lui dit la femme.

— Vous êtes sûre que vous ne vous trompez pas de personne ?

Lorsque Miranda rentra dans le salon, Beverly l'étreignit.

— Quelle pétasse gâtée et égoïste ! Tu aurais dû ouvrir le robinet et la noyer dans le lavabo. Je ne comprends pas comment tu as pu rester aussi calme.

Miranda haussa les épaules. C'était trop compliqué à expliquer. Elle était au-delà de la colère. Une rafale d'insultes jetée par une adulte en proie à un accès de rage puérile ne la touchait même pas, tant la détresse l'accablait.

De plus, c'était presque un réconfort de savoir que d'autres gens souffraient, quelle qu'en soit la raison, chagrin réel ou problème de cellulite.

— Qu'est-ce qu'elle a dit ? demanda Fenn. Quelque chose à propos de Miles ?

— Chut !

Beverly lui lança un regard signifiant clairement « t'es pas fou ? » Puis, riboulant des yeux, elle désigna l'intrus dont elle n'avait pas réussi à se débarrasser.

— C'est un reporter.

— Pas du tout, répéta l'homme d'un ton las. Miranda, est-ce que tu peux expliquer à cette enquiquineuse que je ne suis pas journaliste ?

Levant les yeux, Miranda le remarqua enfin.

— Johnnie… fit-elle avec soulagement

Le regard de Beverly passa de l'un à l'autre. Johnnie ? Qui était ce Johnnie ? Et comment osait-il venir dans le salon de coiffure le plus chic de Knightsbridge avec un pantalon en velours vraiment épouvantable, un pull troué aux coudes et des chaussures boueuses ?

Miranda consulta sa montre et demanda :

— Fenn, ça ne te dérange pas si je prends ma pause déjeuner maintenant ?

Fenn, qui avait reconnu le neveu de Tabitha Lester, acquiesça d'un signe de tête.

— Sois de retour à 13 heures, dit-il.

— Qui est-ce ? demanda Beverly, lorsque la porte se fut refermée.

Et où Miranda avait-elle pu rencontrer un type aussi grossier et négligé ?

— C'était le meilleur ami de Miles Harper, répondit Fenn. À ses heures perdues, il donne des coups de tête dans des melons. C'est une sorte de sport.

Avec un reniflement méprisant, Beverly commenta :

— Ça ne m'étonne pas.

51

Miranda se décomposa dès qu'elle eut franchi la porte du salon.

— Oh, Johnnie…

Les joues ruisselantes de larmes, elle leva les yeux vers lui. Il l'étreignit fermement.

— Je suis si contente de te voir, je me suis sentie tellement… abandonnée.

Il hocha la tête, et elle comprit qu'il était venu afin qu'elle puisse parler de Miles avec quelqu'un qui l'avait connu et aimé et que sa mort rendait aussi malheureux qu'elle.

Plus malheureux, sans doute, puisqu'elle n'avait connu Miles que quelques jours, alors que Johnnie avait été son meilleur ami durant des années. Ils s'étaient tout dit, avaient tout partagé...

Un minibus klaxonna, et des sifflements jaillirent de la fenêtre ouverte, suivis d'un énergique conseil :

— Vas-y, mon gars, embrasse-la de ma part !

Prise d'un rire nerveux, Miranda s'essuya le visage. Ils étaient devenus le centre de l'attention générale. Où qu'elle regardât, les gens les observaient, attendant le baiser si subtilement suggéré par le garçon du minibus.

— Comment s'appelle-t-elle ? demanda Johnnie en désignant le salon de coiffure.

Miranda jeta un coup d'œil par-dessus son bras. Beverly, qui les avait suivis du regard, se détourna précipitamment.

— C'est Beverly. Elle s'occupe de la réception.

— Elle est toujours aussi aimable ?

— Elle essaie de me protéger. Viens, allons quelque part... Maintenant, je comprends ce que ressent un panda dans sa cage, ajouta-t-elle, comme les badauds continuaient à les dévisager.

Johnnie l'emmena dans un bar sombre, situé dans une ruelle. Ils s'assirent dans un coin et commandèrent du café. Johnnie alluma une cigarette.

— Je ne savais pas où tu habitais, expliqua-t-il. C'est pour ça que je suis venu au salon de coiffure. Il avait réellement quitté Daisy. Je te dis ça au cas où tu aurais vu ses cris et ses pleurs à la télé et que tu te serais posé des questions.

Miranda acquiesça d'un hochement de tête. Une grosse boule s'était formée dans sa gorge.

— Merci.

— Il t'aimait vraiment, tu sais, reprit Johnnie, qui tirait nerveusement sur sa cigarette. Il fallait l'entendre parler de toi. Je veux dire, c'était la première fois.

Miranda utilisa discrètement une serviette en papier pour se moucher.

— Excuse-moi... Beverly m'avait bien dit de ne pas tomber amoureuse de Miles. Elle était sûre que ça finirait dans les larmes.

Johnnie haussa les épaules et secoua la tête.

— J'en fais autant tous les soirs. Je suis aussi venu pour te demander si tu comptais assister à l'enterrement. Parce que, si tu en as envie, on peut y aller ensemble.

— Non, merci, je n'irai pas, répondit Miranda sans hésiter.

Pas question de suivre la cérémonie incognito et de subir le spectacle que ne manquerait pas d'offrir Daisy Schofield dans le rôle de la fiancée éplorée.

Johnnie approuva d'un signe de tête compréhensif.

— Si tu changes d'avis, appelle-moi.

Il lui tapota la main, puis sortit quelque chose de la poche de son pantalon.

— J'ai quelque chose pour toi.

Miranda prit le petit cochon en cuivre et le tint dans la paume de sa main.

— Drôle de porte-bonheur.

— Il a gagné la course, non ?

Miranda sentit son estomac se nouer.

— Est-ce qu'il le portait... pendant l'accident ?

— Non. Le cordon en cuir s'est cassé pendant que nous étions tous en train de fêter la victoire. Assez bruyamment, je dois l'admettre. C'est à ce moment-là que Miles me l'a confié. Tu vois, il ne lui a apporté que du bonheur.

Ses yeux gris s'emplirent de larmes. Ce fut autour de Miranda de lui serrer le bras.

— Il va te manquer terriblement !

— Bon sang, on croit être à moitié préparé au drame quand votre meilleur ami est coureur automobile. Mais se faire rentrer dedans par un camion sur une fichue autoroute, c'est de la triche. Ça n'aurait pas dû se passer comme ça.

Il ramena Miranda au salon de coiffure peu avant 13 heures.

— Ton garde du corps nous surveille encore, observa Johnnie.

Du menton, il désigna Beverly, qui se balançait sur son tabouret derrière le comptoir.

— Merci pour tout, murmura Miranda en l'étreignant.

— Je t'appelle, dit Johnnie. C'est une mauvaise habitude, vous savez, ajouta-t-il en regardant pardessus la tête de Miranda.

Beverly, à qui ce discours était destiné, se dressa sur ses ergots.

— Quoi ?

— Se ronger les ongles.

Indignée n'était pas le mot. Pour un peu, on aurait cru voir sortir de la fumée de ses oreilles.

Elle tendit les mains, afin de montrer que ses ongles longs et vernis étaient impeccables.

— Je ne me ronge jamais les ongles, répliqua-t-elle d'un ton glacial.

Bingo ! Pas d'alliance, constata Johnnie.

— C'est parce qu'ils sont faux, déclara-t-il. Vous vous y casseriez les dents.

— Mon Dieu, j'ai l'impression d'avoir déjà vécu cette expérience trente-six fois, soupira Miranda. On dirait que chaque fois que j'ouvre la porte, c'est pour te trouver sur le seuil, prêt à m'insulter.

Elle jeta un regard soupçonneux au gros bouquet de roses.

— Et ça, c'est pour qui ? reprit-elle. Florence n'est pas là, Chloé n'a pas encore accouché et ce n'est l'anniversaire de personne.

— Est-ce que je peux entrer ?

— Pourquoi pas ? D'habitude, tu ne te donnes pas la peine de demander la permission.

— Je suis venu te présenter mes excuses, dit Danny. Et les fleurs sont pour toi.

— Des roses roses ? s'étonna Miranda. Tu as vu des roses rose pâle et ça t'a fait penser à moi ?

— Oui, elles poussaient sur des cactus.

Il passa devant elle et posa les fleurs sur la table.

— Écoute-moi un instant, s'il te plaît. C'est à propos de Miles. Je ne t'ai pas crue et j'ai eu tort. Maintenant, je te crois. Je suis désolé.

— Désolé de ne pas m'avoir crue ou désolé qu'il soit mort ?

Miranda fourra les mains dans les poches de sa veste molletonnée. Le temps s'était gâté, ces derniers jours. De plus, depuis qu'elle avait regardé l'enterrement au journal de 18 heures, elle n'arrêtait pas de frissonner.

— Les deux. Je serais bien venu plus tôt, mais je me suis dit que tu ne voudrais pas me parler... J'avais l'impression d'avoir causé assez de dégâts comme ça.

« Incroyable ! songea Miranda. Danny Delancey avait des scrupules. »

— Qu'est-ce qui t'a persuadé que je ne mentais pas, finalement ?

— J'ai vu l'interview d'avant la course. Miles portait ton petit cochon autour du cou… Il parlait de toi… Et je me suis rendu compte que tout était vrai.

— Laisse tomber, dit Miranda. Ça n'aurait jamais marché, de toute façon. Comme tu me l'as gentiment fait remarquer, il ne se serait pas écoulé quinze jours avant qu'il parte pour de nouvelles conquêtes.

— Où est Chloé ?

— Au cours d'accouchement. Elle apprend à respirer.

— Et Florence ?

— En pleine lune de miel avec Tom, au fin fond de l'Écosse, répondit Miranda en souriant. Ils sont en visite chez de vieux amis que Tom a connus quand il était dans l'armée.

— Tu es allée à l'enterrement, cct après-midi ?

— Non.

— Pourquoi ?

— Devine, fit Miranda.

Elle marqua une pause, puis reprit :

— Elle est venue au salon ce matin, pour qu'on la coiffe avant la cérémonie.

— Daisy Schofield ?

— Qui veux-tu que ce soit ? Elle est arrivée avec un photographe du magazine *Hi !* « afin de prendre des photos de la fiancée endeuillée pendant qu'elle se prépare à dire adieu à l'unique amour de sa vie », récita Miranda d'une voix grandiloquente.

— Ce n'est pas possible ! s'exclama Danny, horrifié. Et Fenn l'a coiffée ?

— Non, il lui a dit qu'on était complet et l'a envoyée tenter sa chance chez Nicky Clarke.

— Est-ce que tu as faim ? Laisse-moi t'inviter à dîner.

C'était la semaine passée, à la même heure, se rappela Miranda, qu'ils étaient sortis fumer le calumet de la paix, et ça s'était mal terminé.

— Je ne sais pas.

À quoi bon ? Elle n'avait même pas faim.

— Hé, j'essaie de demander pardon ! s'écria Danny en levant les mains en signe de reddition. Sois gentille avec moi. On ira où tu veux.

— Où je veux ? Bon, si tu le présentes comme ça, c'est d'accord.

De part et d'autre du pont qui dominait l'autoroute, les fleurs s'accumulaient. La cellophane qui les enveloppait tremblotait dans le vent. Au milieu des bouquets multicolores, des bougies scintillaient dans des bocaux en verre. Des gens arpentaient le pont de long en large, regardaient en silence la chaussée où l'accident s'était produit et pleuraient sur les épaules les uns des autres.

Miranda ne pleura pas. Elle enfonça plus profondément les mains dans les poches de sa veste molletonnée et observa le spectacle émouvant qui se déroulait devant elle. Comment la mort d'un homme qu'elle n'avait fréquenté que quelques jours pouvait-elle l'affecter autant ? se demanda- t-elle, accablée.

Ses doigts se refermèrent sur le petit cochon et en caressèrent les courbes familières.

Danny, qui était resté discrètement à l'écart, s'approcha d'elle et posa la main sur son épaule.

— Ça va ?

— Ça va.

— J'ai un mouchoir, si tu veux.

— Non. Je ne pleurerai plus. J'ai assez pleuré.

— Bien.

— À propos, je t'ai menti, la semaine dernière, dit-elle en se tournant vers lui. Quand tu m'as demandé si j'avais couché avec lui, je t'ai répondu oui... Eh bien, c'était faux.

Soulagé, Danny lui pressa l'épaule.

— Ça n'a pas d'importance.

— Si, ça en a, répliqua Miranda. Je regrette de ne pas l'avoir fait.

52

L'été s'achevait, et l'automne le remplaçait avec une violence vengeresse. Dès la deuxième semaine de septembre, des orages s'abattirent sur le pays. Des vents furieux arrachaient les feuilles des arbres, et la chute brutale des températures incita chacun à sortir ses vêtements chauds.

Fenn découvrit alors qu'il y avait un autre avantage à servir de chauffeur à Miranda : il n'avait plus à la voir se dégivrer les pieds avec un sèche-cheveux dès qu'elle arrivait au salon.

— Oh ! Il y a quelqu'un qui va se faire virer, ricana Miranda, qui consultait les rendez-vous de la journée.

Elle donna un coup de coude à Beverly.

— C'est ton écriture, non ? Tu as inscrit Tabitha Lester à 9 h 30 et tu as oublié de préciser « domicile ». Comme Fenn a déjà un rendez-vous à 9 heures et un autre à 10 heures, il ne pourra pas...

— En fait, intervint Fenn avec un sourire satisfait, c'est moi qui l'ai inscrite. À partir d'aujourd'hui, je coifferai Tabitha ici.

Miranda n'en crut pas ses oreilles.

— Nom d'un chien, comment t'es-tu débrouillé ?

Prêt à se mettre au travail, Fenn retroussa ses manches.

— Elle a essayé de me peloter une fois de trop. Quand je lui ai demandé d'arrêter, elle m'a offert cinquante mille balles pour coucher avec elle. Alors, je lui ai dit que j'en avais marre, qu'il n'y aurait plus de visites à domicile et qu'à partir de maintenant, soit elle venait au salon, soit elle se trouvait un autre coiffeur.

— Oh là là… fit Miranda, impressionnée. Magistral ! Bien sûr, tu sais ce qui va se passer ?

— Quoi ? demanda Fenn d'une voix lasse.

— Eh bien, elle n'en sera que plus ardente. Il serait judicieux d'installer un bouton de détresse dans le salon VIP. Et en vitesse, dit Miranda en imitant le regard lascif de Tabitha.

À 9 h 30 pile, l'intéressée fit une apparition digne d'une créature hollywoodienne. Manteau de fourrure tombant jusqu'à terre, lunettes de soleil, survêtement argenté et ballerines roses.

En reconnaissant le compagnon de Tabitha, Beverly se raidit.

Miranda se précipita pour embrasser Johnnie.

— J'ai la marraine la plus encombrante du monde, lui dit-il. Son masseur, son pédicure et maintenant son coiffeur refusent de venir chez elle. C'est une mante religieuse montée sur talons aiguilles.

— Et c'est sur toi que ça retombe, ajouta Miranda d'une voix compatissante.

— Oui, à moi de la trimballer d'un rendez-vous à l'autre, renchérit Johnnie. Tu trouves ça juste, toi ?

— Ne t'inquiète pas, dit Miranda, on va s'occuper d'elle. Assieds-toi sur le canapé. Beverly va t'apporter une tasse de café.

Johnnie regarda Beverly qui, l'air glacial, feuilletait le cahier de rendez-vous.

— D'accord, à condition qu'elle promette de ne pas cracher dedans.

Beverly, qui aimait en général bavarder avec les clients qui attendaient leur tour, se jura de bouder celui-là.

Cracher dans son café ? Il aurait de la chance si elle ne faisait pas pire.

Une demi-heure, avait promis Tabitha. Un shampooing et un brushing ne prendraient pas plus de temps. Johnnie s'installa confortablement sur le canapé et ferma résolument les oreilles aux remarques de plus en plus scandaleuses de sa marraine, qui poursuivait son flirt unilatéral avec Fenn. Un coup d'œil à Beverly lui confirma qu'elle mettait un point d'honneur à l'ignorer.

Très bien. Il attrapa l'une des revues féminines empilées sur la table basse et parcourut un article intitulé : « Les erreurs les plus terribles que les hommes commettent au lit. »

« Bon sang, ces magazines n'avaient donc aucune pudeur ? songea-t-il, choqué par le luxe de détails que donnait la journaliste. C'était du porno à l'état pur ! Quant à ce que les femmes attendaient de leurs partenaires, cela frisait la perversion. »

Levant les yeux, Johnnie croisa le regard attentif de Beverly. Elle se détourna aussitôt, décrocha le téléphone et glapit un « Allô, oui ? » strident dans l'appareil, bien qu'il n'eût pas sonné.

Avec un petit sourire, Johnnie tourna la page. Un questionnaire. Voilà qui était mieux. « Obtenez-vous toujours ce que vous voulez ? » interrogeait le titre.

Vous rencontrez un type qui vous plaît. Comment vous y prenez-vous ?

a) Vous l'invitez à sortir.

b) Vous demandez à votre secrétaire de lui fixer un rendez-vous.

c) Vous lui souriez en espérant qu'il saisira la balle au bond.

d) Vous engagez une conversation sur le temps qu'il fait, puis vous vous exclamez tout à coup : « Oh là là, je viens de m'apercevoir que je suis nue sous ma robe ! »

« N'importe laquelle de ces solutions me conviendrait parfaitement », pensa Johnnie.

Malheureusement, cela ne lui était jamais arrivé. Bien sûr, des filles lui avaient déjà souri, mais pour s'écrier aussitôt : « Vous ne seriez pas l'ami de Miles Harper, par hasard ? Si vous pouviez me présenter à lui, ce serait super gentil. »

Sans même s'en rendre compte, Johnnie s'était mis à contempler Beverly. Quand leurs regards se croisèrent à nouveau, un frémissement lui parcourut l'échine.

Toussant très fort pour cacher sa confusion, il tourna rapidement une page et afficha une expression concentrée.

« Quel lâche tu fais, mon pauvre vieux, se gronda-t-il. Allons, Tabitha, cesse de harceler ce pauvre type et grouille-toi. »

Fenn ayant fini de coiffer sa cliente, il la raccompagna à l'accueil, où elle se campa devant Johnnie.

— Alors, chéri, à quoi je ressemble ?

— À une drag-queen sur le retour.

Son statut de filleul bien-aimé faisait de lui la seule personne au monde autorisée à se moquer d'elle. Tout en aidant sa marraine à enfiler sa fausse fourrure, il s'aperçut que Beverly l'observait discrètement.

— C'est faux, je suis superbe, protesta Tabitha. N'est-ce pas, chérie ? demanda-t-elle à la jeune femme.

— Bien sûr que oui. Ignorez-le, répondit celle-ci.

Le téléphone sonna au moment où la star vieillissante et son filleul sortaient, ce qui permit à Beverly de se donner une contenance.

— Tu veux que je te dise quelque chose d'amusant ? demanda Miranda peu après. Chaque fois que je jetais un coup d'œil de ce côté, soit tu regardais Johnnie en cachette, soit c'était lui qui te regardait.

— N'importe quoi.

— Pas du tout ! Vous n'avez pas échangé un mot, mais il y avait ce... drôle de truc qui se passait.

— Quel truc ?

— Tu sais bien, fit Miranda en dessinant des signes cabalistiques avec ses mains. Ce truc qu'on ne peut pas décrire.

Elle accéléra le mouvement de ses doigts.

— Que tu n'arrives pas à le décrire, ça, c'est sûr. De toute façon, tu dis n'importe quoi, comme d'habitude, répéta Beverly.

Elle prit le bâton de rouge à lèvres qu'elle gardait toujours à portée de main, sous le bureau. Elle s'en appliquait au moins dix fois par jour, et plus en cas de stress. Un aller-retour rapide sur sa bouche suffisait à lui redonner confiance et sérénité.

— N'importe quoi, vraiment ? s'exclama Miranda. Ne te retourne surtout pas, il revient.

La porte d'entrée s'ouvrit. La main de Beverly sursauta et le rouge à lèvres glissa, traçant une ligne de sa bouche jusqu'à l'extrémité de sa narine droite. Horrifiée, elle se couvrit le visage des deux mains et s'accroupit derrière le comptoir.

Aucun mouchoir en vue.

Rien pour s'essuyer la bouche, à part la moquette.

— Coucou, fit la voix de Johnnie au-dessus d'elle. Ça ne sert à rien de vous cacher, je sais que vous êtes là.

La moquette la tentait fortement, mais elle était gris perle, et Fenn risquait de ne pas apprécier.

Tant pis. Lovée comme un serpent sous le bureau, Beverly s'essuya la figure avec l'envers de son ourlet. Une robe blanche Nicole Farhi pour laquelle elle avait économisé durant des mois !

— Coucou ? répéta l'imbécile.

D'un mouvement lent, elle s'extirpa de sa cachette et se redressa. Penché en avant, Johnnie assistait au spectacle avec intérêt.

— Qu'est-ce qu'il y a ? demanda Beverly d'un ton agressif.

Maintenant qu'il avait bousillé sa plus belle robe, elle le détestait plus que jamais. Et, bien que le plus gros du rouge à lèvres fût parti, elle était quand même obligée de garder une main sur la joue droite comme si elle avait mal aux dents.

— Bon, je me lance, dit Johnnie en s'étreignant les mains pour les empêcher de trembler. J'ai l'impression que je vous plais et, Dieu seul sait pourquoi, c'est réciproque. Alors, qu'est-ce qu'on fait ?

Beverly le regardait fixement, suffoquée. Quel culot !

— Comment, qu'est-ce qu'on fait ?

— Oh, voyons, ne soyez pas méchante. Je sais que ma façon de procéder est plutôt maladroite, mais c'est que je suis très ému. Vous aussi, vous seriez dans vos petits souliers si vous vous trouviez à ma place.

« Respire profondément, respire profondément », s'exhorta Beverly.

— D'accord, fit-elle. Essayez encore.

Johnnie acquiesça d'un hochement de tête et s'éclaircit la gorge.

— Bon. Je recommence. Ça me ferait très plaisir si vous acceptiez de sortir avec moi, un de ces jours. Peut-être dimanche, si vous êtes libre... C'était mieux, comme ça ?

C'était mieux, mais Beverly n'avait pas épuisé toutes ses réserves de mauvaise humeur.

— Dimanche, je crois que je suis prise.

Johnnie claqua des doigts.

— Miranda, qu'est-ce qu'elle fait le dimanche, d'habitude ?

Miranda, qui tendait l'oreille tout en pliant des serviettes qui l'étaient déjà, feignit la surprise.

— Rien, sauf si le rangement par ordre alphabétique de ses cosmétiques compte pour une activité.

Merci, grommela Beverly en son for intérieur. On ne la reprendrait plus à raconter quoi que ce soit à Miranda. D'ailleurs, qu'y avait-il de drôle ? Des tas de gens rangeaient leurs CD et leurs livres par ordre alphabétique. Alors, pourquoi pas des produits de beauté ?

— On se voit donc dimanche ? dit Johnnie.

Il sortit un stylo de sa poche et préleva l'une des cartes de rendez-vous empilées sur le bureau.

— Dites-moi où je dois passer vous prendre.

Il n'en finirait donc jamais ? Sans cesser de se cacher la figure, Beverly lui dicta à contrecœur son adresse à travers ses doigts écartés.

— Très bien, fit-il en refermant son stylo avec un claquement très professionnel. Bon, Tabitha m'attend dans la voiture. À dimanche matin, 6 heures.

— 6 heures.

— Vous réussirez à vous lever ?

— Oh, je pense, répliqua Beverly d'un ton sarcastique.

— Alors, au revoir.

— Hé, attendez ! cria-t-elle comme il ouvrait la porte. Vous ne m'avez pas dit où on ira. Que dois-je mettre, une tenue habillée ou décontractée ?

— Plutôt décontractée.

— Entendu.

Clic, clic, firent les méninges de Beverly, tandis qu'elle examinait mentalement le contenu de sa garde-robe. Une tenue décontractée, pas de problème, elle avait ce qu'il fallait... Clic, clic, clic... Le pantalon en laine caramel avec le chemisier en soie blanche, le pull en cachemire marron, une seule rangée de perles, les bottines brun foncé, l'ombre à paupières cannelle d'Estée Lauder, le rouge à lèvres mat de Lancôme...

— Oh, et ne vous en faites pas pour le petit déjeuner, ajouta Johnnie par-dessus son épaule. On s'arrêtera en route pour casser la croûte.

53

Les chandeliers donnaient un éclat romantique à la table.

— Tu fais la meilleure purée de pommes de terre au monde, dit Miranda, les yeux brillants. Veux-tu m'épouser ?

— Si tu fais la vaisselle, j'y réfléchirai peut-être, répondit Chloé

Elle regarda Miranda se servir de purée pour la troisième fois.

— En fait, j'ai un service à te demander.

— Laisse-moi deviner. Même si sa vie en dépendait, Fenn ne peut plus couper les cheveux et tu voudrais que je m'en charge.

— Euh... non.

De l'autre côté de la table, Florence intervint :

— Mon fils est insupportable et tu voudrais que Miranda aille demain matin lui tirer une flèche empoisonnée dans le cou.

— Non plus.

— Attends, j'ai trouvé ! s'écria Miranda. Tu veux que je demande à Danny de tourner un documentaire sur la naissance du bébé ! Tu veux qu'il filme l'accouchement pour que nous puissions te voir, les jambes en l'air, haletant et criant comme une bête.

Florence rit si fort qu'elle manqua s'étouffer avec un morceau de viande. Miranda se pencha pour lui tapoter le dos.

— Tu chauffes, dit Chloé en souriant.

Florence s'étrangla de nouveau.

— Tu ne parles pas sérieusement, protesta Miranda, horrifiée. Ce n'est pas possible que tu aies envie d'être filmée. Pas à ce moment-là !

— Bien sûr que non, répondit Chloé en posant son couteau et sa fourchette. Mais j'aimerais que tu sois là, avec moi.

— Que je sois où ?

— À la maternité. Pendant ce fameux moment où je halèterai comme une bête... Tu comprends, reprit-elle en jetant à Miranda un regard plein d'espoir, je suis censée être accompagnée. À l'hôpital, ils appellent ça un partenaire d'accouchement et ils passent leur temps à me demander si j'ai choisi quelqu'un. Et... ça me plairait que ce soit toi.

Miranda la regarda avec ahurissement.

Le sang. Les cris. L'odeur de désinfectant qui régnait dans tous les hôpitaux. Les seringues.

Et les forceps... Horreur !

Elle allait sûrement s'évanouir et s'effondrer par terre, en envoyant valser les chariots d'instruments stériles.

— Volontiers. Ça me ferait très plaisir d'être ta partenaire d'accouchement, répondit-elle.

— Tu acceptes ? Vraiment ? s'écria Chloé en lui serrant la main. Oh, merci, que je suis contente !

— Moi aussi, mentit Miranda.

Touchée et flattée, elle l'était. Mais contente ? Pas vraiment.

Dès que Chloé eut disparu dans la cuisine, Florence lui jeta un regard moqueur.

— Menteuse !

— Si elle veut que je sois là, je serai là, chuchota Miranda. Peut-être que ce ne sera pas si terrible que ça, après tout.

— Et si c'est pire que tu ne l'imagines ? murmura Florence d'un ton pervers.

Miranda tressaillit. Il fallait qu'elle soit courageuse. Elle ne pouvait pas se défiler.

Comment dire non à quelqu'un qui vous priait d'être sa partenaire d'accouchement ?

Le lendemain, après le travail, Miranda était assise dans un café lorsqu'elle aperçut Danny qui marchait dans la rue. Sans hésiter, elle tapa sur la vitre.

Lorsqu'il la rejoignit, Miranda admira son costume sombre et sa chemise bleu lavande.

— Quelle élégance !

— Réunion de travail dans le quartier, expliqua-t-il en s'installant en face d'elle. Ça s'est terminé il y a cinq minutes.

Danny commanda un café à la jolie serveuse, puis il jeta un coup d'œil à sa montre.

— Qu'est-ce que tu fais là ? Je croyais que Fenn te déposait chez toi tous les soirs.

Miranda haussa les épaules.

— Ça ne valait pas le coup de rentrer. J'ai rendez-vous avec Chloé à l'hôpital dans une demi-heure. On nous offre une visite guidée de la maternité.

— Je comprends que Chloé veuille voir la maternité, mais pourquoi faut-il que tu y sois aussi ?

— Je suis sa partenaire d'accouchement, répondit Miranda d'un ton désinvolte.

Danny ne fut pas dupe un seul instant.

— Mon Dieu... souffla-t-il, l'air amusé. Tu n'as rien pu trouver de pire ?

La détermination de Miranda – être forte et gaie et mentir coûte que coûte – s'effondra.

— Et toi ? Tu connais pire ?

— Il y a des tas de choses pires et tu le sais très bien, dit-il en riant.

La serveuse déposa son espresso sur la table, et il se mit à empiler des morceaux de sucre dans la tasse minuscule.

— Une naissance est une chose merveilleuse. C'est l'expérience la plus émouvante au monde.

— On voit bien que ce n'est pas à toi que Chloé a demandé de l'assister, protesta Miranda.

— Mais si elle me l'avait demandé, j'aurais accepté, répliqua Danny, à sa grande surprise. Sans hésitation... N'y pense même pas ! ajouta-t-il en levant la main pour faire taire Miranda. C'est toi que Chloé veut comme partenaire d'accouchement, pas moi.

En soupirant, Miranda dessina du doigt ses initiales dans la mousse de son cappuccino.

— J'ai envie d'accompagner Chloé, je te le jure, mais je suis terrifiée à l'idée que je puisse m'évanouir ou être malade ou autre chose. Tu imagines, si je gâchais le plus beau jour de sa vie ?

— Il ne t'arrivera rien de tout ça, promit Danny avec un sourire. Une fois que ça aura commencé, tu oublieras tes craintes. Sérieusement, je suis sûr que tout se passera très bien.

Miranda, étonnée, se rendit compte qu'elle était rassurée. Pas complètement, mais un peu. Tel un entraîneur de boxe, Danny lui avait remonté le moral. Oui, elle pouvait le faire.

— Tu seras tante honoraire. Tatie Miranda.

Elle fit la grimace.

— Tante Miranda la Fofolle, plutôt.

— Ne t'inquiète pas. Les tantes fofolles sont les meilleures, tout le monde les aime.

— Tu en as eu une ? demanda Miranda, intéressée.

— Quand j'étais petit ? Oh, oui. Cette fofolle de tante Pearl, qui m'emmenait à la chasse aux chats.

— Mais où est-ce que vous trouviez des chats ?

— N'importe où. Dans les arbres, sur les murets, dans les jardins...

— Et les chatières ?

— Tante Pearl était bâtie comme un tank. Elle n'aurait jamais pu passer par une chatière.

Danny souriait. Sa tante fofolle et bâtie comme un tank lui avait visiblement laissé de bons souvenirs.

— Elle était formidable, reprit-il. Elle se déguisait en pirate. Les voisins pensaient qu'elle était bonne à inter- ner.

Une tante excentrique, adorant provoquer des scandales... « Tiens, tiens, ça me rappelle vaguement quelqu'un », se dit Miranda. Voilà pourquoi Danny s'entendait si bien avec Florence.

— D'accord, je vais essayer d'en faire autant, dit Miranda en riant. Quand le bébé de Chloé sera un peu plus vieux, je l'emmènerai vivre des aventures, quitte à me coincer le derrière dans une chatière. On ira au cirque, au guignol, à la patinoire... Et je lui lirai les histoires que j'ai aimées quand j'étais petite.

— Lesquelles, par exemple ?

— Il y en a des tonnes. *La Forêt enchantée*, les récits de Laura Ingalls... Plus tard, j'ai beaucoup aimé *Flambards*. Mais mon livre préféré s'appelait *Des pas dans la neige*.

Danny fronça les sourcils.

— Je ne le connais pas, celui-là.

— Ma grand-mère me l'a donné pour mes six ans. C'était un livre qu'on lui avait offert quand elle était petite fille, alors il devait être vraiment vieux. Mais je l'ai relu au moins cent fois.

Elle revit le volume au dos scotché et à la couverture illustrée à l'ancienne mode.

— *Des pas dans la neige*, de Racey Helps, récita-t-elle d'une voix rêveuse. À la fin, il tombait complètement en morceaux. J'ai pleuré quand maman m'a dit qu'il fallait le jeter.

Leurs tasses étaient vides. Danny souriait. Miranda lui rendit son sourire. Elle aurait pu rester ici toute la soirée, à échanger des souvenirs d'enfance.

— Bon sang, quelle heure est-il ?

— 18 h 40.

— Oh, non ! Il faut que je sois à l'hôpital à 19 heures.

— Je suis garé à côté. Je te dépose, proposa Danny en se levant.

— C'est tout moi, ça, fulmina Miranda, tandis qu'ils roulaient à toute allure en direction de l'hôpital. Je suis si occupée à raconter quelle tante merveilleuse je vais être que je me mets en retard pour mon premier cours d'accouchement !

— On y arrivera.

— Je n'aurai même pas le temps de faire faire nos badges.

Danny brûla un feu orange.

— Quels badges ?

— D'après Chloé, les autres femmes seront avec leurs maris, expliqua Miranda. Il faut que je fasse faire deux badges proclamant : « Nous ne sommes pas des lesbiennes. »

Danny haussa les sourcils, l'air sévère.

— Si tu veux vraiment devenir la folle tante Miranda, tu ne dois pas te préoccuper de ce que les gens pensent de toi. Ton rôle est de susciter les commérages.

« Est-ce qu'il me croit pudibonde et étroite d'esprit ? Est-ce qu'il me taquine ou est-ce qu'il me remonte les bretelles ? » se demanda Miranda.

— Tout ça, c'est très joli, rétorqua-t-elle, mais ima- gine un peu que l'hôpital fourmille de médecins beaux comme des dieux. Ce serait dommage de louper une telle occasion, non ?

En poussant la porte d'entrée, le samedi soir, Miranda fir glisser un petit paquet bien enveloppé sur le parquet ciré. Elle le ramassa et s'aperçut qu'il ne portait que son nom, sans l'adresse.

Florence et Chloé étaient sorties. Miranda alla dans la cuisine allumer la bouilloire et enleva sa veste. Puis, curieuse, elle commença à défaire le paquet.

Lorsqu'elle ôta la dernière couche de papier bulle, elle sentit une boule se former dans sa gorge.

Elle avait à nouveau six ans.

Des pas dans la neige, de Racey Helps.

Elle reconnut le dessin vert et beige de la couverture. Mais, cette fois-ci, la tranche n'était pas couverte de scotch jaune.

Les mains tremblantes, elle ouvrit le livre et vit la date : 1946. Danny avait glissé un mot entre les deux premières pages.

Est-ce bien celui-là ? Je l'espère. Bonne lecture, D.

Miranda cligna des yeux. Que c'était gentil de s'être donné autant de mal pour lui faire plaisir ! Et comment s'était-il débrouillé pour retrouver un livre probablement épuisé depuis cinquante ans ?

Miranda se prépara une tasse de thé et emporta le livre au salon. Elle avait beaucoup pensé à Danny, ces deux derniers jours. C'était sympa d'être tombée sur lui, l'autre jour. Ils ne s'étaient pas disputés. Enfin, très peu. Danny n'avait pas parlé de Miles, et elle n'avait pas fait allusion à la copine blonde qui agitait les doigts de façon aguicheuse. Ils avaient passé un moment plaisant, vraiment décontracté, sans aucune gêne.

Étonnant, se dit Miranda.

Étonnant, mais agréable.

Elle décrocha le téléphone et composa le numéro de Danny. Il répondit à la quatrième sonnerie.

Miranda sourit à nouveau. Le simple fait d'entendre sa voix était agréable.

— Comment ? demanda-t-elle. Comment ? Comment ?

— Ça t'épate ?

— Oui. Comment t'y es-tu pris pour le dénicher ?

— Oh, c'était facile, répondit-il d'un ton modeste. Il m'a suffi de faire le tour de tous les bouquinistes du pays. J'ai trouvé ton bouquin dans une petite rue de Newcastle...

— C'est pas vrai ! s'écria Miranda.

Danny éclata de rire.

— Non, bien sûr que non... Chouette, j'arrive toujours à te faire marcher !

— Ah ah ah !

Rouge comme une écrevisse, Miranda se réjouit qu'il ne puisse pas la voir.

— Si tu veux vraiment le savoir, il y a une boutique dans Charing Cross Road où des spécialistes recherchent les livres qui ne sont plus édités.

— Eh bien, quand même, c'est drôlement gentil, dit Miranda.

— Ça m'a fait plaisir. Comme ça, tu pourras le lire au bébé de Chloé quand il sera plus grand. Comment s'est passé le cours d'accouchement, à propos ?

— Pas trop mal, même si tous les autres nous ont prises pour un couple de lesbiennes... Mais il faut que je te remercie mieux pour le livre. Pourquoi ne viendrais-tu pas déjeuner demain ? C'est moi qui cuisinerai.

Danny hésita, puis il répondit :

— J'aurais adoré, mais je pars pour Berlin demain matin.

Miranda avait conscience que sa cuisine n'était pas extraordinaire, mais était-elle vraiment si mauvaise que ça ?

— Quand rentres-tu ?

— Je ne sais pas au juste, répondit-il, évasif. Dans une quinzaine de jours, peut-être. Enfin, je serai absent environ deux ou trois semaines.

Sa voix avait changé, elle l'avait entendu. Cela ressemblait fort à une retraite précipitée.

Son sang se glaça dans ses veines. Danny avait déjà une petite amie avec laquelle il était très heureux, et cela lui suffisait. Il lui avait offert ce livre par pure gentillesse.

— Oh, super ! s'écria-t-elle. Deux ou trois semaines à Berlin. C'est formidable ! Ça va être passionnant ! Bon, il faut que j'y aille. Je voulais juste te remercier. Bon voyage, hein ? Salut !

« Salut » résonna comme un cri hystérique.

Mortifiée, Miranda raccrocha le téléphone et s'examina dans le miroir suspendu au-dessus de la cheminée.

— Bravo, ma fille, marmonna-t-elle à son reflet. C'est ce qui s'appelle prendre un râteau ou je ne m'y connais pas.

54

« Je suis folle, se disait Beverly, trois jours plus tard. Folle à lier. Complètement à côté de la plaque. »

— Ça te plaît, jusqu'à présent ? demanda Johnnie avec entrain.

— Oh, super ! Nous voilà sur l'autoroute, à 7 heures du matin, et tu ne m'as toujours pas dit où on allait. Pourquoi faut-il que ça reste secret ? On va déjeuner dans un château fabuleux ? Tu m'emmènes voir de vieux amis ? Tu veux me présenter à tes parents ? Parce que si c'est ça, j'aimerais le savoir.

À peine eut-elle prononcé ces derniers mots qu'elle les regretta. Sans cesser de sourire, Johnnie mit le clignotant et rentra dans une station-service. Il gara sa Mercedes d'un blanc sale, coupa le contact et tapota la main de Beverly.

— Ce n'est que la première heure de notre premier rendez-vous. On a beau se plaire, on ne se connaît pas encore très bien. Avant d'envisager une rencontre avec mes parents, voyons comment nous surmonterons l'épreuve du petit déjeuner. Parce que je t'avertis, si tu manges la bouche ouverte ou si tu bois ton thé bruyamment, c'est tout de suite fini entre nous. De même, continua-t-il calmement, en levant la main pour couper court à toute protestation, si tu me surprends à saucer mon ketchup avec mon pain, je t'autorise à me lâcher.

À cette heure matinale, le restaurant était pratiquement désert. Une moue boudeuse sur les lèvres, les bras croisés, Beverly écouta Johnnie plaisanter avec la femme qui les servait. Que diable avait-elle fait pour mériter une telle punition ? se demanda-t-elle.

— Juste du café noir pour moi.

— En voilà des sottises.

Johnnie, lui, commanda des chips, du bacon, des champignons, du boudin noir – beurk – et des haricots à la sauce tomate.

— Il faut prendre des forces. Une grande journée nous attend... Hé, ne t'inquiète pas. Je t'ai dit que j'offrais le petit déjeuner, ajouta-t-il devant l'air désespéré de Beverly.

L'estomac de celle-ci gronda si fort que la serveuse l'entendit.

— La même chose pour vous ?

— S'il vous plaît, dit Johnnie.

— Mais sans boudin noir, s'écria Beverly.

Heureusement, la Mercedes était déjà trop sale pour souffrir des éclaboussures de boue. Le cœur de Beverly tressautait dans les talons de ses bottines bien cirées tandis que la voiture cahotait sur un chemin forestier. L'autoroute était loin derrière eux, à présent. Ils devaient être dans le Devon, mais seules des vaches auraient pu le confirmer. Sauf que, bien sûr, aucune vache raisonnable ne se serait égarée dans une forêt aussi sombre. Ces bêtes étaient beaucoup trop malignes pour ça. On ne trouvait de vaches que dans des champs bien dégagés, au milieu de l'herbe verte, des pâquerettes et des boutons-d'or... Comment appelait-on ces champs, déjà ? Ah, oui, des prairies. Un si joli mot.

« Rien d'aussi verdoyant ni d'aussi agréable par ici, songea Beverly. Pas une seule petite prairie en vue. »

Juste des millions d'arbres, sombres et chargés de pluie, un chemin étroit avec des nids-de-poule de la taille de piscines olympiques et des étendues de boue sans fin.

La piste déboucha enfin sur une clairière. Abrutie par le trajet, Beverly fixa longuement les camions militaires alignés à côté d'une immense tente kaki, d'où des individus en tenue de camouflage sortaient des brassées de fusils. D'autres se tartinaient la figure de boue, vérifiaient leurs armes et étudiaient des cartes.

— Alors, qu'est-ce que tu en penses ? demanda Johnnie, l'air très content de lui.

— Tu fais partie des Services secrets ?

— Non, fit-il en riant. Tu ne connais pas le *paint-ball* ? C'est un jeu guerrier où on se bombarde de peinture. Tu n'y as jamais joué ?

— Ça va te paraître bizarre, mais non, rétorqua Beverly d'un ton pincé. Et je n'ai pas l'intention de m'y mettre.

— Allons, viens, c'est amusant.

— Non, ce n'est pas amusant. Comment une chose pareille pourrait-elle être amusante ?

— Mais on n'a pas fait toute cette route pour rien !

— Lis sur mes lèvres, Johnnie : N, O, N. Non !

Des amis de Johnnie reconnurent sa voiture et le hélèrent. Beverly n'y prêta aucune attention.

— S'il te plaît, insista-t-il. Ça te plaira.

— Non. Pas question.

— Miranda m'avait pourtant assuré que tu aimerais ça.

— Elle a menti, répliqua Beverly, furieuse.

— Je suis vraiment déçu.

— Tu es déçu ? Et moi, alors ? Je me suis levée à 4 heures du matin pour prendre un bain, me coiffer, me maquiller...

Un coup de sifflet retentit à travers la clairière. Beverly sursauta. D'autres individus jaillirent de la tente et sautèrent à l'arrière du premier des camions.

Deux secondes plus tard, l'homme au sifflet se dressait devant la voiture de Johnnie. Un sergent haut de deux mètres jeta à Beverly un regard foudroyant et ouvrit la portière d'une main puissante.

— Incroyable ! ricana-t-il. Une vierge.

— C'est sa première fois, confirma Johnnie.

— Non, sûrement pas, intervint l'intéressée, parce que je n'y vais pas.

Elle se recroquevilla sur son siège, tandis que l'homme se penchait dans la voiture et confisquait les clés avec une dextérité terrifiante. Beverly poussa un glapissement horrifié et écarquilla les yeux.

— Vous n'avez pas le droit de faire ça !

— J'ai le droit de faire tout ce que je veux, gronda le sergent. C'est moi qui commande, ici. Maintenant, tu vas m'obéir et aller te changer dans la tente.

Beverly lui opposa un silence obstiné.

— À moins que tu ne préfères que je te porte ?

— Je ne te le pardonnerai jamais, dit-elle à Johnnie. Jamais. Tu as compris ?

— Je suis désolé, fit-il en haussant les épaules. C'est la faute de Miranda, elle m'a juré que tu adorerais ça.

— Eh bien, je ne lui adresserai plus jamais la parole.

« Je suis en plein cauchemar », pensa Beverly, secouée à l'arrière du camion qui s'enfonçait dans la forêt. Il lui avait fallu enfiler une tenue de combat, dissimulée derrière une toile tendue au milieu de l'unique tente, puis se barbouiller le visage de boue. Pour couronner le tout, le casque ne la flattait pas du tout, les bottes à lacets étaient diaboliques et, en essayant de grimper dans le camion, elle avait glissé et s'était étalée sur le dos dans une mer de gadoue fraîchement remuée.

Beverly ne comprenait pas ce qui rendait ses compagnons aussi joyeux. Ils papotaient gaiement entre eux, s'esclaffaient pour un rien et discutaient avec enthousiasme de la journée qui les attendait.

— C'est la première fois que tu viens ? lui demanda sa voisine de gauche.

— Oui.

— Tu vas adorer ça.

— J'en doute. Tout ça, dit-elle avec un grand geste, ce n'est pas vraiment moi.

La fille, qui n'avait manifestement pas compris, s'exclama :

— Je sais, moi non plus. C'est formidable, hein ?

Lorsque le camion s'arrêta enfin, tout le monde descendit, et l'organisateur transmit ses instructions à deux individus de forte carrure.

— Voici vos chefs, annonça-t-il aux autres. Alignez-vous et faites un pas en avant dès qu'on vous aura appelés.

Beverly frissonna. Des années d'humiliation oubliées lui revinrent en mémoire. Elle se rappela le sport à l'école, quand on choisissait les équipes et qu'elle restait plantée là comme une idiote, alors que toutes les autres filles avaient déjà été sélectionnées.

Voilà que dix ans plus tard, ça recommençait.

— Toi ! hurla le chef de l'équipe rouge.

Un violent coup de coude apprit à Beverly qu'elle avait été désignée. Les larmes qui lui brouillaient la vue l'avaient empêchée de s'en rendre compte. À présent, elle n'avait plus de raison de pleurer, parce que... merci, Seigneur... elle n'avait pas été choisie en dernier. Elle avait même été élue avant plusieurs hommes.

— Toi ! cria le chef de l'équipe jaune à Johnnie.

Ce dernier sourit à Beverly et fit un pas en avant.

« Parfait, se dit-elle, tandis qu'une brusque montée d'adrénaline réchauffait ses veines. Maintenant, je peux te tuer. »

— À moi, ils déboulent de la colline !

À ces mots, Beverly fonça à travers les arbres. Elle aperçut deux membres de l'équipe ennemie en train de poursuivre quelqu'un et se jeta à plat ventre. Une fougère lui chatouilla le nez. Elle attendit que le champ soit libre puis, moitié rampant moitié courant, elle rejoignit la rivière dans laquelle Stuart, l'un de ses équipiers, tentait de repêcher son pistolet.

— Je l'ai laissé tomber, souffla-t-il.

Beverly se précipita dans l'eau glacée et explora à tâtons le fond visqueux, jusqu'à ce qu'elle sente un objet métallique sous ses doigts.

— T'es un chef ! s'écria Stuart, qui rechargea aussitôt son arme.

— Plonge ! cria Beverly en entendant un bruissement dans les buissons.

Elle s'aplatit sur la rive boueuse. Un éclair jaune jaillit.

Plaf ! Une capsule s'écrasa sur un rocher, à quelques centimètres de son oreille gauche.

En une fraction de seconde, Stuart avait riposté.

— Ordure ! cria l'ennemi, dont la poitrine se couvrait de peinture rouge.

— Vite, il y en a un autre.

Tout en roulant sur le dos, Beverly éjecta d'une chiquenaude désinvolte la limace qui s'était collée sur sa manche. Elle rechargea prestement son arme.

— Il se dirige vers le pont, souffla Stuart. Je vais grimper sur ces rochers. Toi, tu suis la rivière. On pourra le coincer près du...

Plaf ! fit la capsule jaune en s'écrasant sur les lunettes de Stuart.

— Aaaah, il m'a eu.

— Tu es mort, dit Beverly. On se revoit au prochain jeu.

— Rends-moi service. Descends ce fumier, d'accord ?

Beverly regarda Stuart s'éloigner lourdement dans la forêt. Rejetant ses cheveux en arrière, elle se redressa et guetta l'ennemi, tous ses sens en éveil. Marcher en silence alors que la moitié de la rivière clapotait dans vos bottes n'était pas facile. Et rester debout quand la boue léchait vos chevilles en vous aspirant vers d'obscures profondeurs était plus que périlleux.

Les branches d'un arbre bougèrent. Elle releva son arme et retint sa respiration.

Un écureuil. Elle expira lentement.

— Pas un geste, chuchota une voix derrière elle, tandis que le canon d'une arme se plantait dans son dos.

« Zut, zut et zut, fulmina Beverly en son for intérieur. À mon tour d'être éliminée. »

— Ferme les yeux, ordonna la voix.

Elle s'exécuta et attendit le coup de feu.

— Retourne-toi lentement.

Le souffle court, elle obéit dans un clapotement peu élégant.

— Garde les yeux fermés. Ne parle pas.

Le cœur de Beverly battait la chamade. Elle sentit une haleine chaude effleurer son visage, puis une bouche caresser la sienne. Tout son corps se cabra de désir.

Bon sang, c'était donc ça, le pouvoir aphrodisiaque de la guerre !

— Idiote ! fit Johnnie. Ça aurait pu être n'importe qui.

Beverly sourit.

— J'ai reconnu ton après-rasage.

— Puis-je te dire quelque chose ?

— Quoi ?

— C'est la première fois que je te vois sourire.

— Puis-je te demander quelque chose ? riposta Beverly.

— Quoi ?

— Ce que tu viens de faire, ce truc qui ressemblait vaguement à un baiser. C'était tout, ou il y a autre chose derrière ?

— Oh, il y a encore plein de choses ! assura Johnnie.

Qu'elle était belle ! songea-t-il en écartant les cheveux mouillés du visage de la jeune femme.

Tremblante, Beverly l'enlaça et tendit la bouche.

Cette fois, ce ne fut pas du tout un semblant de baiser. La langue de Johnnie se glissa dans sa bouche, et elle lui répondit avec ardeur. Seigneur, il embrassait fabuleusement bien !

Plaf ! Plaf !

— Qui est-ce qui... hoqueta Johnnie.

Tournant la tête, il vit la peinture rouge qui coulait le long de son dos, puis le pistolet que Beverly tenait à la main.

— Bang, bang, tu es mort, dit-elle.

55

Devant eux, au bout de l'allée de gravier, l'hôtel *Manor House* sortit du brouillard, tel un mirage dans le désert. Sauf que rien d'autre dans le paysage n'évoquait le désert. De l'eau, ils en avaient plus qu'assez, avec cette soirée humide, grise et fraîche. Les fenêtres répandaient une lumière accueillante, et la perspective de siroter un cognac devant un feu de bois après avoir dégusté des plats fabuleux était extrêmement tentante.

— Qu'est-ce que tu en dis ? demanda Johnnie sans éteindre le moteur, comme si elle risquait de refuser.

— Oui, oui, oui ! s'exclama Beverly.

Chaleur, nourriture et boisson dans un cadre splendide... Soudain, une pensée horrible lui traversa la tête.

— Oh, non...

— Quoi ?

— Regarde-nous, dit-elle en tirant sur ses cheveux et en désignant les vêtements de Johnnie. Ils ne vont jamais nous laisser entrer.

Johnnie réfléchit un instant. Ce problème, apparemment, ne lui avait pas effleuré l'esprit.

Il coupa le contact et prit le visage de Beverly dans ses mains.

Un visage couvert de boue, sans trace de fond de teint, sans rouge ni poudre ni Dieu sait quoi, débarrassé d'ombre à machin et de cette cochonnerie de mascara. Une bouche douce qui appelait les baisers. Des cheveux d'un blond doré qui n'étaient plus laqués ni tordus en chignon, mais retombaient librement sur les épaules.

— Tu es belle. Tu es très belle, murmura Johnnie. Je savais que tu serais belle.

C'était si ridicule que Beverly n'essaya même pas de discuter. Ce type devait être cinglé.

— Nous ne pourrons pas entrer dans le restaurant, dit-elle tristement.

— Peut-être. Mais on nous donnera une chambre.

— Tu te sens mieux ? demanda-t-il, quarante minutes plus tard.

Beverly sortait de la salle de bains, drapée dans l'un des peignoirs blancs de l'hôtel.

— Comme au paradis.

Parfumée, la peau encore un peu fumante, elle s'affala sur le canapé et prit le verre de vin qu'il lui tendait. Mince, c'était incroyable ce qu'on pouvait apprécier un bain chaud quand on l'avait vraiment mérité.

— À mon tour, dit Johnnie en lâchant la carte sur les genoux de Beverly. Choisis ce que tu veux et sonne pour commander. Le temps que je sois prêt, le dîner sera servi. Et demande une deuxième bouteille de vin.

Il était adorable. Couvert de boue, mais adorable. Comment avait-elle pu le prendre pour un crétin ?

À 21 h 30, ils avaient fini de dîner. Il était temps de partir.

— Encore deux heures de route, marmonna Beverly. Et demain, c'est le boulot. Je parie que j'aurai des courbatures partout. Le pire, c'est que personne ne me croira quand je raconterai ma journée.

— Tu as été formidable, déclara Johnnie en lui pressant le bras.

— J'ai du mal à croire que ça m'ait autant plu. Tu ne m'en veux pas de t'avoir tué ?

— Je te pardonne.

Johnnie la regardait bizarrement, comme s'il avait une idée en tête.

— Qu'y a-t-il ? fit Beverly, dont le cœur se mit à battre la chamade.

— Rien. Si je te le disais, tu me trouverais idiot.

— On discute depuis trois heures, tu ne vas pas te taire maintenant ! s'écria Beverly.

Elle replia les jambes sous elle et rabattit soigneusement les pans de son peignoir.

— Euh...

Johnnie fit un geste discret en direction du décolleté qui bâillait.

— Oh... excuse-moi, balbutia-t-elle en resserrant le col du peignoir. Allez, vas-y ! Qu'y a-t-il ?

— Eh bien... il arrive qu'on rencontre quelqu'un, et on sait que c'est le genre de personne avec laquelle on pourrait... tu sais...

— Non, je ne sais pas, souffla Beverly, exaspérée. On pourrait quoi ?

Johnnie ferma les yeux. Il était en train de se dégonfler. Bon sang, il attendait cet instant depuis des années, et voilà qu'il se défilait lâchement.

— Ce que je veux dire, c'est que, parfois, on rencontre quelqu'un et on se l'imagine vingt ans plus tard.

Ça, c'était se dégonfler à moitié.

— Et alors ? fit Beverly, suspendue à ses lèvres. Tu peux m'imaginer dans quelques années ?

Johnnie sourit.

— Oh, oui ! Fonçant dans une Range Rover pleine de labradors et allongeant des claques à tes rugbymen de fils trop bruyants.

Beverly éclata en sanglots. Comment avait-il deviné ? Avoir quatre fils avait toujours été son rêve, un rêve dont elle n'avait parlé à personne.

— Combien d'enfants, dis-tu ?

Les larmes s'étaient arrêtées aussi vite qu'elles avaient commencé.

— Trois garçons et une fille. Un bébé que ses frères vont complètement gâter. C'est ce que j'ai toujours désiré, ajouta-t-il. Malheureusement, les hommes ne sont pas censés rêver à ce genre de chose. Les histoires de mariage et d'enfants, ce n'est pas très macho, poursuivit-il d'un ton lugubre. Nos rêves sont supposés se limiter à sortir, prendre une cuite et déshabiller le plus de filles possible... de préférence avec les dents.

Beverly eut un sourire hésitant. Était-elle vraiment en train de vivre l'un des moments les plus heureux de sa vie ?

— Alors, qu'est-ce que tu voulais dire ?

Il la regarda longuement.

— Tu le sais très bien.

Adieu, routine poussiéreuse ! Bonjour, nouvelle vie de félicité !

Malgré tout, elle se sentit obligée de rappeler :

— On n'en est qu'au début.

Au premier jour, même. Ce dont elle se fichait éperdument.

— Je sais, répondit-il avec un haussement d'épaules. Mais tu me plais beaucoup, Beverly. Si jamais tu penses que ça pourrait devenir réciproque, s'il te plaît, dis-le-moi. Si, au contraire, tu continues à me trouver épouvantable, eh bien...

Doucement, Beverly l'embrassa.

— Je ne te trouve pas complètement épouvantable.

— Ouf, fit Johnnie en mimant le soulagement. C'est déjà ça.

Beverly examina la luxueuse chambre à coucher avec ses boiseries, sa cheminée et son lit à baldaquin.

— Tu as bien dit que tu avais loué cette pièce pour la nuit ?

— Oui, ils ne louent pas de chambre à l'heure. Ce n'est pas le genre de l'hôtel.

— Alors, ça serait dommage de ne pas en avoir pour notre argent.

Beverly l'embrassa de nouveau et, se pelotonnant contre lui, elle glissa la main entre les pans du peignoir de Johnnie. Elle frissonna de plaisir lorsque ses doigts caressèrent la toison soyeuse de sa poitrine.

— Je suis heureuse que tu aies une poitrine velue, murmura-t-elle.

Johnnie répondit gravement :

— Et moi, je suis heureux que la tienne ne le soit pas.

56

Miranda comprit que quelque chose n'allait pas quand, après avoir remonté son ample pantalon kaki, elle se leva et retomba aussitôt.

— Tu as mis les deux pieds dans la même jambe, signala Chloé en s'esclaffant. Tu ne fais pas attention.

Chloé avait raison. Danny devant arriver d'une minute à l'autre, Miranda guettait la sonnette avec anxiété, tout en se demandant si elle aurait le temps de se rincer la tête afin d'ôter le gel de ses cheveux et de leur rendre leur aspect naturel.

Enfin, un aspect aussi naturel que possible, pour quelqu'un qui avait des cheveux bleu nuit striés de mèches magenta.

Tout en dégageant sa jambe gauche, Miranda s'aper- çut avec un serrement de cœur que ce qu'elle avait tant redouté recommençait depuis le début. Elle l'avait senti prendre forme ces dernières semaines, ramper inexorablement et l'envahir comme un esprit maléfique. Désormais, il n'y avait plus moyen de s'en débarrasser.

La folie amoureuse était de retour.

Elle glissa le pied gauche dans la bonne jambe du pantalon, se leva et remonta la fermeture Éclair.

— Tu es belle, dit Chloé en tâtant son ventre plat d'une main envieuse. Tiens, on sonne. Ce doit être Danny. Tu es contente ?

Miranda examina dans la glace son visage rouge d'excitation. Eh bien, zut, oui, elle était contente... et amoureuse d'un type qui, de toute évidence, ne la trouvait pas à son goût.

Le Retour de l'amour, pensa Miranda en se mordant les lèvres. Elle avait pourtant cru qu'elle n'aurait pas à tourner ce film-là, lorsque Miles avait déboulé dans sa vie et l'avait aidée à chasser Danny Delancey de ses pensées.

Alors, c'était pour le moins irritant de le voir réapparaître, telle une vieille copine d'école qu'on aurait préféré ne jamais retrouver et qui surgit à la barrière du jardin en criant : « Coucou, on vient d'acheter la maison d'à côté ! »

Florence et Tom bavardaient dans le salon avec Danny. Se dandinant sur le seuil, Miranda se demandait où s'asseoir. Par terre, près de la chaise de Florence ? Sur le canapé, à côté de Danny ?

Devait-elle lui jeter un coup d'œil, sourire et lâcher un « salut » négligent, ou faire semblant de ne pas le voir ? Qu'est-ce qui paraîtrait le plus naturel ?

« Au secours, gémit-elle en son for intérieur, j'ai oublié comment agir de façon normale... »

— Dépêche-toi de t'asseoir, ça va commencer, annonça Florence en brandissant la télécommande.

Le présentateur annonçait le programme suivant. Chloé s'asseyant dans le dernier fauteuil vide, Miranda s'installa en tailleur sur le sol.

— Il y a plein de place à côté de Danny, protesta Florence.

— Je préfère être par terre.

À peine Miranda eut-elle prononcé ces mots qu'elle les regretta. Danny haussa les sourcils. Florence et Tom pouffèrent de rire comme des gamins.

— Chut, ordonna Miranda d'un ton sévère. Je pensais qu'on était là pour regarder le reportage.

— Et maintenant, ronronna le présentateur, voici un nouveau documentaire de l'équipe Delancey-Vale, dont les travaux ont déjà remporté de nombreux prix.

— Je ne savais pas que tu avais gagné des prix, fit Chloé, impressionnée.

— Oh, dit Danny, seulement des broutilles.

— Voici donc... *Vivre dans la rue*, dit le présentateur.

— Formidable ! déclara Tom une heure plus tard, en rembobinant la cassette jusqu'à l'interview de Florence. Et cette séquence n'est pas mal non plus.

— Dire que je rêvais d'être repérée par un milliardaire, soupira Florence. Et, au lieu de ça, sur quoi suis-je tombée ? Un vieux pervers qui est arrivé à ses fins en se déguisant en curé.

— Il ne l'a fait qu'une fois, remarqua Chloé.

— C'est ce que tu crois, rétorqua Florence. Mais sache qu'il n'a pas encore rapporté sa tenue à la boutique de location.

Préoccupé, Danny les écoutait d'une oreille distraite. Depuis quelques jours, Miranda était beaucoup plus calme qu'à l'ordinaire et semblait mal à l'aise en sa compagnie. Son exubérance et son sens de l'humour un peu spécial l'avaient désertée.

Il la rejoignit dans la cuisine, où elle préparait du café.

— Miranda, ça va ?

Elle tressaillit et jeta un regard angoissé en direction de la porte. Personne n'allait-il venir à son secours ?

— Je vais bien, merci.

— Tu n'es plus la même, ces jours-ci.

— Tu trouves ?

La compassion de Danny lui était insupportable. Elle dut faire un effort pour le regarder.

— C'est à cause de Miles ?

C'était donc cela qu'il pensait, comprit-elle, la gorge nouée. Il la croyait toujours anéantie par la douleur.

Elle n'était pas anéantie. On était fin septembre, et dix semaines s'étaient écoulées depuis l'accident. À présent, elle avait surmonté le choc. Tant pis si cela paraissait brutal, mais le fait était qu'elle n'avait connu Miles que quelques jours.

Cependant, Danny n'avait pas besoin de le savoir, si ?

Elle préférait encore utiliser Miles pour justifier son attitude bizarre plutôt que d'avouer à Danny la véritable cause de son tourment. Ce n'était pas joli, joli, mais Miles s'en fichait, non ?

« S'il me regarde en ce moment, songea Miranda, il doit se tordre de rire en voyant le pétrin dans lequel je me suis fourrée. »

Danny attendait toujours qu'elle lui réponde. Elle haussa les épaules et fit un signe de tête affirmatif, tout en continuant à doser le café.

— Oui, c'est à cause de Miles. Mais je n'ai pas envie d'en parler.

Terrorisée à l'idée que Danny la prenne en pitié, elle ajouta précipitamment :

— S'il te plaît, ne sois pas trop gentil avec moi. Changeons de sujet. Comment ça marche avec ta blonde ?

Danny s'adossa au réfrigérateur et croisa les bras sur sa poitrine. Il examina Miranda un instant, puis sourit. Son regard s'adoucit.

— Très bien. J'ai dîné avec elle hier soir.

Et voilà. Changer de sujet faisait des miracles, sauf quand la réponse n'était pas celle qu'on avait espérée. Miranda aurait plutôt souhaité une réplique du genre : « Une blonde ? Quelle blonde ? » De préférence accompagnée d'un froncement de sourcils.

— Vous avez dîné ensemble ? Ah, super ! s'écria-t-elle en affichant résolument un sourire enthousiaste. Dans un endroit sympa ?

— Chez elle.

Ah...

— Elle est bonne cuisinière ? poursuivit-elle courageusement

Danny prit le temps de réfléchir.

— Pas mauvaise. Elle a suivi des cours de cuisine il y a quelques années.

« Comme nous toutes, non ? » songea Miranda.

Et au lit, ça se passait bien ?

Non, non, elle ne devait pas demander ça, s'interdit Miranda, qui commençait à transpirer. Ouf... Heureusement qu'elle s'était tue. Comme trahison involontaire, on ne faisait pas mieux. Il y avait des questions qu'on ne posait jamais à un homme dont on était follement amoureuse, en secret ou pas, et ça, c'en était une. Une autre question à proscrire étant : « Alors, je suppose que vous allez vous marier ? » prononcée, évidemment, avec un sourire contraint.

— Bon. Le café est prêt.

Soulagée d'avoir évité ces deux bêtises, Miranda attrapa une pile de tasses à café et les disposa bruyamment sur un plateau. Elle se demanda si Danny avait extorqué à la blonde le titre de son livre préféré afin de le lui offrir. Probablement un truc standard qu'il utilisait pour séduire les filles.

Des traces dans la neige, pensa Miranda. En ce moment, c'était plutôt *L'idiote repart pour un tour.*

— Attends demain, dit Danny.

Elle le regarda avec surprise

— Quoi, demain ?

— Tout le monde va te reconnaître, expliqua-t-il en souriant. Tous les gens qui ont vu l'émission vont t'aborder pour te dire que tu es formidable. Tu peux me croire, c'est ce qui va se passer.

« Ça me fait une belle jambe, songea Miranda. Si tous les autres pensent que je suis formidable, pourquoi est-ce que ça ne te vient pas à l'esprit ? »

Se mordant la lèvre, elle se mit à farfouiller dans le tiroir, à la recherche de petites cuillères.

— Heureusement que je n'ai pas prévu de sortir.

Cinq cuillères. Du sucre. Que manquait-il encore ? Ah, la crème...

— Écoute, fit Danny en repoussant ses cheveux en arrière. Tu as eu de sacrés coups durs, et je sais qu'il faut du temps pour s'en remettre. C'est pourquoi je n'insiste pas. Mais si jamais tu as envie de sortir, appelle-moi. Je suis sincère. N'importe quand. Promis ?

Miranda tressaillit. Seigneur, une autre trahison involontaire. Quelle femme digne de ce nom ignorait encore que quand un homme affirmait qu'il était sincère, ça signifiait le contraire ?

Enfin, il était bien aimable, on ne pouvait le nier. Même s'il avait l'air de remercier sa grand-tante du merveilleux débardeur qu'elle lui avait tricoté pour Noël.

— D'accord, merci.

Elle posa le pot de crème sur la pile de soucoupes et souleva le plateau.

— Ça serait sympa, ajouta-t-elle platement.

Plusieurs semaines s'écoulèrent. Un mardi de la fin d'octobre, Chloé travaillait dans la boutique quand la cloche fixée au-dessus de la porte tinta.

— Salut, fit Greg.

Bien qu'elle l'attendît, son estomac se recroquevilla, et le bébé aussi. Il devait se demander qui était cet inconnu, se dit Chloé. « Ne t'en fais pas, mon chéri, rien de grave. Ce n'est que ton père. »

— Bonjour, Greg.

Elle posa les bons de commande qu'elle était en train de remplir et consulta sa montre.

— Ça ne vous dérange pas si je vais déjeuner maintenant ? demanda-t-elle à Bruce.

— Vas-y, vas-y ! s'écria son patron en hochant vigoureusement la tête.

En tant que propriétaire d'une boutique remplie de porcelaine et de verre, il estimait que tout employé devait discuter avec son conjoint hors de son lieu de travail.

— Je serai de retour à 13 heures, promit Chloé en enfilant son manteau.

— Ne sois pas en retard. J'ai un rendez-vous important cet après-midi.

— Il veut dire une importante partie de golf, expliqua Chloé, une fois dehors.

La voiture était garée en stationnement interdit, juste devant la boutique. Greg déverrouilla les portières.

— Comment va Miranda ?

— Tu lui manques terriblement. Elle se languit de toi. Rassure-toi, je plaisante, dit Chloé en bouclant la ceinture par-dessus son énorme ventre. Elle va très bien et tu ne lui manques pas du tout.

— Vous m'avez vraiment fait une sale blague, toutes les deux.

— On n'était pas que deux.

Greg lui lança le regard excédé qu'il réservait aux nouvelles secrétaires incapables de se rappeler combien de sucres il mettait dans son thé.

— Je n'avais pas mérité ça, Chloé. Tu le sais.

« L'émission *Douce vengeance* n'ayant pas encore commencé, tu crois en être quitte pour un moment de honte, ricana Chloé intérieurement. Attends un peu que tous tes amis te voient en pleine action. »

— Changeons de sujet, proposa-t-elle d'un ton guilleret. Discutons d'autre chose. Tiens, si on parlait divorce ?

— Tu es d'humeur à plaisanter, apparemment... Tu en as encore pour combien de temps ? demanda-t-il en regardant le ventre de Chloé.

— Un mois. Ne t'en fais pas, les sièges de ta voiture ne risquent rien.

Chloé remarqua avec surprise combien il était facile d'être impertinente quand on se moquait complètement de son interlocuteur.

— J'ai très faim, reprit-elle. Si on allait au *Sadler's* ?

Greg eut l'air irrité. *Sadler's* était cher.

— Je croyais que tu m'avais appelé parce que tu voulais divorcer.

— C'est vrai, dit Chloé. Je pense que c'est ce qu'on veut tous les deux. Mais j'ai vraiment très, très faim.

57

Pendant le déjeuner, Chloé eut droit aux dernières nouvelles. Ainsi apprit-elle que Greg avait une nouvelle petite amie, une ostéopathe prénommée Antonia, et que, oui, celle-ci savait tout de l'épouse enceinte qu'il avait plaquée.

— Et toi ? demanda-t-il, les yeux rivés sur le visage de Chloé.

— Moi ? Je mène une vie tranquille. J'ai abandonné l'escalade et le parapente. Par contre, je joue souvent au scrabble, je bois beaucoup de chocolats chauds, ce genre de truc, quoi.

Ce comportement décontracté n'était que pure bravade, estima Greg.

— Un jour, tu rencontreras quelqu'un d'autre, marmonna-t-il en guise de réconfort.

— Tu crois ça ? fit-elle en haussant les sourcils. Je ne suis pas un aussi beau parti que toi.

Elle se moquait de lui, comprit-il enfin, ahuri. Et, plus surprenant encore, il ne pouvait la quitter des yeux. C'était complètement dingue. Malgré ce ventre énorme qui la précédait comme l'étrave d'un navire, elle n'avait pas l'air enceinte. Elle avait beau se dandiner en marchant et se masser le dos de temps en temps, cela ne lui donnait pas non plus l'air d'être enceinte. Ses cheveux blonds étaient plus brillants que jamais, ses yeux pétillaient, elle riait et plaisantait… « Étrange, songea Greg, perplexe. D'où lui venait cette assurance dont elle n'avait jamais fait preuve auparavant ? »

Curieusement, il trouvait cela très érotique.

— Bon, et ce divorce ? reprit Chloé. À moindres frais et à l'amiable… Oui, s'il vous plaît, je veux bien un autre jus d'orange.

Elle décocha au serveur son sourire le plus éblouissant, et Greg découvrit avec stupeur que le jeune homme ne la regardait pas du tout comme une femme enceinte… Pour parler crûment, il la reluquait.

Bon sang, que se passait-il ? se demanda Greg. Son ex-femme lui semblait plus sensuelle que cinquante starlettes réunies, alors qu'elle était vêtue d'un pantalon blanc informe et d'une chemise d'homme à rayures roses et blanches.

— Greg, tu bois autre chose ?

Toujours perplexe, il secoua la tête.

— Est-ce que tu ne devrais pas fermer un ou deux boutons de plus ?

— On voit mon soutien-gorge ? demanda Chloé en baissant les yeux.

— Non, mais la naissance de tes seins, oui.

Il louchait sur la poitrine de Chloé. Elle réprima un éclat de rire.

— Greg, ne t'occupe pas de mon décolleté. C'est mon problème, plus le tien.

« Mais tu es encore ma femme ! » faillit-il crier. Jusqu'à ce jour, la seule idée de faire l'amour avec une femme enceinte le rendait malade, et voilà qu'il crevait d'envie de se jeter sur Chloé.

— Qu'est-ce qui ne va pas ? gronda-t-elle en se penchant par-dessus la table pour lui piquer un champignon grillé. Tu n'as presque rien mangé.

Greg examinait une à une les options possibles. Il était midi et demi, trop tard pour emmener Chloé chez lui. Et ce soir, Antonia venait à 20 heures.

— Je suis content qu'on reste amis, déclara-t-il, qu'on se sépare de façon civilisée. C'est mieux. Tu es resplendissante, à propos. Sincèrement.

Chloé s'adossa à sa chaise et le dévisagea. Pourquoi se lançait-il tout à coup dans les compliments ?

— Euh… merci. Bon, note l'adresse de mon avocat.

— Je peux passer te prendre après le travail, si tu veux. On en discutera à ce moment-là. Tu n'as même pas vu mon nouvel appartement.

Ce fut le haussement d'épaules désinvolte qui mit la puce à l'oreille de Chloé, puis le sourire enfantin. Le souffle coupé, elle se rappela le jour où Greg s'était comporté de la même façon… il y avait presque quatre ans, peu après avoir fait sa connaissance. Le jour où il avait déployé tout son charme pour l'attirer dans son lit.

Stupéfiant ! Cet abruti reprenait le rituel de la séduction.

Se mordant les lèvres pour ne pas rire, elle lui décocha une œillade enjôleuse.

— Et que ferions-nous quand j'aurais fini de visiter ton appartement, dis-moi ? chuchota-t-elle. À moins que je ne devine ?

Greg sourit. Cette pauvre Chloé était chaste depuis combien de temps ? Sept mois ? Elle n'en pouvait plus, c'était évident.

— Je ne vois pas pourquoi on n'aurait pas le droit de s'amuser un peu, en souvenir du bon vieux temps, dit-il avec un clin d'œil espiègle.

Chloé prit une asperge et la trempa dans la mayonnaise.

— Tu veux dire, s'amuser au lit ?

— Pourquoi pas ?

Hypnotisé, Greg la regarda manger l'asperge, morceau après morceau. Spectacle particulièrement excitant.

— Ce n'est pas parce qu'on est en train de divorcer qu'on ne peut pas passer un bon moment ensemble.

— Je ne sais pas, fit Chloé en fronçant les sourcils. Ce qui m'ennuie...

— Tu as peur de faire mal au bébé ? Sûrement pas ! s'écria Greg, qui venait d'écouter à la radio une émission sur le sujet. Je te le jure, ça ne fait pas du tout mal au bébé.

— Je ne pensais pas au bébé.

— Ça ne te fera pas mal non plus... Je serai très doux, promis.

— Écoute, voilà ce qui m'ennuie, dit Chloé d'un ton patient. Rappelle-toi quand tu avais six ou sept ans. Tes dents de devant bougeaient et tu n'arrêtais pas de les secouer, de tirer dessus, mais elles ne tombaient pas. Tu t'en souviens ?

Elle s'interrompit. Perplexe, Greg hocha la tête.

— Euh... oui.

— Bon. Et il y avait toujours un garçon plus vieux pour t'expliquer qu'il suffisait d'attacher l'extrémité d'une ficelle à la dent branlante et l'autre bout à la poignée d'une porte. Quelqu'un arrivait, fermait brusquement la porte, ce qui arrachait ta dent... Tu te rappelles cette histoire ?

— Euh... oui, je suppose.

Greg haussa les épaules, un peu étonné.

— Bon. Eh bien, mon problème, c'est que je crains de faire la même chose à tes parties génitales... Tu pourrais avoir très mal, conclut-elle en jetant un regard attristé au bas-ventre de son ex-mari.

Le message mit quelques secondes à pénétrer dans le cerveau de Greg. Son sourire s'effaça.

— Ça signifie que tu n'as pas envie de coucher avec moi ? demanda-t-il, afin d'être sûr d'avoir bien compris.

— Bravo ! Pour être exacte, je préférerais me planter des épingles chauffées à blanc sous les ongles et sauter les yeux bandés dans une fosse remplie de serpents plutôt que de faire l'amour avec toi.

— Si je te l'ai proposé, c'est uniquement par pitié, riposta Greg. Qui d'autre voudrait de toi, bon sang ?

Le garçon réapparut avec la carte des desserts.

— Un café et une tarte aux noix, demanda Chloé avec un sourire, mais il faut que je retourne au travail. Pourriez-vous m'envelopper mon gâteau ?

— Je vais le mettre dans un carton pour qu'il ne s'écrase pas, proposa le garçon en rougissant comme une pivoine.

Humilié et déçu, Greg recula brutalement sa chaise.

— Si tu ne peux même pas être aimable, je ne vois pas pourquoi je paierais ton déjeuner.

Il fouilla dans sa poche et déposa une poignée de pièces et de billets sur la table.

— Voilà, ça devrait couvrir ma part. Salut.

— Je croyais que tu devais me ramener ?

Greg regarda son ex-femme, puis le serveur qui la couvait des yeux.

— Tu n'as qu'à rentrer toute seule. Ou bien demande à ton gigolo de te ramener, ajouta-t-il en tournant les talons.

— Zut, fit Chloé. Je suis désolée. C'était mon ex-mari, expliqua-t-elle. Un peu idiot. Complètement idiot, même.

— Je ne peux pas vous ramener, dit le garçon, l'air confus. Je n'ai que seize ans et demi et je ne dispose que d'un vélo.

Chloé essaya un instant de s'imaginer, enceinte de huit mois, en équilibre précaire sur le porte-bagages.

Mieux valait s'abstenir.

— Ne vous inquiétez pas. Mais annulez la tarte, s'il vous plaît.

Priant le Ciel d'avoir assez d'argent pour régler l'addition, elle ouvrit son porte-monnaie. Étaler des billets et des pièces sur la table avait été un geste indéniablement théâtral mais, maintenant qu'elle les comptait, Chloé s'apercevait que Greg n'avait laissé qu'un ticket de parking et la somme fabuleuse de trois livres et vingt-sept pence.

Quel radin !

Certes, ce n'était pas une surprise. Il avait toujours eu une tendance à l'avarice, même avant qu'il ne se mette à recycler les bagues de fiançailles.

Lorsque le jeune garçon apporta la note, Chloé découvrit que, grâce à l'onéreux whisky que Greg s'était tapé en cachette au bar pendant qu'elle était aux toilettes, elle pouvait tout juste payer le repas.

Une fois sur le trottoir, Chloé vit passer l'autobus qu'elle n'avait plus les moyens de s'offrir. Elle tenta de cacher son gros ventre sous son manteau des surplus de l'armée. Pour l'élégance, elle repasserait, se dit-elle.

Puis elle se mit en route. Près de deux kilomètres en vingt-cinq minutes, c'était faisable. À condition que son dos cesse de lui faire aussi mal.

Au bout de quatre cents mètres, elle fut obligée de s'arrêter. Une douleur aiguë lui vrillait le flanc. Elle s'adossa contre une cabine téléphonique et attendit d'avoir moins mal. Et, à ce moment-là, une chose épouvantable se produisit.

Elle perdit les eaux.

Un liquide chaud dégoulinait inexorablement le long de ses jambes. Dieu merci, la cabine était vide. Serrant les genoux et ses muscles pelviens de toutes ses forces, Chloé s'y réfugia en clopinant comme un pingouin.

Ouf ! Les parois en verre ne lui offraient aucune intimité mais, au moins, personne ne pouvait voir la mare qui se formait à ses pieds. Rouge de honte, elle s'aperçut qu'à cause du froid, le liquide fumait. Appuyant son front contre la vitre fraîche, elle réfléchit à toute allure.

Elle n'avait pas un sou. Même pas de quoi aller aux toilettes. Et, à ce rythme-là, elle aurait bientôt de l'eau jusqu'aux genoux et les vitres se couvriraient de buée comme dans un sauna.

58

Chloé respira deux fois à fond, ce qui ne calma absolument pas la douleur, et appela l'opérateur.

— Un appel en PCV, s'il vous plaît.

Elle donna le numéro de la boutique et attendit. Tout allait s'arranger. Inutile de paniquer. Bruce l'aiderait.

— Chloé, c'est toi ? Qu'est-ce qui te prend, bon sang ? fulmina-t-il. Est-ce que tu sais combien ça coûte d'accepter un PCV ?

— Je suis désolée. Écoutez, je suis à l'intérieur d'une cabine téléphonique dans Dempsey Street, expliqua Chloé en cherchant ses mots. Je... j'ai perdu les eaux et je n'ai pas d'argent sur moi...

— Voyons, ma fille ! Si tu es en train d'accoucher, dis à ton mari de t'emmener à l'hôpital !

— Greg est parti, répondit Chloé, qui sentait des gouttes de sueur se former sur sa nuque. Mais je ne pense pas que le travail ait commencé. Je veux dire, je n'ai pas de vraies contractions...

— Tu veux prendre ton après-midi ? Alors là, Chloé, tu charries ! Tu choisis mal ton moment. Je t'avais prévenu que j'avais un rendez-vous très important...

— Bruce, s'il vous plaît, j'ai besoin d'aide.

Elle refoula les mots qui lui venaient à l'esprit – « Ne soyez pas un sale égoïste toute votre vie » – et enchaîna :

— Ça m'ennuie de vous le demander, mais est-ce que vous pourriez passer me chercher ?

— Quoi ? Rater mon rendez-vous et bousiller les sièges en cuir de ma bagnole ? J'espère que tu plaisantes, Chloé.

— Je ne plaisante pas.

— Et qui va garder la boutique, hein ? Désolé, il faut que quelqu'un reste ici. Tu n'as qu'à composer le numéro des urgences, zut alors !

— Mais je ne peux pas appeler une ambulance si le travail n'a pas commencé.

— Fais semblant ! aboya-t-il. Tiens-toi le ventre à deux mains et hurle que tu veux des calmants. Et quand tu arriveras à l'hôpital, tu leur annonceras que les contractions ont cessé. Ils te laveront et te donneront un ticket de bus pour rentrer chez toi.

— Mais...

— Faut que j'y aille, il y a un client. Salut.

Et il raccrocha.

Une autre coulée de liquide amniotique ruissela le long de la jambe de Chloé.

Au même instant, une crampe lui traversa le ventre, lui coupant le souffle. Était-ce une contraction ?

S'allonger sur le canapé et lire une description du processus était intéressant, mais à quoi distinguait-on les vraies contractions des spasmes sans conséquence qu'elle éprouvait de temps à autre ?

Elle attendit.

Rien.

« Si je reste ici encore deux heures, se dit-elle, mon pantalon sera peut-être sec. »

Oh, non...

Une autre crampe naissait, s'amplifiant comme un poing géant qui lui tordait le ventre de plus en plus fort.

Oui, ce devait être le travail. Hourra, cela signifiait qu'elle pouvait appeler une ambulance sans qu'on le lui reproche.

Soulagée mais hors d'haleine à cause de la douleur, Chloé s'empara du téléphone. La main posée sur le combiné, elle se représenta la scène. Une ambulance, gyrophare clignotant et sirène hurlante, s'arrêterait dans un crissement de freins devant la cabine téléphonique. Deux infirmiers en bondiraient, prêts au pire et chargés du matériel nécessaire pour ramener les morts à la vie...

Oh, non, deux contractions et une mare, ce n'était pas vraiment une urgence, se dit Chloé, honteuse. Rien à voir avec un carambolage sur l'autoroute. On ne dérangeait pas les gens pour si peu.

La douleur s'estompant, Chloé reprit courage et chercha une autre solution.

Téléphoner à Miranda.

Oui. Ça, c'était une excellente idée. Il fallait avertir Miranda, sa partenaire d'accouchement. Peut-être qu'elle serait obligée de travailler jusqu'à 18 heures et qu'elle la rejoindrait à l'hôpital. Aussitôt, Chloé se sentit mieux. Elle était contente que Miranda puisse être là. Pas pour les conseils techniques, évidemment, mais pour le soutien moral. Parce que si les choses empiraient, une seule personne était capable de la distraire : Miranda.

Quand on travaillait chez Fenn Lomax, rencontrer des célébrités faisait partie de la routine. Pourtant, couper et coiffer les cheveux de Magdalena Rosetti, l'une des actrices les plus en vue au monde, était un événement.

Couverte d'oscars, on la fêtait autant pour sa beauté que pour son talent. Elle était de passage à Londres pour un show télévisé qui devait avoir lieu le soir même à l'hôtel *Grovesnor*.

— Mon coiffeur avait prévu de venir par le même avion que moi, expliqua Magdalena à Fenn, mais il est tombé de ses échasses dans Central Park. Pendant qu'il était étalé par terre, un gamin de six ans lui a roulé sur la main avec ses rollers. Trois doigts cassés. Il entame un procès pour réclamer deux cents millions de dollars.

— Il fait un procès à un gamin de six ans ? s'étonna Fenn.

— Non, au fabricant d'échasses, pour ne pas avoir averti par écrit que l'utilisateur était susceptible de tomber.

— Elle est extraordinaire, déclara Beverly, en pleine conversation téléphonique avec Johnnie. D'une beauté exceptionnelle, même quand elle a la tête renversée dans le lavabo, et le cou le plus doux que j'aie jamais vu... Zut, j'ai un autre appel. À quelle heure tu passes, ce soir ?

— 19 h 30. Plus que six heures à attendre.

Johnnie sourit. Il était si heureux qu'il s'était mis à compter les heures comme un adolescent.

— Tu ne devrais pas prendre l'autre appel ? s'inquiéta-t-il.

— Ils n'ont qu'à patienter. Je préfère parler avec toi.

— Et ton patron, il ne dit rien ?

— Fenn s'est enfermé dans le salon des VIP avec Magdalena Rosetti. Je me demande ce qu'ils fabriquent.

— Quel veinard, ce Fenn ! s'exclama Johnnie. Moi, j'adorerais être enfermé avec toi dans le salon des VIP...

Après une ou deux minutes de badinage supplémentaire, Beverly chuchota :

— Vaut mieux que tu y ailles... Je t'aime... À tout à l'heure.

Agacée, elle prit la communication toujours en attente. Quelle impolitesse, d'insister comme ça ! Pour certaines personnes, faire raccourcir une frange était une question de vie ou de mort. Elles n'avaient jamais entendu parler du grand amour ?

— Oui, ici le salon de Fenn Lomax. Vous désirez ? fit Beverly de sa voix la plus glaciale.

— Eh bien, c'est pas trop tôt, répondit une femme sur le même ton. Est-ce que vous acceptez un appel en PCV de la part de Mlle Chloé Malone ? Elle désire contacter Mlle Miranda Carlisle.

— Mlle Carlisle n'est pas là, elle est sortie déjeuner.

Un PCV ? Fenn ne serait pas content quand il l'apprendrait.

— J'accepte, répondit Beverly après réflexion.

— Je vous mets en communication, annonça sèchement l'opératrice.

— Chloé ?

— Beverly ?

— Que se passe-t-il ? Miranda n'est pas encore rentrée de sa pause déjeuner. Tu veux lui laisser un message ?

— Bon, d'accord.

À la voix stridente de Chloé, Beverly devina que la jeune femme était à bout de nerfs.

— Dis-lui que je pense que les contractions ont commencé. Si elle peut se rendre directement à l'hôpital après son travail, on s'y retrouvera.

— Tu penses que tu as des contractions ? répéta Beverly, ahurie. Bon sang, tu n'en es pas sûre ?

— Enfin, si, plus ou moins. C'est dur à expliquer… Mon Dieu, il y a des enfants qui cognent sur la vitre…

Fenn, qui sortait du salon des VIP, tapota l'épaule de Beverly.

— Un café pour ma cliente, s'il te plaît. Noir avec deux sucres.

Abasourdie, Beverly ne l'entendit pas. Des enfants cognaient sur la vitre ? Où donc Chloé s'apprêtait-elle à accoucher ?

— Attends, où es-tu ?

— Dans une cabine téléphonique de Dempsey Street. Écoute, je suis vraiment désolée pour le PCV, mais…

— Une cabine téléphonique ? répéta Beverly, horrifiée. Grands dieux, il n'est pas question que tu accouches dans une cabine téléphonique ! C'est parfaitement antihygiénique !

Fenn, qui s'apprêtait à taper une nouvelle fois sur l'épaule de son employée, suspendit son geste et la regarda fixement.

— À qui parles-tu ?

— Et l'odeur d'urine ! continua Beverly en plissant le nez de dégoût. Chloé, si tu es en train d'accoucher, il faut que tu ailles tout de suite à l'hôpital, ils ont des draps propres et tout le nécessaire… Oh, une minute.

Découvrant Fenn à côté d'elle, elle plaqua la main sur le combiné.

— C'est Chloé, chuchota-t-elle. Tu sais, l'amie de Miranda. Elle voulait lui dire… Aïe !

Fenn lui arracha l'appareil.

— Chloé, que se passe-t-il, bon sang ? cria-t-il d'une voix anxieuse.

« Charmant, songea Beverly, il m'a retourné le petit doigt sans même s'excuser, et le voilà qui intervient dans une conversation téléphonique qui ne le concerne en rien ! »

— Dis-moi où tu es ! ordonna Fenn, ce qui fit sursauter Beverly. D'accord, oui, je connais Dempsey Street. Bon, ne bouge pas, j'arrive.

— M… mais, bredouilla Beverly, tandis qu'il reposait brutalement le combiné et se ruait dehors. Fenn, tu ne peux pas…

La porte claqua.

— Quelle mouche a piqué Fenn ? s'écria Miranda. J'ai vu la Lotus dévaler Fulham Road à plus de cent à l'heure.

Elle déroula son écharpe rouge et jeta sa casquette style James Bond sur la patère. Loupé. James Bond avait probablement plus d'expérience qu'elle.

— Ton amie Chloé vient de téléphoner. Fenn est allé la sortir d'une cabine téléphonique, expliqua Beverly, l'air dégoûté.

Elle avait beau désirer des enfants, elle regrettait qu'on ne puisse les acheter emballés sous vide dans un supermarché.

— Chloé pense qu'elle est en train d'accoucher, reprit-elle. Dans une cabine téléphonique et entourée de gamins qui l'encouragent en cognant sur la vitre. Quelle horreur !

— Hé, c'était à moi de l'encourager !

Miranda n'était pas vraiment déçue. Lorsque Chloé lui avait demandé d'être sa partenaire d'accouchement, elle avait supposé que l'événement aurait lieu dans un hôpital, de préférence un hôpital bien fourni en morphine, sages-femmes et toutes sortes d'équipements sophistiqués.

Se recroqueviller au fond d'une cabine téléphonique crasseuse n'avait pas la même allure. Si Fenn avait le goût de l'aventure, tant mieux pour lui.

— Alors, j'ai raté Magdalena Rosetti ? dit Miranda. J'imagine qu'elle est déjà repartie.

— Tiens, voilà autre chose ! Fenn était tellement occupé à jouer les docteurs volants qu'il l'a complètement oubliée. Elle est toujours là, ajouta Beverly, exaspérée, en désignant le salon des VIP. À moitié faite.

Miranda ouvrit la bouche toute grande.

— Tu veux dire…

— Non, pas ivre. Les cheveux à moitié coupés, précisa Beverly en agitant les doigts comme des ciseaux. Je lui ai apporté une tasse de café, et elle m'a demandé où était passé Fenn. Je lui ai dit qu'il serait de retour dans une minute... Qu'est-ce que je pouvais faire d'autre ? Lucy est complètement prise pour les quarante minutes qui viennent, et James est parti déjeuner... Corinne s'occupera d'elle dès qu'elle sera libre, mais ça ne sera pas avant au moins une demi-heure... Ça ne va pas du tout, ça. Fenn ne peut pas laisser tomber les clients en plein milieu du travail et espérer s'en sortir impunément. Imagine un peu la réputation qu'aura le salon si ça se sait ! conclut-elle en secouant la tête avec indignation.

— Tu as complètement raison, dit Miranda.

Oui, oui, oui !

59

— Ah, tiens, un autre être vivant sur cette planète !

Affichant le grand sourire qui l'avait rendue célèbre, Magdalena reposa sa tasse de café.

— Où est Fenn ? demanda-t-elle.

Pas la peine de tourner autour du pot. Le moment était venu de dire la vérité.

— Eh bien, voilà, commença Miranda. Si vous aviez été une horrible râleuse, j'aurais inventé un gros mensonge plausible. Mais comme vous êtes gentille, je vais vous répondre franchement.

Magdalena haussa les sourcils.

— Vous êtes douée pour flatter les gens, vous. À présent, j'aurais honte d'avouer que je suis une râleuse.

Miranda tira une chaise et s'assit en face d'elle.

— Fenn est parti. Je sais que ça a l'air épouvantable, mais c'était vraiment une urgence.

Magdalena croisa délicatement ses longues jambes minces gainées de soie.

— Je vois. Alors, qui va me couper les cheveux ?

— C'est comme vous voulez. Si vous pouvez attendre une demi-heure, Corinne s'occupera de vous. C'est une vraie styliste. Sinon, je peux m'en charger.

— Et vous, vous êtes ?

— Je suis moins gradée que Corinne, admit Miranda.

— Il y a une troisième option : je peux m'en aller et trouver un autre coiffeur. Excusez-moi, mais je pense que vous n'êtes qu'apprentie.

— Je sais couper les cheveux.

— Un chimpanzé aussi sait couper les cheveux, déclara Magdalena d'un ton posé. Qui me dit que vous n'allez pas me transformer en hérisson ?

— Je vous jure que non, protesta Miranda, offusquée. Mais si vous n'êtes pas contente, je vous autorise à me raser la tête.

Magdalena réprima un sourire. Célèbre depuis peu de temps, elle se rappelait l'époque où, étudiante sans ressources, elle se faisait couper les cheveux gratuitement par une apprentie. Or, jamais elle n'avait eu à se plaindre du résultat.

— Voilà une offre qui ne se refuse pas, dit-elle à Miranda. Et puis, j'aime prendre des risques. Topons là.

— Vous ne le regretterez pas.

Tout en marmonnant intérieurement une courte mais intense prière, Miranda se leva et prit le peigne et les ciseaux.

— Comment avez-vous deviné que j'étais apprentie ?

— Grâce à la télévision. La dernière fois que j'étais à Londres, j'ai vu l'émission où vous donniez vos sandwiches à un sans-abri.

Complètement détendue, Magdalena observait le reflet de Miranda dans le miroir.

— Le salon de coiffure Fenn Lomax, une fille aux cheveux bariolés... Ce n'est pas vraiment de l'intuition, j'ai juste additionné deux et deux. Je peux vous poser une question ?

— Allez-y.

Après avoir relevé une partie des cheveux blonds de Magdalena, Miranda commença à couper.

— C'était quoi, l'urgence ?

— Pour Fenn, vous voulez dire ?

— Je suis curieuse, s'excusa Magdalena. Ça me rend folle de ne pas savoir ce qui se passe. Aux États-Unis, je suis membre des Commères Anonymes.

— La fille qui habite avec moi est enceinte. Elle m'a téléphoné pour dire qu'elle était en train d'accoucher dans une cabine téléphonique à quelques kilomètres d'ici. Comme j'étais sortie, Fenn est parti la tirer de là et l'emmener à l'hôpital.

— C'est lui, le père ?

— Pas du tout, répondit Miranda en riant. Fenn ne fait... que l'aider à se sortir de là.

Magdalena eut l'air dubitatif.

— Vous en êtes sûre ?

— Évidemment.

— Je ne veux pas me faire passer pour quelqu'un d'important, mais foncer comme ça sans même prendre le temps de me prévenir... M'abandonner pour aller donner un coup de main à l'amie d'une apprentie... Ça ne vous paraît pas un peu fort de café, à vous ?

— Eh bien, maintenant que vous le dites...

Miranda réfléchit, puis secoua la tête.

— Ce n'est pas ce que vous pensez. Fenn n'est pas le père du bébé, et ces deux-là ne sortent pas ensemble.

— Alors, qui est le père ? demanda Magdalena, de plus en plus intéressée.

— C'est là que ça devient compliqué, soupira Miranda. Il s'agit de mon ex-fiancé.

Chloé nageait en pleine confusion.

D'un côté, elle n'avait jamais été aussi heureuse de voir arriver quelqu'un.

De l'autre, elle ne pouvait s'empêcher de regretter que Fenn la voie dans cet état, son pantalon collant hideusement à ses jambes et ses chaussures clapotant à chaque pas. Sans parler de sa démarche à la John Wayne.

Élégant, non ?

— On y est presque, dit Fenn.

Il avait passé ses bras autour d'elle et la conduisait vers la Lotus garée en double file.

— Sur quoi vais-je m'asseoir ? Je ne voudrais pas esquinter tes sièges.

Il lui jeta un regard exaspéré.

— Je m'en fous complètement. Pour qui est-ce que tu me prends ?

— Je ne sais pas, fit-elle en souriant malgré la douleur. Bruce, peut-être ?

Pour se rassurer, elle ôta son gros manteau et le disposa sur le siège du passager avant de s'asseoir.

— Le jour où ma sœur en a eu marre d'attendre le début du travail, elle a mangé du poulet au curry, raconta Fenn, tandis que la voiture se glissait dans la circulation. Selon elle, ça met le corps en route.

— J'ai déjeuné avec Greg, dit Chloé. Ça vaut tous les curry de la terre.

Elle essuya la sueur qui perlait au-dessus de sa bouche et s'adossa avec soulagement contre son siège.

— Je te remercie d'être venu, mais tu aurais dû me laisser appeler une ambulance. J'espère que tu n'es pas parti en abandonnant une pauvre femme la tête dans le lavabo.

— C'était très calme, mentit Fenn, tout en priant le Ciel pour que, contrairement à son coiffeur new-yorkais, Magdalena Rosetti ne soit pas du genre procédurier.

— J'ai encore du mal à croire que c'est en train d'arriver. Que je vais vraiment avoir un bébé.

Sentant venir une nouvelle contraction, Chloé serra les mains sur son ventre.

— Ça t'a bouleversée de voir Greg ?

— Oh... non.

— Qu'est-ce qu'il voulait ?

Inspirer, expirer...

— Me faire l'amour, haleta Chloé.

Fenn faillit emboutir le camion qui les précédait. « Seigneur, ne me dites pas qu'elle l'a fait ! » suppliat-il intérieurement.

L'expression de son visage arracha un petit rire à Chloé.

— Non, je ne l'ai pas fait !

Un soulagement indescriptible envahit Fenn.

— On est en train de divorcer.

— Ah... bien.

Elle changea de position sur son siège.

—Je suis désolée, tu aurais dû m'installer sur une bassine. J'ai tout mouillé.

D'un coup d'œil, Fenn embrassa le visage luisant de Chloé, ses joues rougies et les mèches humides collées sur son front. Aucun mot n'aurait pu décrire ce qu'il éprouvait pour cette femme.

—Dans ce cas, peut-être vaut-il mieux que tu descendes de voiture et que tu y ailles à pied.

Le temps qu'ils arrivent à la maternité, Chloé soufflait comme une pompe à vélo. La réceptionniste lui demanda de patienter dans la salle d'attente pendant qu'elle recherchait son dossier, et Fenn la soutint jusqu'à une chaise en plastique orange très inconfortable. Une télévision ronronnait dans un coin. Trois autres couples prenaient leur mal en patience, les femmes haletant exactement comme Chloé, tandis que les hommes leur massaient timidement le dos.

Chloé s'aperçut soudain qu'elle serrait la main de Fenn. Depuis combien de temps, grands dieux ?

—Tu veux que je fasse comme eux ? demanda Fenn à voix basse, en désignant du menton les autres hommes.

—Non, non. Ça va, répondit Chloé, qui n'osait accepter.

Au cours des minutes suivantes, la situation devint carrément surréaliste. Des infirmières allaient et venaient à toute allure devant la porte de la salle d'attente. À part un gémissement occasionnel, le seul bruit audible était celui de la télévision, qui diffusait une émission intitulée : « Mes enfants ont ruiné ma vie. »

Personne n'eut le courage de changer de chaîne. Les femmes agrippaient leur ventre et se concentraient sur leur respiration. Deux des hommes regardaient en silence l'émission, durant laquelle on put voir un adolescent pointer un doigt accusateur sur sa mère en disant : « M'man, j'aurais mieux préféré que j'soye jamais né. » Le troisième massait le dos de sa femme, tout en tournant subrepticement de sa main libre les pages d'une revue sportive.

Soudain, la femme glissa de sa chaise. Elle se mit à quatre pattes puis, sans cesser de haleter, elle arracha le journal des mains de son mari et aboya :

— Robert, est-ce que je t'ai dit d'arrêter de me masser le dos ?

Le plus vite possible, Chloé sortit un mouchoir de sa poche et le plaqua contre sa bouche pour étouffer un fou rire.

Sur l'écran, la maman hurlait : « Et moi aussi, je te déteste, espèce de petit salopiaud ! »

Des secousses de plus en plus violentes agitaient la chaise de Fenn, lequel s'efforçait de réprimer un éclat de rire.

— Tu n'es pas obligé de rester, chuchota Chloé.

Au même instant, l'une des autres femmes émit un hurlement et se lova sur la moquette. Là, les yeux mi-clos, elle se mit à psalmodier un mantra.

— *Omi matani... omi matani...*

Sans cesser de chantonner, elle se balançait lentement d'un flanc sur l'autre dans sa salopette en coton fleuri. Son mari, plus intimidé que jamais, murmura :

— Bravo, chérie, tu fais ça très bien. Tu nages avec les dauphins... Imagine que tu nages avec les dauphins...

Chloé enfouit son visage dans la chemise de Fenn, lequel était parcouru de frémissements incoercibles.

— Tu ferais mieux de partir, souffla-t-elle.

— Tu plaisantes ? Pour rien au monde, je ne voudrais manquer ça.

— Madame Malone ? Chloé Malone ?

Des larmes de rire dans les yeux, Chloé regarda l'infirmière qui se tenait devant elle. Hourra, ils avaient trouvé son dossier ! Elle allait enfin pouvoir s'allonger quelque part et recevoir un tas de calmants.

— C'est moi.

L'infirmière consulta le dossier, puis examina Fenn. De toute évidence, son visage lui paraissait familier.

— C'est vous, le partenaire d'accouchement ? fit-elle en fronçant les sourcils. M. Carlisle ?

Fenn se tourna vers Chloé. Son premier souci avait été de la sortir de la cabine téléphonique et de l'amener à l'hôpital. Cette mission accomplie, il n'avait plus qu'à lui souhaiter bonne chance, rentrer au salon de coiffure et céder la place à Miranda.

Mais ce n'était pas du tout ce qu'il désirait

— Vous êtes M. Carlisle ?

Chloé, qui ne riait plus, chercha le regard de Fenn. Pourquoi ne se ruait-il pas vers la porte, vers la liberté ? Il avait sûrement hâte de quitter cette maison de fous.

— Hé, attendez, je vous ai vu à la télé. Vous êtes Fenn Lomax ! s'écria l'infirmière.

Fenn prit la main de Chloé dans la sienne.

— Si tu veux que je reste, je resterai.

— Mais...

« Mon Dieu, oui, je veux que tu restes ! » réalisa Chloé.

— Mais tu vas trouver ça répugnant. C'est vraiment gentil de le proposer, mais tu n'es pas obligé de pousser la politesse jusque-là... Tu en as déjà fait tellement.

— Ce n'est pas de la politesse, et je ne trouverai pas ça répugnant, répondit Fenn. Je ne veux pas partir, Chloé. Je veux rester. S'il te plaît.

Ils se dévisagèrent un instant sans bouger. L'infirmière ouvrit et ferma son stylo plusieurs fois, tout en consultant ostensiblement sa montre.

— Du moment que tu ne te mets pas à nager avec les dauphins, ajouta Fenn en baissant la voix.

La femme qui se balançait sur la moquette releva la tête.

— J'ai entendu ! glapit-elle, indignée.

60

— Aaaaaah, gémit Chloé.

La sueur lui brûlait les yeux, et elle avait mal aux doigts à force de serrer la main de Fenn. Son regard se posa sur ses ongles de pied, que Miranda avait recouverts la semaine passée d'un étonnant vernis turquoise. Bon, voilà que ça recommençait…

— Poussez, Chloé, poussez, ordonna la sage-femme qui, tel un gardien de but guettant le ballon, se penchait au pied du lit.

« Franchement, que croit-elle que je fais ? Que j'essaie de le ravaler ? »

— Il est presque là, lui murmura Fenn à l'oreille. Vas-y, tu peux y arriver.

La sage-femme précédente avait fini son service vingt minutes plus tôt. Sa remplaçante était une femme énergique d'un certain âge, qui portait sur la poitrine un badge déclarant : « Jésus te sauvera. » N'ayant pas eu le temps d'étudier le dossier de Chloé, elle prenait Fenn pour le futur père.

Bon, c'était le genre d'erreur que tout le monde aurait pu commettre, admit Chloé, tandis que Fenn passait un gant humide sur son front.

— On est tous prêts pour la poussée finale ? s'écria la sage-femme en ouvrant les mains pour attraper au vol le précieux ballon.

À bout de souffle, Chloé rassembla ses dernières forces. Elle avait l'impression d'être un haltérophile en pleine concentration... oooh... sauf qu'un athlète a toujours la possibilité de renoncer... aaaah !

— Poussez jusqu'au bout, chérie.

— Mais je pou... ousse !

« Ça ressemble à quoi, ce que je suis en train de faire, espèce de vieille sorcière ? Tricoter un bonnet à pompon ? »

— Vas-y, Chloé, tu y arrives ! cria Fenn, tandis que la sage-femme s'affairait au pied du lit.

— Aïe ! fit Chloé. Fenn, c'est moi qui suis censée te broyer la main.

— Mon Dieu, pardon ! Ne parle pas ! Pousse, Chloé, pousse, pousse, pousse !

Docile, elle poussa. Le bébé glissa comme une savonnette. Bouleversée, Chloé éclata en sanglots.

— C'est une fille, annonça Fenn, d'une voix brisée par l'émotion.

Elle se tourna vers lui et, incapable de dire quoi que ce soit, le regarda fixement.

— Je nettoie ce petit bout de fille et je vous la rends.

La sage-femme coupa le cordon d'une main experte et souleva le bébé, qu'elle alla déposer sur un chariot.

Fenn serra la main tremblante de Chloé. Lorsqu'il recouvra enfin la voix, il murmura :

— Je t'aime.

Chloé, rouge d'épuisement et de joie, répondit en souriant :

— Je sais.

Le plus surprenant, c'était qu'elle n'était pas surprise. Comme si, au fond de son cœur, elle l'avait toujours su.

Fenn pencha la tête et donna à Chloé un baiser lourd de mois d'amour contenu.

— Moi aussi, je t'aime, dit-elle.

La sage-femme revint, brandissant le bébé comme un trophée.

— Et voilà ! Une magnifique petite fille, trois kilos cent, annonça-t-elle fièrement. Alors, qui veut la tenir en premier ?

Chloé serra le nouveau-né contre elle, et tous deux l'examinèrent.

— Elle est extraordinaire ! s'exclama Fenn. Tout est extraordinaire. Tout à l'heure, c'était une bosse dans ton ventre et, une minute plus tard, voilà que c'est une personne indépendante.

— Hum ! fit Chloé en jetant un coup d'œil à la pendule. Ça a pris un peu plus d'une minute.

— Je veux t'épouser, déclara Fenn brusquement. Tu vas dire que c'est trop tôt, mais je le veux vraiment. Je suis sincère, je veux que nous formions une vraie famille, ce qui implique un mariage en bonne et due forme.

Dans la poitrine du célibataire le plus recherché de Londres battait le cœur d'un homme épris des traditions, comprit Chloé dans un élan d'amour. Découverte étonnante et délicieuse à la fois.

— Dans ce cas, je suis d'accord pour t'épouser, répondit-elle en scrutant son regard. Si tu le veux vraiment.

— Je n'ai jamais été aussi sûr de moi.

Était-il possible d'être plus heureuse ? Sa fille dans ses bras, Chloé se laissa aller contre Fenn, les yeux emplis de larmes de joie.

Un mariage ? Parfait. La sage-femme, qui désapprouvait hautement les couples vivant dans le péché, sentit son cœur fondre.

— Vous vous montrez très raisonnable, ma chérie. Si le Seigneur bénit votre union, vous serez beaucoup plus heureuse... Ça me réconforte d'entendre un homme se repentir de ses fautes passées, ajouta-t-elle avec un sourire indulgent.

— Moi aussi, dit Chloé en regardant Fenn avec amour. D'autant qu'il n'est même pas le père.

Les sourcils de la sage-femme tressautèrent.

— Vous voulez dire...

— C'est vrai, je ne suis pas le père, confirma Fenn.

— Mais vous venez de la demander en mariage !

Fenn jeta un coup d'œil à la petite fille qu'il avait décidé d'élever comme la sienne. Déjà complètement gâteux, il glissa un doigt dans la main minuscule. Aussitôt, les doigts translucides l'étreignirent avec une force étonnante. Comment diable un tel amour pour cette enfant avait-il pu naître en lui aussi vite ? songea Fenn, émerveillé.

Avide d'explication, la sage-femme se tourna vers Chloé.

— Il vient de vous demander en mariage !

— Je sais. C'est incroyable, non ? s'écria Chloé avec un grand sourire. J'ai hâte de voir la réaction de mon mari quand je lui apprendrai la nouvelle.

La coupe était terminée et les cheveux séchés. Miranda laquait son œuvre lorsqu'un téléphone se mit à sonner dans la pièce.

— Ce n'est pas le mien, dit Magdalena en tapotant son sac à main.

— C'est celui de Fenn, signala Miranda, qui avait reconnu la sonnerie.

Elle se pencha de droite à gauche et finit par repérer l'appareil, à moitié caché sous une pile de serviettes. Elle s'apprêtait à répondre quand la sonnerie s'arrêta.

— Oh, tant pis, ils laisseront un message.

— C'est peut-être Fenn qui appelle pour demander où il a mis son téléphone, supposa Magdalena. C'est ce que je fais quand j'ai perdu le mien.

— Et voilà, c'est terminé, déclara Miranda en reculant d'un pas. Soyez sincère, vous êtes contente ?

— Parfait, j'adore cette coiffure, répondit Magdalena d'un ton distrait. Et si c'était Fenn qui voulait vous donner des nouvelles de votre amie ? Vous n'avez pas hâte d'en avoir ?

La porte s'ouvrit brusquement, et Beverly fit irruption dans le salon.

— Fenn vient d'appeler de l'hôpital. Chloé a accouché... Oh, votre coiffure est formidable ! ajouta-t-elle en regardant Magdalena.

— Elle a déjà accouché ? souffla Miranda.

— La mère et l'enfant se portent bien, annonça Beverly avec componction.

— Garçon ou fille ? s'enquit Magdalena.

— Fille.

— Le prénom ? insistèrent Magdalena et Miranda d'une même voix.

— Je ne sais pas. Mais tu peux aller à l'hôpital tout de suite, dit Beverly en tendant à son amie un billet de dix livres. Fenn doit vraiment être d'excellente humeur : il m'a dit de prendre ça dans la caisse pour te payer le taxi.

— Qu'est-ce que vous attendez ? s'écria Magdalena en voyant Miranda vaciller. On a fini, ici, non ? Foncez à l'hôpital et félicitez votre amie de ma part.

— Elle a eu son bébé, sanglota Miranda. C'est tout bonnement incroyable !

Magdalena lui fourra le portable de Fenn dans la main.

— Tenez. N'oubliez pas de lui rendre son téléphone.

61

— Laissez passer, laissez passer ! cria Miranda en déboulant dans la chambre, ce qui obligea une aide-soignante à s'aplatir contre le mur. Ça va aller, pas de panique. Je suis là, maintenant. Place à la partenaire d'accouchement officielle. Oh là là, en voilà une histoire ! Elle a tout fait sans moi. Bon sang, Chloé, tu n'aurais pas pu attendre ?

— J'ai essayé, dit Chloé, tandis que Miranda la serrait dans ses bras. J'ai croisé les jambes et tout, mais... Désolée.

— Je te pardonne. Bon, voyons voir...

Miranda se tourna vers le bébé, qui dormait à poings fermés dans un berceau transparent.

— Tu t'es débrouillée toute seule, alors. Qu'elle est mignonne ! Grâce à Dieu, elle ne ressemble pas à Greg.

— Eh bien...

— Est-ce que Fenn l'a déjà vue ? Quand je pense qu'il a foncé comme un fou dans la rue !

— En fait, c'est lui qui...

— On aurait dit le chevalier blanc volant au secours de la damoiselle en détresse. Tu ne devineras jamais ce que ma cliente a dit lorsqu'elle a appris ce qui se passait ! Elle a cru que Fenn était le père.

— Quelle cliente ?

En entendant la voix de Fenn, Miranda pivota sur place. Il se tenait derrière elle, adossé à la porte.

— Euh... Magdalena Rosetti.

— Quoi ? Tu lui as coupé les cheveux ? s'exclama-t-il.

— Fallait bien, fit-elle avec un sourire innocent. Il n'y avait personne d'autre de disponible.

— Mon Dieu ! Et qu'est-ce que tu lui as fait ?

— Oh, juste une coupe en brosse asymétrique et une teinture vert olive. Elle voulait quelque chose d'inhabituel.

— C'est une plaisanterie, j'espère, dit Fenn en baissant la voix, de peur de réveiller le bébé.

— Bien sûr que c'est une plaisanterie. Je suis très douée, je n'arrête pas de te le répéter. À propos, tu avais oublié ton téléphone, ajouta Miranda en jetant le portable dans sa direction. Il doit y avoir un message. Magdalena, qui est très indiscrète, mourait d'envie de l'écouter.

Elle revint au chevet de Chloé pendant que Fenn écoutait son message.

— Alors, raconte-moi tout. Comment ça s'est passé ?

Miranda s'assit sur le lit pour écouter les détails sanglants. En fin de compte, elle était plutôt soulagée de ne pas avoir eu à jouer son rôle de partenaire d'accouchement. Chloé ne semblait pas lui en vouloir, et tout s'était bien terminé.

Sauf que, sauf que... pourquoi avait-elle l'impression qu'on lui cachait quelque chose ?

Qu'est-ce que cela pouvait bien être ? Chloé avait l'air aux anges, ce qui était compréhensible, vu les circonstances... Mais ne paraissait-elle pas aussi un peu effrayée ? Et pourquoi ne cessait-elle pas de lancer des coups d'œil désespérés du côté de Fenn ?

— Tout va bien, maintenant ? s'enquit Miranda, lorsqu'il eut fini d'écouter son message.

— Oui, répondit Chloé, le souffle court.

— Tu es sûre ?

— Euh, oui...

Il y eut un long silence. Miranda vit Fenn regarder Chloé et sourire doucement. Chloé rougit comme une actrice qui aurait oublié son rôle.

Le silence s'éternisait.

— Est-ce que quelqu'un pourrait me dire ce qui se passe, s'il vous plaît ? marmonna enfin Miranda, qui n'y tenait plus.

Fenn lui tendit son portable.

— Voilà, dit-il en appuyant sur une touche et en augmentant le volume. Écoute ça.

— Fenn, salut, c'est Tina, dit une femme avec un petit accent chantant.

— C'est sa sœur, expliqua gentiment Miranda à Chloé. Elle habite en Nouvelle-Zélande.

— Écoute, ça fait quinze jours qu'on ne s'est pas téléphoné, continuait Tina, et il faut absolument que je sache où tu en es. Ce n'est pas juste, Fenn. Tu ne peux pas me raconter que tu es tombé amoureux de cette Chloé...

— Quoi ? cria Miranda.

— ... et ne plus me donner de nouvelles. D'accord, je n'étais pas enchantée la première fois que tu m'en as parlé, mais si elle compte autant pour toi...

— Quoi ? hurla Miranda.

— … si tu tiens vraiment à elle, vas-y. J'ai réagi sottement. Tu comprends, si tu as rencontré la femme de ta vie…

— La femme de sa vie ! répéta Miranda en pointant le doigt sur Chloé.

— … alors, je suis très heureuse pour toi. Et quand nous irons à Londres, le mois prochain, je serai très heureuse de faire sa connaissance. Dis à cette Chloé que tu l'aimes et ne la laisse pas filer, s'il te plaît. J'ai hâte de voir la fille qui a enfin su rendre mon petit frère amoureux… eux… eux…

Des rires joyeux et un léger déclic marquèrent la fin du message.

Miranda fixa Chloé avec ahurissement.

— C'est incroyable ! Et il t'a déjà parlé, n'est-ce pas ? Voilà pourquoi vous arborez cet air satisfait, tous les deux, et que vous minaudez en jubilant à un point que c'en est dégoûtant. En tout cas, ça me paraît évident que tu l'aimes aussi.

Penser qu'un truc pareil s'était produit quasiment sous ses yeux, sans qu'ils aient eu la décence de faire la moindre allusion ! Miranda s'efforça d'avoir l'air indigné, mais elle n'y parvint pas. Le cœur n'y était pas. Elle était heureuse pour eux, bon sang.

Fenn et Chloé, qui l'eût cru ?

Mais, en y réfléchissant, tout s'expliquait.

Le bébé souleva ses paupières aux longs cils et regarda Miranda.

— C'est fou ce qu'elle te ressemble.

Fondant sur-le-champ, Miranda prit l'enfant dans ses bras et l'inspecta à la lumière. Des yeux bleu marine solennels, un crâne recouvert d'un duvet blond, des grains de beauté stratégiquement disposés pour le flirt et une adorable bouche en bouton de rose qui crachouillait…

— C'est si mignon chez un bébé, remarqua Miranda, et si vilain chez les grandes personnes.

Elle l'embrassa sur les deux joues.

— Regarde ces sourcils... Ils sont pas chouettes ? Tu me permets toujours d'être sa fofolle de tante ? Avoir raté la naissance ne me disqualifie pas, j'espère.

Soudain, une pensée lui traversa l'esprit.

— Et toi, où étais-tu pendant la naissance ? demanda- t-elle en se tournant vers Fenn. Tu faisais les cent pas dans le couloir en fumant une cigarette imaginaire ?

Fenn ne put masquer sa fierté.

— J'étais dans la salle d'accouchement.

— Il est resté jusqu'au bout, ajouta Chloé en lui prenant la main.

— On peut dire qu'il a sauté directement dans le grand bassin, gloussa Miranda. Ça, c'est de l'amour.

Fenn serra les doigts de Chloé.

— Oui, et c'est là que j'ai demandé à Chloé de m'épouser.

Bon sang de bois !

— Et ils n'ont même pas couché ensemble ! dit Miranda au bébé qui écarquillait les yeux. Il y a des gens qui font tout à l'envers, tu ne trouves pas ? Comment allez-vous l'appeler ?

— On n'a pas encore décidé, répondit Chloé.

Miranda se réjouit secrètement du « on ».

— Un prénom qui ira avec Lomax, dit Fenn.

Miranda ébouriffa le duvet blond du bébé et décocha aux parents son sourire le plus éblouissant.

— J'ai une idée ! Pourquoi pas L'Oréal ?

— Il faut savoir prendre des risques, dans la vie, dit Miranda à Fenn, qui sortait une Mattie enchantée de son siège de voiture et la faisait planer au-dessus de sa tête. Je persiste à croire que vous auriez dû l'appeler L'Oréal.

— Voilà pourquoi j'épouse Chloé et pas toi, répliqua Fenn.

Florence et Tom devaient s'envoler de Heathrow pour Miami, où ils embarqueraient à bord d'un navire pour une croisière d'un luxe indécent dans les îles Caraïbes. Fenn et Chloé étaient venus leur dire au revoir. Âgée de sept semaines, Mattie souriait de sa bouche édentée à qui voulait bien la regarder. Même le chauffeur de taxi, qui chargeait les bagages dans le coffre, était séduit.

Miranda, qui tenait l'enfant, emmitouflée dans sa combinaison d'hiver écarlate, pencha la tête pour respirer son odeur de bébé et observa Fenn, qui aidait Florence à monter dans le taxi. En moins de deux mois, il s'était offert une amante à domicile et un bébé qu'il adorait. La vie de famille lui allait très bien. Il n'avait jamais eu l'air aussi heureux.

Parfois, faire les choses à l'envers donnait d'excellents résultats, conclut Miranda.

— Comment se débrouille Bruce avec la boutique ? demanda Chloé.

Lorsqu'elle lui avait téléphoné, peu après l'accouchement, il n'avait pas caché sa joie.

— Tu es à la maternité ? Ça signifie donc que tu ne reviens pas cet après-midi ? Trop, c'est trop, Chloé. Il ne manquait plus que ça ! Je suis désolé, mais tu es virée.

— Très bien, avait-elle répondu en souriant à Fenn. Ça me convient parfaitement.

— Bruce ? fit Miranda. Oh, il a une nouvelle employée qui s'appelle Pétunia. D'après ce que j'ai entendu dire, elle pèse dans les cent cinquante kilos et ressemble à un bouledogue.

— Pauvre Bruce ! s'exclama Chloé.

— Ne le plains pas. C'est exactement ce qu'il cherchait. Une femme trop laide pour trouver un homme et tomber enceinte.

Sur ces entrefaites, Tom arriva. Il tapota l'épaule de Miranda.

— Nous sommes prêts à partir. Prends soin de toi, ma chérie.

— Et vous, occupez-vous bien de Florence. Enfin, si elle vous le permet.

Et si quelqu'un pouvait accomplir cette mission difficile, c'était bien Tom. Depuis qu'ils étaient tombés dans les bras l'un de l'autre, Florence était transformée.

Mattie, qui hoquetait avec dignité, déposa une pleine bouchée de lait grumeleux sur le pull noir de Miranda. Florence éclata de rire.

— Ne fais pas de bêtises, ordonna-t-elle à sa pensionnaire. Enfin, pas de bêtises que je désapprouverais.

— Il y a si longtemps que je n'ai pas fait de bêtises que je ne me rappelle même plus en quoi ça consiste, répliqua Miranda sur le ton de la plaisanterie.

Ce n'en était pas moins la pure vérité, hélas ! Ces derniers temps, tout le monde semblait s'amuser, sauf elle.

Même Chloé, que son médecin avait autorisée, en toute innocence, à reprendre une vie conjugale normale. Et, ainsi qu'elle l'avait confié timidement à Miranda, tout s'était très, très bien passé. Cela lui avait même donné l'occasion de constater que Greg n'était pas l'amant génial qu'il prétendait être. Comparé à Fenn, il était… disons, très moyen.

— Envoyez-moi des cartes postales, lança Miranda à Florence, histoire de chasser ce souvenir gênant de son esprit.

Elle ne tenait pas à découvrir les talents cachés de Fenn, pas du tout, mais le verdict de Chloé lui avait fait l'effet d'une bombe. Si Greg se situait à un niveau moyen, alors...

« Il me reste des choses à découvrir, conclut Miranda. Dieu seul sait ce que je loupe. »

Le problème, c'était que le seul type dont elle avait envie de suivre les leçons n'était pas disponible.

— On y va ? demanda Tom, tandis que Chloé se penchait pour embrasser Florence.

— J'ai ma petite flasque, dit Florence en tapotant la poche de son manteau. Ça et mon passeport, c'est tout ce dont j'ai besoin.

— Et vous aussi, soyez sage, fit Miranda, quand ce fut son tour de passer la tête par la fenêtre.

— Est-ce qu'on a le droit de se marier ?

— Seulement entre vous.

— Moi, épouser un vieil ecclésiastique vicieux ? Tu plaisantes.

Florence échangea avec Tom un regard faussement horrifié.

— S'ils avaient eu de l'acné, on aurait pu les prendre pour des adolescents, déclara Miranda, lorsque le taxi eut disparu au coin de la rue.

— Sauf que des adolescents n'ont pas les moyens de se payer une croisière dans les Caraïbes, observa Chloé. Zut, Mattie vient de cracher une fois de plus sur ton épaule. Tu ne veux pas me la donner ?

— Entrez un instant, proposa Miranda.

La perspective de la solitude l'effraya soudain. Elle allait vivre un mois entier dans une maison vide. Et si elle devenait folle et se mettait à soliloquer ?

— On ne peut pas, répondit Chloé. On va passer la journée chez ma mère.

Devant l'air déçu de Miranda, elle ajouta :

— Viens avec nous, si tu veux.

Avec un frisson, Miranda se rappela son unique et brève rencontre avec la mère de Chloé, la furie qui s'était jetée sur Greg devant la maison d'Adrian.

— Non, non, ça va. J'ai des tas de choses à faire.

— Changer de pull, par exemple, suggéra Fenn en lui prenant Mattie des bras.

— Il joue toujours au petit chef? demanda Miranda en levant les yeux au ciel. Si tu ne le supportes plus, tu peux revenir habiter avec moi.

Fenn attacha Mattie dans son siège, à l'arrière de sa nouvelle Volvo. Finie, l'époque de la Lotus noire.

Chloé sourit.

— Merci, dit-elle à Miranda, mais je préfère rester où je suis.

Enviant leur bonheur, Miranda agita les mains jusqu'à ce que la Volvo vert sombre ait disparu, puis elle rentra dans la maison. Une odeur de lait caillé effleura ses narines.

Bon, qu'allait-elle faire maintenant ?

À part changer de pull, ce qui était vraiment indispensable...

62

D'après l'expérience de Miranda, quand les héroïnes de films sentimentaux étaient déprimées, elles découvraient toujours quelque chose de très constructif à faire dans la maison. Miranda, qui n'avait rien d'une héroïne, les trouvait complètement folles. Quand on était malheureuse, se lancer dans une activité aussi sinistre que laver le carrelage de la cuisine ou repasser le linge ne pouvait qu'aggraver les choses.

De toute façon, à quoi cela aurait-il servi de nettoyer la maison, puisque Florence venait de partir pour un mois et qu'il n'y aurait personne pour constater l'amélioration ?

Miranda tambourina sur le téléphone, puis composa le numéro de Beverly. Combien de fois celle-ci s'était-elle sentie seule un dimanche et l'avait-elle appelée pour suggérer un déjeuner dans un endroit sympa, c'est-à-dire rempli de mâles ?

Le téléphone sonna dans le vide. Beverly n'était pas là.

« Bien sûr qu'elle n'est pas là, se dit Miranda en raccrochant. Elle est chez Johnnie, où tous deux jouent aux amoureux.

« Quelle ingratitude ! On prend la peine d'arranger la vie de ses amis esseulés, on leur déniche le partenaire idéal... Et à peine se sont-ils rencontrés qu'ils s'envolent vers le pays de l'amour éternel sans même dire au revoir. Et on a de la chance s'ils envoient une carte postale ! »

« Sans elle, songea Miranda, Beverly n'aurait jamais rencontré Johnnie, et Fenn n'aurait jamais croisé la route de Chloé. »

Indignée, elle enleva son pull et le jeta en direction de l'escalier.

Du moment qu'eux-mêmes étaient heureux, ils se fichaient bien d'elle !

Lorsque la sonnette retentit, une heure plus tard, Miranda décida qu'elle n'avait envie de voir personne.

S'épiler les sourcils en regardant *La Petite Maison dans la prairie* était probablement la méthode la plus efficace pour se donner l'air d'un lapin albinos.

Très, très efficace, se dit Miranda en vérifiant le résultat de son travail dans le miroir. Ses yeux étaient du même rose bonbon que son tee-shirt. Si elle ouvrait la porte dans cet état, celui ou celle qui se trouvait sur le seuil éprouverait la peur de sa vie.

La sonnette retentit à nouveau.

Elle l'ignora.

Nouveau coup de sonnette.

Miranda rampa à travers le salon, grimpa sur l'appui de la fenêtre, jeta un coup d'œil furtif…

… et tomba nez à nez avec Danny Delancey, qui écarquillait les yeux de l'autre côté de la vitre.

Horrifiée, Miranda plongea à terre.

— Trop tard, fit la voix de Danny. J'ai vu ton gros derrière gigoter sur le tapis.

Miranda enfila son manteau et se résigna à lui ouvrir.

— Je n'ai pas un gros derrière… Et même si j'en avais un, ça ne me ferait rien du tout. Il n'y a pas de mal à avoir un gros derrière.

Non qu'elle en voulût un, merci beaucoup, mais il s'agissait d'une question de solidarité féminine. Après tout, le derrière de Chloé n'était pas vraiment petit, et Fenn semblait s'en satisfaire.

— Est-ce que tu préférerais que je parle de ton adorable petit derrière ? demanda Danny. C'est le cas, mais vu que je ne suis pas du genre à faire des compliments, ça pourrait t'effrayer.

Exact, se dit Miranda, qui sentit néanmoins qu'une ombre de compliment se cachait sous ces mots.

— Je ne voulais pas ouvrir la porte, au cas où ça aurait été un Témoin de Jéhovah, dit-elle en s'effaçant pour le laisser entrer.

Elle aurait donné tout l'or du monde pour avoir été moins énergique avec la pince à épiler.

— Et si j'ai les yeux rouges, ce n'est pas parce que je pleurais, reprit-elle. J'étais en train de m'épiler les sourcils.

— Moi, je te crois, mais des milliers d'autres gens en douteraient, répondit-il en examinant la tenue de Miranda. Pourquoi portes-tu un tee-shirt et un manteau ?

— J'ai dû enlever mon pull, il y avait du vomi dessus. Pas le mien, ajouta précipitamment Miranda. Celui de Mattie.

— Heureux de te l'entendre dire. Florence et Tom sont partis à temps ?

— Comment sais-tu qu'ils sont...

Elle n'acheva pas sa phrase. De toute évidence, Florence l'avait prévenu de son départ.

— Florence m'appelle de temps en temps.

— Si elle t'a dit que je risquais de me sentir seule et que j'aurais besoin d'être consolée... commença Miranda d'une voix furieuse.

Il l'interrompit tout de suite.

— Non, non, elle ne m'a rien dit de tel. En fait, c'est moi qui ai besoin d'aide.

Tiens donc, comme c'était vraisemblable ! Il avait l'air franchement pitoyable, avec son polo bleu foncé, son jean délavé et sa veste en cuir jetée sur l'épaule... Sans parler de ses yeux sombres qui pétillaient de malice.

— Vas-y, murmura Miranda.

Serait-elle jamais capable de le regarder sans avoir l'impression que des dauphins s'ébattaient dans son estomac ?

— J'ai un nouveau cerf-volant dans la voiture, expliqua Danny. J'ai besoin d'entraînement pour épater mon neveu par mon habileté. Il me faudrait de l'aide pour démêler le fil quand il s'emberlificote. Ça te dit, un tour à Parliament Hill ?

— Épater ton neveu par ton habileté ? répéta Miranda. Vaut mieux emporter une tente, alors. Ça peut prendre des années.

— C'est ta façon gentille de dire oui ?

Déterminée à lui cacher sa joie, Miranda répliqua :

— C'est ma façon gentille de dire : allons-y, j'ai besoin de rigoler un bon coup.

Quand était-elle venue à Parliament Hill pour la dernière fois ? En avril, avec Florence, se rappela Miranda. À présent, on était en décembre, et il y avait toujours autant de cerfs-volants.

Le soleil aussi était là, ainsi que le ciel d'un bleu pur, mais un vent glacé sifflait aux oreilles de Miranda.

Des enfants chaudement vêtus couraient en tous sens, luttant pour contrôler leurs cerfs-volants et des kilomètres de fil de nylon. Les adultes, qui faisaient faire aux leurs des acrobaties dignes des Jeux olympiques, bougeaient à peine.

Foncer là-dedans, au risque de se retrouver ligoté par son propre engin, était parfaitement puéril.

Pour impressionner son neveu, Danny avait acheté un énorme cerf-volant rouge, qui se révéla parfaitement incontrôlable. Chaque fois qu'on le lançait, il s'élevait quelques secondes, flottait vaguement, puis retombait à pic pour se venger. Par deux fois, il avait manqué de peu la tête de Miranda, et elle avait dû apprendre à s'écarter précipitamment de sa trajectoire. Lors d'un troisième lancer, il se rua dans l'arbre le plus proche.

Danny grimpa prudemment sur la branche où le fil s'était emmêlé.

Miranda ne put s'empêcher d'admirer son corps musclé. Très musclé.

— Je me demande pourquoi tu te fatigues, cria-t-elle. Ce cerf-volant est un psychopathe. Il ne mérite pas d'être sauvé. Tu devrais lui donner une bonne leçon et le laisser pourrir là-haut.

Sous une pluie de feuilles, Danny parvint enfin à dégager l'engin capricieux et sauta à terre.

— Certains cerfs-volants sont très faciles à manœuvrer. Tu t'entends avec eux dès le départ. D'autres réclament plus de travail. Alors, il te reste deux options : renoncer ou persévérer. Mais si tu arrives à tes fins... eh bien, ça vaut le coup.

Le froid avait rougi le nez et les oreilles de Miranda. Elle avait tiré les manches de son blouson sur ses mains et serrait les bras sur sa poitrine, ce qui ne l'empêchait pas de frissonner. Elle regarda le cerf-volant glisser sur l'herbe, frémir puis s'élever légèrement, tirant sur sa laisse comme un rottweiler baveux.

— Emmène-le chez le vétérinaire et fais-le piquer. Si tu veux vraiment impressionner ton neveu, tu ferais mieux de te mettre aux rollers.

— Tu gèles. Tiens, prends ma veste, dit Danny en se déshabillant.

— Je ne savais pas qu'il allait faire si f... froid.

Miranda enfila la veste, dont elle renifla subrepticement le col, humant la délicieuse odeur de l'après-rasage familier.

— Je suppose que tu as essayé de persuader ta petite amie de t'accompagner, mais elle a dû se méfier.

Voilà. Elle y était arrivée. Elle avait glissé la chose dans la conversation d'une façon si habile et désinvolte qu'il ne devinerait jamais depuis combien de temps elle brûlait d'amener le sujet sur le tapis.

— Ma petite amie, répéta pensivement Danny, tout en rembobinant le fil du cerf-volant.

— Voyons, rappelle-toi. Une blonde, très élégante, qui te fait signe comme ça.

Miranda remua les doigts d'une façon aguicheuse, imitant la fille aperçue dans la voiture de Danny. L'essentiel, se rappela-t-elle, était d'éviter de paraître jalouse ou hargneuse, ce qui n'arrangerait pas ses affaires.

— Je pense que tu veux parler de ma sœur, Caroline, dit Danny. C'est la mère d'Eddie, précisa-t-il. Tu te souviens d'Eddie ?

— Ta sœur, répéta lentement Miranda. Mais tu m'as fait croire que c'était ta petite amie !

— Moi ? fit Danny en fronçant les sourcils d'une façon peu convaincante. Caroline désirerait certainement que j'aie une petite amie. En fait, elle désespère tellement de me caser qu'elle passe son temps à essayer de me refiler toutes ses copines célibataires.

Il n'avait pas l'air enthousiaste.

— Et tu n'en as trouvé aucune qui te plaise ? demanda prudemment Miranda.

Complètement rembobiné, le cerf-volant palpitait aux pieds de Danny comme un gamin turbulent.

— Si on s'assoit dessus, il ne pourra plus s'échapper.

Danny maintint une aile d'un pied, tandis que Miranda s'asseyait sur l'autre, puis il vint s'installer à côté d'elle.

— Oh, si, fit-il enfin, j'en ai trouvé une à mon goût....

Miranda tenta de se concentrer sur le panorama qui s'offrait à eux. Londres, une ville immense où vivaient des milliers et des milliers de gens. Mais y avait-il parmi eux, à cet instant même, une seule personne qui soit, comme elle, noyée dans un abîme de confusion ?

— Ah, bon ? dit-elle. Et comment est-elle ?

— Compliquée.

Secouant la tête, Danny tapota le tissu rouge sur lequel ils étaient assis.

— Elle est comme ce cerf-volant. Il ne fait jamais ce qu'on voudrait qu'il fasse. Il part dans toutes les mauvaises directions... et il passe son temps à s'emmêler avec les autres...

Le cœur de Miranda se mit à cogner sourdement. Dans son estomac, les dauphins entamèrent leur sarabande.

— Elle a quelqu'un en ce moment ?

— Non. Je me suis tenu à l'écart ces deux derniers mois, afin qu'elle se remette d'une mésaventure... Ça n'a pas été facile, mais je savais que c'était nécessaire, ajouta-t-il après un silence.

Boum, boum, boum.

— Comment est-elle, physiquement ? demanda Miranda, les yeux fixés sur l'horizon.

— Oh, plutôt laide... Non, je plaisante, rectifia-t-il aussitôt, en voyant les épaules de Miranda se raidir. Pas laide du tout. D'incroyables yeux noirs. Une bouche qu'on a envie d'embrasser. Des cheveux verts avec des tortillons dorés aux extrémités.

— Des boucles, murmura Miranda. Pas des tortillons.

— Et, bien sûr, un adorable petit derrière. Non que j'aie quoi que ce soit contre les gros, dit Danny. Les gros derrières sont charmants, eux aussi.

Sous le regard de Miranda, Londres se brouillait. Elle s'essuya les yeux du revers de la main.

— Pourquoi maintenant, Danny ? Après tout ce temps, pourquoi as-tu changé d'avis ?

— Je n'ai pas changé d'avis. Ça fait des mois que je sais ce que j'éprouve.

— Mais...

— C'est à cause des autres cerfs-volants, expliqua-t-il. Comme je te l'ai dit, elle a passé son temps à s'emberlificoter avec l'un puis avec l'autre.

Il s'interrompit et la regarda d'un air grave.

— Miles, c'est fini ?

Incapable de parler, Miranda hocha la tête. Juste au-dessus d'eux, un grand cerf-volant jaune et brun planait comme un aigle. Vingt mètres plus loin, une petite fille sautait en l'air en criant :

— Ne le fais pas tomber, papa ! Ne le laisse pas tomber sur ces gens !

— Un grand coup sur la tête, soupira Danny. Exactement ce dont nous avions besoin. As-tu idée du temps que j'ai passé à préparer cet instant ? C'était censé être extrêmement romantique.

— C'est romantique, rétorqua Miranda en ouvrant les bras. Rester assis en ma compagnie, au risque d'être décapité en même temps que moi... Je trouve ça follement romantique.

Danny sourit et effleura sa joue gelée.

— Pour être fou, c'est fou.

— Vas-y, chuchota Miranda. Embrasse-moi. Et le premier qui surveille le cerf-volant est une poule mouillée.

— Papa, papa, qu'est-ce qu'ils font, ces gens ?

— Ils se donnent en spectacle, Rachel.

— Papa, pourquoi y en a un qui a des cheveux verts ?

— Parce que c'est un exhibitionniste, chérie. Tu n'as qu'à les ignorer tous les deux.

Miranda éclata de rire contre la bouche de Danny. Puis, avec un soupir d'aise, elle s'allongea sur le dos et regarda le cerf-volant brun et jaune disparaître vers le haut de la colline.

— Je pense qu'il est temps que je me fasse pousser les cheveux. Si on me prend pour un garçon, c'est qu'ils sont trop courts.

— Moi, je pense qu'il est temps de rentrer, dit Danny. Avant que je ne devienne vraiment exhibitionniste... Je t'aime, ajouta-t-il en se penchant vers elle. Plus que tout au monde. Tu le sais, n'est-ce pas ?

— Eh bien, maintenant, je le sais. Mais, la prochaine fois, tâche d'attendre moins longtemps pour me mettre au courant.

— Je t'aime depuis le début, depuis que je t'ai vue.

— L'amour au premier sandwich, murmura Miranda, qui se sentait ridiculement heureuse.

Il se leva et la hissa sur ses pieds. Libéré, le cerf-volant rouge s'envola. Miranda tenta désespérément de le rattraper. Avec un frétillement de triomphe, il s'éleva joyeusement dans les airs.

— Laisse-le, dit Danny en lui prenant la main. Un seul cerf-volant capricieux à la fois me suffit.

Ils retournèrent vers la voiture.

— Florence sera furieuse d'avoir loupé ça, remarqua Miranda.

— Elle le saura bien assez tôt.

— Mais ils vont être absents un mois entier.

— Elle m'a donné le numéro de téléphone, le fax et l'e-mail de leur hôtel, à Miami, annonça Danny.

Elle veut qu'on la prévienne immédiatement si quelque chose d'un tant soit peu romantique se produit.

— C'est pas possible ! s'exclama Miranda en simulant l'indignation.

— Il y a autre chose qu'elle veut que tu saches.

— Quoi donc ?

— Elle approuve complètement.

Aubin Imprimeur
LIGUGÉ, POITIERS

Reproduit et achevé d'imprimer en juin 2006
N° d'édition 2-06037 / N° d'impression L 70051
Dépôt légal, juillet 2006
Imprimé en France

ISBN 2-7382-2125-4